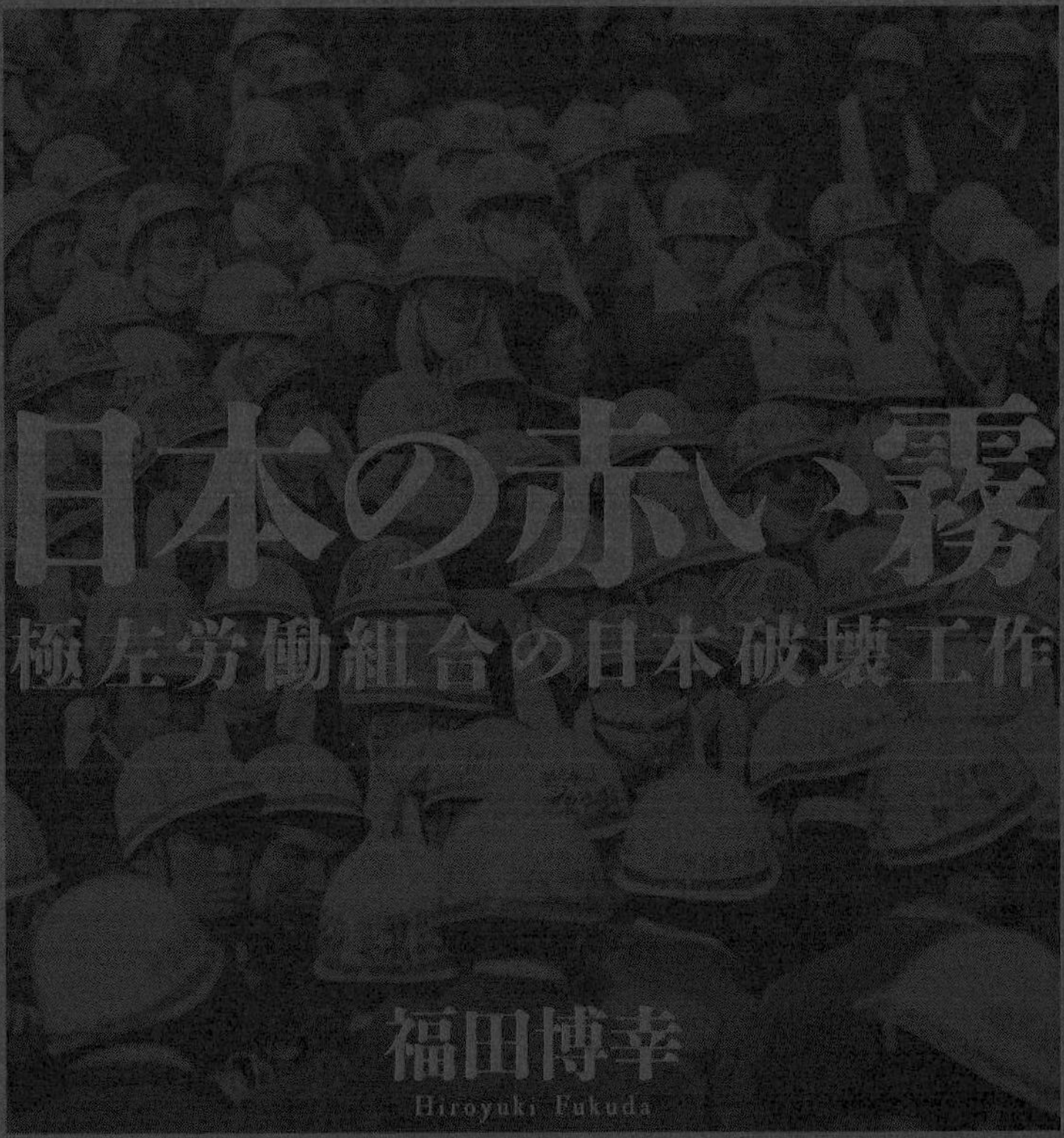

日本の赤い霧

極左労働組合の日本破壊工作

福田博幸
Hiroyuki Fukuda

清談社
Publico

日本の赤い霧

極左労働組合の日本破壊工作

福田博幸

清談社
Publico

はじめに――この国を覆う「赤い霧」の正体に迫る

この国の分断を狙う「内なる敵」とは

今、日本は「内なる敵」によって分断の危機にさらされています。

彼らは中国、北朝鮮、ロシアといった外国勢力とも連携し、長い時間をかけて日本国内で分断工作を推進してきました。

その「内なる敵」とは「左翼」です。

「左翼」とひと言でいっても、日本共産党と社会党の対立があったり、革マル派（日本革命的共産主義者同盟革命的マルクス主義派）と中核派（革命的共産主義者同盟全国委員会）の血で血を洗う抗争（いわゆる内ゲバ）があったりしたので、彼らをひとくくりにして語るのは難しいところがありますが、これだけははっきりいえます。

どんな左翼勢力であれ、彼らが社会や組織で影響力を持つようになると、ろくな結果にはなりません。

「左翼が恐ろしかったのは昔の話だ。今はなんの力も持っていない。実際、日本共産党も社民党も、国会に議席数がほとんどない弱小政党じゃないか」――おそらく、そう考えている方も多いことでしょう。

しかし、左翼の恐ろしさは数そのものではありません。ほんの少数で組織の中枢に潜り込み、組織全体をコントロールしうるほどの影響力を発揮するところです。

単純な〝数〟で左翼を語るのはナンセンスだといえます。それでは彼らの本質、本当の恐ろしさを見誤ってしまいます。そのことを理解していただくために、まずは左翼勢力が日本の各界に影響力を持つようになっていった歴史的背景から述べていきたいと思います。

敗戦後の日本を支配した「占領軍」は、日本が再び自立した強い国にならないよう、「日本弱体化政策」を推し進めました。

占領軍の対日政策の実施にあたっていたのは、連合国軍であったアメリカ、イギリス、ソビエト連邦（ソ連。以下、本書ではソビエトと表記）代表などによって構成されていた国際機関「極東委員会」でした。

占領軍GHQ（連合国軍最高司令官総司令部）のなかには「GS」（民政局＝政務担当）、「GⅡ」（参謀第二部＝軍務担当）という対立する二つの部局がありましたが、当初は米ソが蜜月の時代だったこともあり、ソビエトの意向も反映したGSが絶対的優勢のもとに占領政策を進めました。

GSグループには、チャールズ・ケーディスやコートニー・ホイットニーなど、アメリカ本国でも国務省左翼人脈に連なる「ニューディーラー」と呼ばれる社会主義者が多く集まっていました。とくにケーディスは、フェリックス・フランクフルターとルイス・ブランダイスという二人のマルクス主義者ユダヤ人法律学者の弟子で、日本弱体化政策の一環として現日本国憲法を起草し、押しつけた張本人です。

GHQのGSグループが利用した日本共産党

GSグループが「日本弱体化政策」推進の実行部隊、つまり〝尖兵《せんぺい》〟として使ったのが日本共産党員でした。戦時中に治安維持法によって逮捕され、刑務所に入れられていた党員たちが、占領軍によって釈放され、その任務にあたるようになったのです。

当時の日本共産党幹部だった徳田球一《とくだきゅういち》や志賀義雄《しがよしお》らは府中《ふちゅう》刑務所から、宮本顕治《みやもとけんじ》は網走《あばしり》刑務所から、袴田里見《はかまださとみ》は宮城刑務所から出ました。いずれも戦後の日本共産党の牽引役《けんいんやく》となる人物です。彼らは占領軍を「解放軍」と呼び、歓喜して日本弱体化政策に協力しました。

GSグループにとって、日本共産党は国際共産主義運動の同志です。

一九一九年三月、ウラジーミル・レーニン指導のもとにモスクワで「プロレタリアートの世界的独裁の樹立、世界革命」を達成するために闘争する国際組織「コミンテルン」が結成されました。これに各国の共産党が支部として加盟。本部ソビエトの指示のもとに各国の共産党が連携し、世界規模の共産革命闘争を展開しました。いわゆる「国際共産主義運動」です。

一九二二（大正十一）年七月に創立した日本共産党も、翌一九二三（大正十二）年十一月には「コミンテルン日本支部」となりました。日本共産党が占領軍の日本弱体化政策に協力したのは、モスクワからの〝指令〟でもあったのです。

ところで、国際共産主義勢力は、革命闘争を推進するために「平和運動」を名目に掲げ、革命情勢を醸成する工作活動のために、国際的な組織づくりをしています。おもなものには、世界平和評議会、世界労連、世界民青連、国際学連、国際民婦連、世界科学者連盟、国際民主法律家協会、国際ジャーナリスト機構などがあります。

コミンテルンの指令を受けた日本共産党は、占領軍の「GS」勢力をバックに、労働組合の単組（単位労働組合）や、日本国内のありとあらゆる社会組織に日本共産党の「細胞」をつくりました。

当時、「細胞」としてつくられ、今日まで継続している日本共産党の外郭団体だけでも七十を超えます。非核の政府を求める会、日本平和委員会、原水爆禁止日本協議会（原水協）、自由法曹団、全国商工団体連合会、消費税をなくす全国の会、農民運動全国連合会、全日本民主医療機関連合会（民医連）、新日本婦人の会、全日本医学生自治会連合会、日本科学者会議、日本芸術会、全国勤労者音楽協議会、全国こども劇場、おやこ劇場連絡会、日本勤労者山岳連盟、全国卓球協議会、勤労者釣りの会……など多岐にわたっています。ちなみに、日本平和委員会は前出の世界平和評議会の下部組織で、「原水協」はそのまた下部組織というつながりです。

これらは、いずれも全国組織で、網の目のように日本各地に張りめぐらされています。とくに日本共産党の医療組織「民医連」は、一九四六（昭和二十一）年に結成され、一九九四（平成六）年三月時点では全国百五十四病院と三百八十二診療所が加盟。医師三千二百十二人、職員三万八千人以上が組織化されており、日本共産党系医学連には十九大学の自治会が組織されています（第三十一回総会発表）。ここで育てられた学生が医者となって全国に散るのですから、脅威さえ感じます。

占領軍のなかの「ＧＳ」勢力は、一九五〇（昭和二十五）年の朝鮮戦争の勃発を契機として米ソが対立する時代に突入したために一掃されました。しかし、日本の混乱に乗じてＧＳグループが日本共産党を通じて植えつけた「日本弱体化」のための左翼人脈は、その後もしっかり根を張って残り、今日まで生き続けています。具体的には、日本共産党や旧社会党左派を源流とした左翼政党、日本共産党系の全労連や社会主義協会系の全労協に代表される左翼労組、学術会議を中心とした左翼学者や左翼評論家、新劇劇団を中心とした左翼芸能人、朝日《あさひ》新聞、毎日《まいにち》新聞、東京新聞、共同通信などに潜入している左翼マスコミなどです。

中国、ロシア、北朝鮮の「日本弱体化政策」

前述した「GSグループ」「日本共産党」に加え、国際共産主義運動同調国として連動した動きをしているのが、中国、ロシア、北朝鮮です。

これらの国や組織が「日本弱体化政策」の基本に置いているのが「分断工作」です。日本国民が一体にまとまらないように、国民世論を二つに分断し、互いに対立させるために、「教育」と「マスコミ」を上手《じょうず》に活用しているのです。そして、この「日本弱体化」工作は今日、見事に成功しています。

政界では、世界でもあまり例がないほどに与党と野党でまったく正反対の政策が掲げられ、左翼政党による不毛な主張が繰り返されてきました。

教育界では、国家存立の基本である「自分の国は自分で守る」という意識を子どもたちに教えず、「国防」という言葉さえ意図的に避ける教育政策が施されてきました。「日本弱体化政策」の尖兵役を果たしてきた日教組（日本教職員組合）教師たちにいたっては、自衛隊に対して「憲法違反の殺人集団」とまで暴言を吐いてきました。

また、彼らは「民主主義」を大義名分に掲げながら、本質的な原則を大きくねじ曲げ、それを教育の現場に拡散させてきました。

ヨーロッパで発達した民主主義の原則は、「自由」「平等」「博愛」だといわれています。欧州で長いあいだ続いた王室制の封建政治下では、奴隷に象徴されるように、身分制度が徹底していました。そこでは、学ぶ自由も、職業選択の自由もありませんでした。封建制度が崩壊し、民主化が実現したことによって、人々は「競争できる自由」を初めて手に入れることができたのです。

したがって、欧州を中心に発達した民主主義の「自由」とは、「誰もが競争できる自由」を意味しています。その競争が公平に行われるための原則として「平等」を定めたのです。貧富の差や人種の区別なく、競争のスタートラインを「平等」としました。それでも平等のスタートラインに立てないハンディのある人に手を差し伸べるのが「博愛」です。

ところが、占領軍による「日本弱体化政策」では、民主主義を吹聴《ふいちょう》しながら、切磋琢磨《せっさたくま》して日本人が自立するのを阻止するため、故意に民主主義の本質をねじ曲げ、「競争は悪」とする風潮を広め、社会進化の原則である向上心を妨げる「競争しない自由」をはびこらせました。今や「競争しない自由」は「努力しない自由」へとエスカレートし、社会生活を維持するための規律さえ守らない自由や怠け者の自由が跋扈《ばっこ》し、税金を使ってこれら怠け者を救済する「弱者利権集団」さえ生み出しています。

こうした誤った民主主義を積極的に推進、普及してきたのが「日教組」です。そして、それをサポートし、世論形成してきたのが日本の「マスコミ」です。

日本弱体化政策のひとつとして定められた憲法を金科玉条のごとく奉り、国を守る「国軍」である自衛隊を憲法にさえ明記せず、「自分の国は自分で守る」という意識が国民に出ないように、憲法が見直されないように、日本古来のよき習慣が復活しないようにと、「日本弱体化政策」の担い手たちは、マスコミを利用しながら、巧みに次々と手を打ちました。彼らのスローガンに異論を唱えると、即座に「反動」「右翼」「反民主勢力」などとプロパガンダとして用意した特殊用語で罵声を浴びせました。国を守るための基本政策が形成されないように、種々のプロパガンダをまき散らしたのです。

また、日本という国の〝軸〟をつくらせないという工作も活発です。天皇批判、皇室批判もその一端です。皇室をめぐる国民の考えを分断、対立させようという狙いは歴然としています。沖縄や北海道を地域分断工作に利用しようとの動きも活発です。

五十年にわたる「大労組」との闘い

筆者は二十代後半から記者生活の傍ら、自分のライフワークとして階級闘争至上主義を掲げて活動する「大労組」批判を行ってきました。これら「大労組」勢力の裏にソビエト・コミンテルンや中国共産党の影を見たからです。

両国は戦後、政権の転覆を目的に、積極的に対日工作をしかけて革命煽動《せんどう》を繰り返してきました。とくに民主国家であるわが国においては、合法組織である「労働組合」を隠《かく》れ蓑《みの》にして、巧妙な諜《ちょう》報《ほう》煽動工作や反政府運動が繰り返されました。

そのような社会動向に対し、微力ながら警鐘を鳴らしてきましたが、残念なことに、「笛吹けども踊らず」が日本の世相でした。

ところが、「令和」の時代に入ると世相は一変します。

二〇二〇（令和二）年には、中国・武漢《ぶかん》に端を発した新型コロナウイルスが世界中に蔓延《まんえん》して世界経済活動を麻痺《まひ》させたばかりか、中国共産党の横暴さや唯我独尊ぶりを世界中に示すこととなりました。

そして、二〇二二（令和四）年には、ロシアによるウクライナへの侵攻が起こり、「平和」を唱える念仏も、民主主義の正義も、〝武力〟の前にはまったく無力であることを見せつけました。「百聞は一見に如《し》かず」ということわざを、これほど実感したことはありません。

冒頭で述べたとおり、現在、日本にとって何より脅威なのは、「内なる敵」の存在です。共産主義にシフトした左翼勢力は、世論形成に絶大な影響力を持ち、今や第四権力といわれる「マスコミ」の内部にも浸透し、連動しながら国論の分断工作を推し進めてきました。この「内なる敵」が、「日本弱体化政策」という土台のもとに、どのように日本支配を企てたか、その実態を経験にもとづいてまとめたのが本書です。

シベリア抑留帰りの元軍人・細井宗一《ほそいそういち》が労組の闘士となり、なしとげようとした国鉄の「人民管理」（第一章）。

その細井をまねて、国鉄民営化の混乱に乗じてJR支配を企てた過激派「革マル派」の諜報工作（第二〜三章）。

コックピットを占拠し、空の支配を狙った日本共産党（第四章）。

地方から中央を包囲し、ソビエト傀儡《かいらい》政権を夢見た革新自治体ブーム（第五章）。

日台の離反と敵国・日本の資産で国家復興に利用された田中角栄《たなかかくえい》（第六章）。

利権にまみれた結果、「世界の非常識」がまかり通るようになった日本の放送界（第七章）。

これらは、インテリジェンスなき日本の〝負の遺産〟の記録です。

＊引用文のうち、公刊物以外の筆者が独自入手した文書については、読者の読みやすさを考え、適宜、句読点を加え、表記を改めた部分もあります。

日本の赤い霧

極左労働組合の日本破壊工作——目次

第二章 「JR」という伏魔殿

第三章

「警察、マスコミ、統一教会」への革マル派の浸透工作

第四章 日航機墜落事故の闇と『沈まぬ太陽』

第五章　「革新自治体」に巣食うソビエトの影

第六章 田中角栄への諜報工作

第七章 MXテレビと民放に蠢く「内なる敵」

第八章 「赤い霧」と闘う四つの組織

公安調査庁

自衛隊情報保全隊

第一章　「国鉄崩壊」の真相

なぜ労働組合に左翼が根づいたのか

「昔陸軍、今総評」

若い読者で、このフレーズにピンとくる方は、それほどいないかもしれません。

「総評」（日本労働組合総評議会）とは、一九五〇（昭和二十五）年に結成された労働組合の全国的中央組織です。

日本の労働組合は、企業別組合、産業別組合、ナショナルセンターという三層のピラミッド構造になっています。総評は、その最上位に位置するナショナルセンターであり、一九八九（平成元）年に「連合」（日本労働組合総連合会）が誕生するまでは、鉄鋼、私鉄、合化、炭労、全国金属などの民間有力労組と、国労、全逓、日教組などの官公庁労組四十六万人が結集した、わが国最大の労働団体でした。絶大な組織力を背景に、政治的にもマスコミ的にも大きな影響力を持ち、その横暴さから経営者のあいだで恐れられていました。「昔陸軍、今総評」は、そんな当時の総評の恐ろしさを表した言葉です。

その「総評」の中核的労組として戦後の労働運動を牽引したのが、国鉄（日本国有鉄道。現ＪＲグループ）の労働組合「国労」（国鉄労働組合）でした。

一九四六（昭和二十一）年に結成された当時の国労（当初は「国鉄労働組合総連合会」）は、日本共産党勢力が牛耳っていました。

というより、国労にかぎらず、戦後の労働組合の多くは、日本共産党をはじめとする左翼勢力の支配下にあったのです。

なぜ、そんなことになったのか。

原因は終戦直後のGHQによる占領政策にあります。

そもそも、日本の労働組合は、一九一二（大正元）年にクリスチャンの鈴木文治《すずきぶんじ》によって結成された友愛会《ゆうあいかい》に始まり、同会の発展的解消によって結成された「総同盟」（日本労働組合総同盟＝戦前の日本のナショナルセンター）等による「自由にして民主的な労働運動」が戦前を通じて成長していきました。

しかし、戦時体制が強化されるなかで総同盟は解散。戦後になると、日本の労働運動をとりまく環境が一変し、「日本弱体化政策」を推し進めるGHQの命令で、日本共産党主導による労働組合の結成が行われるようになったのです。

やがて、GHQは日本共産党勢力を排除する方針に転換していきますが（いわゆる「レッド・パージ」）、一度各界に食い込んだ共産主義勢力を完全に排除することは難しく、日本の労組界には左翼人脈がすっかり根づいたまま今日にいたっています。

くわしくは後述しますが、マスコミも同様の事情で共産主義勢力の支配下にある状況が現在も続いています。

「国労の孔明」細井宗一

一九五一（昭和二十六）年、国労内で路線対立が起こると、「民同」（民主化同盟＝一九四七〈昭和二十二〉年の二・一ゼネスト後、日本共産党の労働組合支配に反発し、組合の民主化を掲げて結成されたグループ）左派が国労の主流となりました。そして、のちに民同右派が「鉄労」（鉄道労働組合）へと発展し、待遇への不満から機関士、機関助士らが国労を脱退して職能労組「動労」（国鉄動力車労働組合）を結成すると、この国労、鉄労、動労の三労組が、国鉄の労働運動の流れを形成していくことになります。

ところで、国労のなかで、「国労の諸葛孔明《しょかつこうめい》」と呼ばれ、抜群の戦略能力を発揮した人物がいました。

名を「細井宗一」といいます。

細井は、表面上は国労企画部の中央執行委員にすぎなかったのですが、その実態は国労内の日本共産党系労組「革同」（国鉄労働組合革新同志会）を束ねるボスでした。給与、労働条件はもちろん、遵法および減産闘争にもくわしく、闘争指導も手がけていました。

細井が率いる革同は、「革命」の準備組織としての労働組合を目指し、労働運動を「階級闘争」としてとらえていました。そして、「労働者の経済的、政治的要求は、使用者ないし政府との力関係によって決まる」として、着々と「生産管理」の職場状況を構築していったのです。その結果、国鉄の職場は荒廃し、生産性も低下していきました。

「生産管理」とは、労働者の団体が、争議の目的を達成するために使用者の経営に関する機能を排除して生産手段を自己の実力支配下に置き、企業経営をする争議行為をいいます。

生産管理は私有財産制度の根幹を揺るがす争議手段であり、

①権利者の意思の排除

②使用者側の支配する工場、その他の資本の実力支配

などの点から違法な争議行為です。日本共産党指導のもとに行われた終戦直後の争議行為は、生産管理をともなうものが多く見られました。

抹殺された国労の問題点と職員の声

細井らの工作によって労組の支配が進み、職場が荒廃するなか、一九七〇（昭和四十五）年に、国鉄当局（経営陣）は当時、日本企業でさかんに行われていた「生産性向上運動」を導入することで状況の改善を試みます。生産性向上運動とは企業の生産性を向上させることで国民全体の生活水準を高めることを目指す運動のことで、日本では一九五五（昭和三十）年設立の日本生産性本部によって推進されました。民間企業では昭和三十年代から始まり、日本の経済成長の原動力の一翼を担い、社会的にはすでに定着していました。国鉄は十年あまり遅れての導入でした。

ところが、この「起死回生」の生産性向上運動に対して、当時の国鉄を事実上支配していた国労、動労は徹底抗戦の構えでそれをつぶそうとします。

世にいう「マル生粉砕闘争」です。

「マル生」は生産性向上運動の通称で、運動関係の書類に「生」の字を丸で囲んだスタンプが使われたことに由来します。

マル生粉砕闘争はマスコミを巻き込んで繰り広げられました。

今日、当時の記録を振り返ってみようとしても、マスコミが細井らの〝工作〟によって国労、動労に同調したこともあってか、ほとんど国労、動労サイドから見た偏向的な記録しか残っていません。そこにいたるまでに国鉄が抱えていた問題や、国鉄再建に懸けた職員たちの熱い思いは抹殺され、記録されていないのです。
この章では当時、筆者が国鉄の担当記者として体験した事実を客観的に述べ、ことの真相を書き残します。

総裁が「もういやになった」と嘆いた国鉄の悲惨な実情

国鉄当局が生産性向上運動を導入するにいたった背景を、もう少しくわしく見ていきましょう。一九六八（昭和四十三）年三月、時の佐藤栄作《さとうえいさく》内閣の諮問機関である物価安定推進会議は、「国鉄はできるだけ早急に強力な経営再建特別委員会を設置して根本的な検討を行うべきである」と決議。それを受けて同年四月、閣議は「国鉄財政再建推進会議」の設置を了承し、財政再建推進についての意見書をまとめました。

意見書は解決策として、一九六九（昭和四十四）年から一九七八（昭和五十三）年までの十年間を再建期間とし、三兆七千億円の投資を行うよう求めていました。

また、この年の国鉄監査報告書は、運転事故やダイヤの乱れによって国民に多大な迷惑をおよぼしたことを指摘したうえで、再建計画を達成するためには国鉄の近代化、機械化、合理化を進め、国も施策として資金措置を講ずる必要があり、そのうえで何より基本は国鉄の努力にあるとして、次のような勧告をしています（傍点引用者）。

国鉄が以上の施策を推進するためには、職員ひとりひとりがその総力を結集することが特に肝要である。現状においては、遺憾ながら、それが必ずしも十分とはいい難い。すなわち、労

> 働組合の抵抗によって、合理化の遂行が阻害された事実もあり、時には輸送障害も引き起こされ、国民に対して多大な迷惑も与えている。また、一部の職員の無自覚による運転事故も跡《ママ》を絶っていない。これらに対する国民の非難は強く、いまや国鉄の信用は失われようとしている。
> 　この際、管理者は一体となって職場管理にあたり、職員との積極的な対話等により、相互信頼感を回復するとともに、たとえば、昇進制度の改善等によって職員の企業意欲を高めるなどして、全職員を国鉄の経営再建に向かわせるようにしなければならない。

　こうした勧告を受けるにいたった当時の国鉄の現場は、どのような状況にあったのでしょうか。

一九六四（昭和三十九）年度・一二三〇億円、一九六六（昭和四十一）年度・六〇一億円、一九六七（昭和四十二）年度・九四一億円、一九七一（昭和四十六）年度・二三四二億円……と赤字は増え続け、巨大な累積赤字額は一兆円に達していました。

　また、そのような財政状況のなかでも、職場では「親方日の丸」意識が蔓延し、一九六八（昭和四十三）年には、

◎六月、東海道《とうかいどう》線膳所《ぜぜ》駅での貨物列車脱線事故
◎七月、中央《ちゅうおう》線御茶《おちゃ》ノ水《みず》駅での電車衝突事故
◎八月、東海道線大船《おおふな》駅での電車脱線事故
◎九月、青梅《おうめ》線での貨物列車放置事件

と連続して事故が発生するというありさまでした。しかも、それらの事故の原因はいずれも、就業中の麻雀《マージャン》、居眠り運転、酔っ払い運転、ケンカといった憂うべきものばかりでした。そのほかにも乗務前の運転士が組合員に吊《つ》るし上げられて事故を起こした事例などもありました。これらの事態は当時の老総裁・石田礼助《いしだれいすけ》をして「もういやになった」と嘆かせました。石田は翌年五月、高齢を理由に総裁を辞任しています（後任は副総裁の磯崎叡《いそざきさとし》）。

国労の反発を招いた「五万人合理化計画」

一九六四（昭和三十九）年十月一日に「夢の超特急」といわれた東海道新幹線が開業して以降、全国各地で電化や複線、複々線化への環境が整いつつありました。これにともなって、国鉄では大幅な職種転換や配置転換が必要となり、新たに五万人の要員を生み出す必要に迫られます。そのために国鉄当局が労組側に提案したのが「五万人合理化計画」でした。

一九六七（昭和四十二）年三月に発表されたこの計画では、「ＥＬ（電気機関車）、ＤＬ（ディーゼル機関車）一人乗務」制の導入が打ち出されます。それまで国鉄の機関車は、ＳＬ（蒸気機関車）時代の名残から、機関士と機関助士の二人体制（運転機器の操作を担当する機関士と、燃料の石炭をくべる機関助士）で運転されていましたが、ＳＬがＥＬ、ＤＬに置き換わった時代の変化を受けて機関士一人だけの乗務に切り替え、浮いた人員をほかに回そうとしたわけです。

この当たり前ともいえる当局の提案に対して、国労、動労は、真っ向から対決姿勢を鮮明にし、「合理化反対」を叫んで時限ストライキを繰り返しました。

その結果、じつに四千本を超える列車の運休と二万本を上回る遅延を起こし、一般国民の怒りを買うことになります。

労働組合に支配された異様な職場

当時、国鉄の職場は、階級闘争至上主義の運動方針を掲げ、「労働者は革命の〝尖兵〟」とする国労、動労の両労働組合に事実上支配されていました。
筆者が当時、取材で入手した国労、動労の労働実態を物語る当時の管理者の文章があります。

合理化、近代化、効率化の諸課題もストライキで反対をする。運賃も上げるな。働く時間は少なくしろ。それ以前に働かない。「無理せず、楽して、働かず。一日を二時間五〇分をブラブラと。」と言われたものである。八時間労働の時代に二時間五〇分の実働時間である。呆《あき》れ果ててものも言えない。

また、当時、参議院議員だった和田春生《わだはるお》は、拙著『動労、国労を斬る』（全貌社《ぜんぼうしゃ》、一九七五〈昭和五十〉年）のカバーの推薦文で、巨大労組の横暴について、次のような証言を寄せています。

かつて私は、不法暴力行為が刑事犯に問われた国鉄の労組員を、野放しにしている当局の責任を追求《ママ》したことがある。ところが、その直後「和田を殺せ」と胴体に大書した国電が首都の真ん中を走った。そこには、国鉄を私物視して憚《はばか》らぬ邪悪な姿と、暴力とサボタージュが横行する国鉄職場の無政府的状態が端的に示されていた。

職場に対する両労組の考えは、「敵（会社＝引用者注）が、徹底的な収奪を行なっているところは職場であるから、職場こそ敵、味方の対決の場であり、労働者の勝利の基礎である」（国労、第三十七回中央委員会闘争方針）というものでした。まさに職場を「労使の相闘う戦場」としてとらえていたのです。

国鉄の職場を〝革命闘争〟の舞台にした「現場協議制度」

一九六八（昭和四十三）年三月三十一日、国労、動労が「合理化反対」を叫んで全国で半日ストライキに突入しているさなか、国労三役と国鉄副総裁らとのトップ会談が持たれました。会談のなかで国労は、当局のストライキ解除の要請に対し、その見返りとして「現場協議制度の確立」を要求し、難色を示す当局を押し切り、ついに承認させます。

「職場は労使対決の場」であり、「職場闘争こそ労働運動の原点」とする国労は、現場交渉を正規の団体交渉だと当局に認めさせれば、「あらゆる現場で闘争が可能となり、働く者の意識は高まる」と考えていました。そして、活動家養成の実践の場として「団交の場の拡大」を狙っていたのです。「現場協議制度の確立」は、実質的に「団交の場の拡大」であり、国鉄当局から経営の基盤である「現場管理権」を奪いとることが国労側の目的でした。

国労がストライキ中止の見返りとして調印にこぎつけた「現場協議に関する協約」には、次のような条項も定められました。

第二条　現場協議を円滑に行なうため、前条の定め（それぞれの職場単位＝引用者注）による現場協議機関（以下「協議機関」という。）を設置する。

第十三条　現場協議は、原則として公開する。（略）

「公開が原則」と定められたことにより、その職場の全員が傍聴できるようになり、交渉のテーブルを囲んで罵声やヤジを飛ばす〝大衆団交〟が可能になりました。

また、開催の回数さえ現場の力関係で決められることになりました。そのため、勤務時間中も団交や苦情処理と同じように協議が認められることになりました。

つまり、これらの条項によって、「現場協議」とは名ばかりで、その内容は本来の労使協議ではなく、「団交」そのものになったのです。

こうして、国労は当局から現場の管理権を奪うことに成功しました。

このシナリオを描き、三年の歳月をかけて準備したうえで当局に勝利した実践部隊は、国労の反主流派で日本共産党の出先部隊である革同でした。革同の総帥・細井宗一は、『労働法律旬報』一九六八（昭和四十三）年三月中旬・下旬号で、「われわれが職場団交権を要求したというのは、（略）日本の労働運動百年の計を考えて、この問題を提起しているんだ」と自身の考えを述べています。国鉄における革同流「現場協議制度」の確立は、まさに、彼の「革命理論の実践モデル」だったのです。

国労をコントロールしていた日本共産党直属の労組「革同」

革同流「現場協議制度」は調印三カ月後の一九六八（昭和四十三）年七月から実施されました。この〝勝利〟に勢いづいた国労は、「三十万人組織を目指して組織を総点検する」という名目のもと、労組員に対する締めつけを強化しながら、ますます先鋭化していきます。

国労内の派閥争いは労働界でも有名で、主流派の民同を中心に、社会党最左派である非主流派の協会系、日本共産党を支持する反主流派の革同の各派による対立がありました。

「主流派の民同」というのは、俗に社会党系の労働指導者のことを指す言葉です。

総評官公労（日本官公庁労働組合協議会）のなかでも民同左派路線を歩んできた典型的な労組が国労、動労でした。国労で日本共産党勢力の革同の伸長を許し、あとの章で詳述するように、動労で革マル派が増殖した背景には民同型労働運動に対する反発があったというわけです。

国労の反主流派だった革同は、日本共産党直属の労組であり、マルクス・レーニン主義思想を堅持した組織でした。国労全体（当時、全組合員約二十三万人）の二・七％を占めているといわれていたので、約六千二百人の日本共産党員が国労内にいたことになります。

国労の代議員の内訳を見ると、全代議員三百七十八人中、主流の民同が二百八十六人（七五・七％）、革同派七十人（一八・五％）、日本共産党シンパ（積極支持者）十四人（三・七％）、中立系八人（二・一％）という状況でした。

全国大会代議員は、組合員六百人にひとりの割合で選ばれているので、単純に計算すると、革同派は約五万人の組合員の支持を受けていたことになりますが、実際には国労組合員の約三分の一、約七万人の支持をとりつけており、主流派の民同にとっては脅威となっていました。

当時、国労の中央執行委員会三十三人のなかには、細井をはじめとする革同のメンバーが五人おり、それぞれが労組での活動歴も長く、優秀な人物たちでした。そのため、革同は、国労内での影響力も強く、実質的に国労の運動を牽引していたといっても過言ではありません。

革同の総帥・細井宗一の「見逃せない経歴」とは

ここで革同の総帥・細井宗一の生い立ちについて簡単に触れておきましょう。『左翼活動家・文化人名鑑』（日刊労働通信社、一九六九〈昭和四十四〉年）には、次のように記載されています。

大正7年1月2日、新潟県　昭和13年糸魚川《いといがわ》中学卒　（略）元陸軍大尉。戦後ソ連より引揚げ、国鉄に入り、糸魚川機関区で革同派に所属。24年国労長野支部執行委員。25年北陸地本（地方本部＝引用者注）副委員長、26年同地本委員長、27年国労中央執行委員となり（略）、以後総評の反主流派として活躍。

さらに、細井には日本共産党の機関紙『赤旗《あかはた》』の国鉄労働者世話人という肩書もあります。細井は関係者の誰もが認める国労きっての理論家でした。

その一方で、「ストライキに突入するのも、中止指令を出して収拾するのも、実際に采配を振るのは細井」といわれるほどストライキなど実力行使における行動指令の中心人物でもありました。軍人としての経験もあってのことなのでしょうが、闘争の実践は細井の独壇場だったようです。

前述したように、「国鉄の職場を国労による組合管理下に置く」という目的を達成するために、

「現場協議制度」の締結を実現すべく、着々と外堀を埋めながら交渉を進めてきたのも細井でした。

また、細井の経歴のなかで見落としてはならないのは、「労働者教育協会副会長」という役職です。この「労働者教育協会」という組織は日本共産党の完全な下部組織です。

日本共産党は現在、早急な共産主義化を前面に出すのは避け、体制内改革を宣伝しています。しかし、以前は党規約前文で党の目的として「革命」をはっきり明記しており、目的達成のため、革命思想を労働者の洗脳教育によって普及させ、職場に党員を増やし、労働組合を丸抱えで日本共産党の行動部隊にすることを狙ってきました。

つまり、その役割を果たすのが「労働者教育協会」の任務であり、国労を日本共産党の優秀な〝尖兵〟にするのが細井の使命だったということになります。

細井宗一が編纂した現場闘争のバイブル「黒表紙」

話を戻しましょう。

当時、国労の「主流派」をなしていたのは、前述のとおり民同（社会党系）なのですが、彼らの「請負的労働運動」では、なかなか職場ぐるみの闘争にまでは発展しませんでした。

その状況を乗り越えるべく、「反主流派」の革同は、国労の方針として、一九六五（昭和四十）年ごろから「職場闘争こそ労働運動の原点」として、「職場に労働運動を定着させるための分会活動、職場闘争を強化し、職場要求については必ず現場長との集団交渉を行い、粘り強く反復行動を実施する」という行動方針を示します。現場交渉を正規の団体交渉と認めさせれば、「あらゆる職場で闘争が展開され、働く者の意識は高まる」というのが細井らの主張でした。

一九六七（昭和四十二）年七月に、国労は「職場闘争の手引き」と題し、職場での〝闘い方〟をこと細かに説明した「指導書」を作成しています。この手引書は、「黒表紙」と呼ばれ、現場闘争の〝バイブル〟となりました。この「黒表紙」を編纂《へんさん》したのも細井でした。

一方、国鉄当局は、こうした現場の組合員と現場長との直接交渉を正規の団体交渉と認めてきませんでした。これを認めれば、あらゆる職場で闘争が展開されるようになる。そのことを恐れたからです。

しかし、その抵抗は前述の革同流「現場協議制度」の確立によって終わりを迎えます。繰り返しになりますが、国労にとって、「あらゆる職場で闘争が展開できるように、現場交渉を正規の団体交渉として認めさせる」ことこそが「現場協議制度」締結の目的でした。

暴走する国労、動労と現場からの批判の声

国鉄当局の〝敗北〟によって、一九六八（昭和四十三）年七月から〝勝者〟国労のペースで「現場協議制度」がスタートすると、当局が恐れていたとおり、現場協議制度の実施によって、国鉄本社から現場の職場にいたるまで〝団交の嵐〟が吹き荒れることになります。

国鉄の職場は、全国いたるところで労組支配が進み、管理者に対する暴行事件がエスカレートしていきました。同時に国労内における日本共産党派の組織拡大も急速に進んでいきました。

現場協議制度を勝ちとった国労本部は本格的に組織の拡大に乗り出しました。

ところが、その意に反して、一九六九（昭和四十四）年から国労からの脱退者が増大するという現象が起こり始めます。エスカレートする国労、動労の〝過激化〟に嫌気がさし、「労使関係の近

代化」「合理化反対で会社はどこに行くのか」「古い労働組合活動に疑問」「管理職への敵視をやめて」など労組に対する批判の声が続出したのです。彼らは次第に「再建運動」や「国鉄に生きる会」などの運動を立ち上げていきました。

当時、国鉄には八千の職場があったといわれています。

国労、動労の横暴が席巻するなか、管理者のなかにも職場秩序回復のための努力を敢然として行う人たちが現れ始めていました。しかし、彼らの真剣さややる気が評価されても、経営理念の問題では明快な「理論」がなかったため、労組側からの反撃にはもろかったのです。

現場に意識改革をもたらした生産性向上運動

国鉄の生産性向上運動教育が始まったのは、まさにこのような時期であり、一九六九（昭和四十四）年十一月、機関区の管理者二百人の教育を日本生産性本部に委託したのが始まりでした。それが従来の研修に比べて著しく成果が高かったため、その後、本格的に取り組むことになったのです。

そもそも、生産性向上運動は、ヨーロッパ各国の第二次世界大戦後、産業の再建政策のひとつとして実行されたもので、ＩＬＯ（International Labour Organization＝国際労働機関）の「フィラデルフィア宣言」にもとづいて、日本でも一九五五（昭和三十）年に導入、適用されました。その推進役である生産性本部は、設立趣意書で、次のように説明しています。

生産性の向上とは、資源、人力、設備を有効かつ科学的に活用して生産コストを引き下げ、もって市場の拡大、雇用の増大、実質賃金ならびに生活水準の向上を図り、労使および一般消費者の共同の利益を増進することを目的とするものである。

国鉄と生産性本部とのあいだで、一九七〇（昭和四十五）年に千人、一九七一（昭和四十六）年に千五百人、一九七二（昭和四十七）年に千五百人の教育計画がまとまり、一九七〇（昭和四十五）年四月から〝教育〟が開始されました。

また、この生産性本部の委託教育と並行して国鉄自身の生産性教育も実施され、その数は一九七一（昭和四十六）年十月までにおよそ十万人にものぼりました。生産性向上運動は、まさに怒濤《どとう》の勢いで国鉄職場に浸透していったのです。

生産性教育に参加した職員たちは、この研修をどのように受け止めていたのでしょうか。筆者の手元には当時、取材で入手した参加者たちの感想文があります。参加した職員たちの素直な声を以下に列挙してみます。

運転士

国鉄では三年間にわたって生産性運動が行なわれ、多数の良識ある職員が養成され、どの職場も近来にない明るい職場に生まれかわりつつありました。昨年の五月二十日のストはこういう状況の下に迎えたのです。この闘争のとき、私たちは全特急列車を運転することができました。これは東京ではかつてないことだったのです。そのように、この時は実に多くの良識派が国鉄のなかで育っていたのです。

運転士

泥沼化した労使関係。沈滞した職場の新生をはかるため、国鉄では昭和四十五年から生産性運動が導入され、全社的に展開されたのです。そして、生産性運動の浸透とともに、違法なストライキに対する批判や何でも反対の闘争主義への批判は相つぎ、沈滞した職場にも活気が生まれ、国鉄再建の空気は全国にみなぎろうとしていました。

踏切保安掛（29歳）

明るく楽しいはずの職場が、一部組合活動家のために、日常闘争の場に利用されている観があり、管理者とは何時《いっ》も敵対関係を持ち、事あるごとに暴言を吐き、真面目に働く良識ある職員との間にも意見の相違による感情的対立が生じ、いやがらせが頻繁に行なわれ、職場を暗くし、私の想像を絶するものがあります。（略）

国鉄再建が叫ばれている時に、この職場での重苦しい空気が国鉄再建を阻害する大きな要因をなしているのではないかと考え、真の労働運動とは何か、ただ単に赤旗を振りかざし、闘争一本やりで職場を混乱の中に落し《ママ》入れるだけのものであろうか、いやそんなはずはない、そんなはずはない、法治国家の国民として社会のルールを破ることは断じて許されない、（略）組合員である以前に国鉄職員としての基本的自覚のもとに立ち返るべきと固い信念を持ったのであります。（略）

幸にして、十数年遅れていると言われながらも、国鉄に生産性運動が展開され、数多くの職員の中に浸透してきたことは、次代を担うわれわれ若い職員にとって、暗夜に一筋の光を見つけた喜びと共に、（略）大きな目標ができました。

電気機関士（24歳）

私は勤続六年現職四年の（略）電気機関士であります。私が就職した四十年頃から動力車区にも機械化、近代化が叫ばれ、（略）私たちの職場にも闘争の嵐を巻き起こしました。乗務員詰所では毎日、ば声と誹謗《ひぼう》が繰り返されておりました。（略）

このような日々を送る中で、四十五年十月本局主催の青年講座の開設を聞きました。（略）私は青年講座受講によって三つを自分でつかみました。一つは、管理者を信ずることができました。二つは、真の友情とは苦しみの中で心から通うことのできるものであることを知りました。三つは、はっきりと自己主張のできる、そして行動のできる自分を見い出《ママ》しました。私は今次春闘における「新賃金をストで」「生産性運動粉砕」をスローガンとして指導する労働運動のあり方に真ッ向から反発します。生産性向上は現代社会では常識であり、ベアはそれによって求めるべきであります。

管理者

国鉄に生産性向上運動が取り入れられてからもう二年近くなります。〝干天に慈雨〟という言葉がありますが、乾ききった土に雨がしみ込んでゆくように、この生産性運動の理念は、職員の間にものすごい勢いで吸収されて参りました。

また、総評系労組の活動家の前に、何の理論武装も防備もなかった現場管理者には、未《いま》だか

つて知らなかつた《ママ》国鉄職員としての信念と、理論に裏打ちされた大きな勇気を与えてくれました。（略）

私たちは、現場管理者として、今までに幾たびとなく、いろいろな研修や講習を受けて参りました。しかし過去のどの研修に、或《ある》いはどの講習に、これほどの信念と勇気を与えてくれたものがあったでしょう。

私たちは、従来の労働研修講座などでは「組合とは理論闘争をするな、言質はとられるな」と厳しく教えられてきたものでした。（略）「現場における組合との話し合いのもち方」などと、すでに「逃げ」のかまえの姑息《こそく》なテクニックなどを教えられたものです。その中では講師自らがマルクス主義、階級闘争主義には一目《いちもく》おかざるを得ないもの、太刀うちのかなわぬもの、という考え方にたって、「彼等《かれら》とは理論闘争をするな」と教えてきたものなのです。（略）

このような時に、この生産性運動が国鉄に入って参りました。

私たちは感激しました。

「これこそ私たちの求めていたものである。これこそ、私たちに、彼等と対決する立派な理論と勇気を与えてくれるものである」と心から感謝し、自らも、これをむさぼるように勉強したものでした。

「もう彼等には負けない！」そういう自信が身体《からだ》の中から湧いて出てきました。（略）

かくして、国鉄における生産性運動は燃え上がる火のようにひろがっていったのです。管理者はもちろん、この生産性運動と真向から取り組んで、国鉄再建への意欲に立ち上った良識職員が、すでに十万を突破しているのです。さらにシンパは国・動労の中にもまだまだ沢山おり

ます。（略）

現場は労使の接点であり、職員を相手に業務実施の場所であります。職員相手と言っても何事にも反対する組合員を相手に仕事を進めていかなければならないのです。（略）

たしかに一部で不当労働行為はあったかも知れません。しかしこれは五万人の管理者が国鉄再建へのひたむきな情熱の火を燃やし、十万を超える良識職員を後押ししようとした過程の中での勇み足であり、取りこぼしでありましょう。

不当労働行為というものが、あれ程までに騒がれる「法律違反」であるなら、国の経済に打撃を与え、国民の生活に大きな支障を与える「法律違反」のストライキやサボ（サボタージュ＝引用者注）はもっと大きく批判されるべき問題ではないのか。（略）

とにかく不当労働行為と生産性運動は、全く別個のものであることは総裁の言われたとおりです。であるとするならば、今までの生産性運動のどこがいけないというのでしょう。（略）

現体制を否定し、企業のマヒを狙い、革命を企図する労働組合から、いちゃもんのつかない生産性運動などというものがあったら、それは気の抜けたビール以下のものではないでしょうか。

これらの一連の破壊主義者たちと対決していく所にこそ、生産性運動の価値があるのではないでしょうか。彼等にとって恐しいのは不当労働行為ではありません。生産性運動そのものなのです。

もし、四十六万職員に生産性運動の理念が徹底したら、おそらく企業破壊をたくらむ国・動労はおかしな形になってしまう。彼等にはそれが恐しいのです。従って「紛対委」でどんな形に紛争事項が解決しようとも、彼等が「マル生粉砕」をやめる訳がないのです。

生産性向上運動の研修に参加した人たちの感想をまとめると、おおむね、①「親方日の丸」意識の払拭、②管理職としての自覚と行動、③階級闘争から労使協議制への脱却の三点に要約されます。当時の国鉄の職場には「親方日の丸」意識が蔓延し、現場では組織力を背景にした労働組合員が跋扈していました。当時、現場管理者の多くは労組に対して「いざというときのために、うまくつきあっておこう」という「労組保険論」的な考え方が大半を占めていました。現場管理者と労組幹部との慣れ合い、裏取引が公然と行われ、労組サイドに気に入られなければ出世ができないという状態だったわけです。

それまで階級闘争を唱える労組活動家に対して、なんの反論もできず、言いなりになっていた現場管理者にとって、生産性向上運動は管理職として自分の主張を筋道立てていえることを教えてくれた最良の〝自立の場〟であったようです。

民同を突き上げる革同

一方、国労側にも〝内部事情〟がありました。

国労の主流派である民同は、二十数年におよぶ当局との腐れ縁のなかで、〝共存共栄〟を図りながら指導体制を確立してきました。民同派の特徴は、階級闘争を掲げながらも、あらかじめ〝落としどころ〟を設定し、お互いのメンツを立てながら決着を図るという、いわば「談合方式」に似た特徴があります。

当時、この民同の「幹部の請負主義的」労働運動を批判する日本共産党派や革マル派、中核派など反戦派の勢力が躍進し、激しく執行部を突き上げていました。

そこで、民同は当初、これら日本共産党派や反戦派勢力の台頭を抑え、民同の地位を守るため、当局の手で進められた生産性向上運動を容認し、利用することにします。このまま日本共産党派、反戦派を放置しておくと、民同派国労幹部に対する「反執行部闘争」につながると懸念したからです。そのため、生産性向上運動を利用して、国鉄当局の手も借りながら事実上の日本共産党派、反戦派の封じ込め戦略をとりました。ところが、この民同の戦略に大きな誤算が生じます。

当局が本格的に生産性向上運動に取り組むにおよんで、それは〝燎原《りょうげん》の火〟のように全国の職場に燃え広がりました。その結果、組合員のストライキ不参加者や国労の脱退者が相次ぎ、敵対組織「同盟」（全日本労働総同盟＝一九六四〈昭和三十九〉年結成のナショナルセンター）傘下の「鉄労」（鉄道労働組合）組合員が激増するなど国労組織そのものが雪崩現象で崩れ出したのです。

具体的な数字を挙げると、一九七一（昭和四十六）年一月ごろから一カ月のあいだに三千人から五千人規模で脱退者が続出しました。生産性向上運動が始まる前の一九七〇（昭和四十五）年一月に二十七万人の組合員を擁していた国労は一年間で五万人が脱退して二十二万人に減少。動労も九千人が脱退して五万人を割り込みました。

その一方で、労組設立当初から生産性向上運動の導入を主張し、「労使協議」を掲げてきた同盟傘下の鉄労は七万五千人から十万五千人へとふくれあがったのです。

当然ながら、国労組合員の減少は国労の財政も直撃します。これを受けて、日本共産党派の革同は生産性向上運動を黙認した民同派執行部の責任を追及しました。

そもそも、日本共産党はＩＬＯの生産性向上運動や産業民主主義に対して一貫して激しい反対を叫び続けてきました。すなわち、「社会全体の逆転＝革命なくして本当のいい職場などありえない」との立場から、生産性向上運動を、「たんなる〝マスターベーション〟にすぎない」としていたのです。

この日本共産党の主張に対して、国労の主流を占める民同派は「建前」と「本音」は別であるとして同調しませんでした。当時の委員長・中川新一《なかがわしんいち》も、「生産性向上運動のような近代化、機械化、合理化は資本主義体制の強化にしかならない」としながらも、「しかし、われわれは労働者として生産の向上に協力している」と述べ、「イデオロギー」と「現実」との行動矛盾を告白しています。

革同は、執行部民同派の責任問題を追及するとともに、生産性向上運動に対する「反撃闘争」を提唱しました。

一九七一（昭和四十六）年、函館《はこだて》で開催された国労大会は、このような背景のもとで開かれました。執行部に数人しかいなかった革同派が大量に侵出したのもこの函館大会からでした。

反主流派から突き上げられ、苦悩に満ちた中川委員長は、「座して死を待つより、起《た》って反撃に転じよう」という名セリフを吐いて、組織の命運を懸けて生産性向上運動に対する反撃闘争に突入していきます。

マスコミを利用した反撃

当時の国鉄内での生産性向上運動の広がりは、革同の総帥・細井宗一にとっても死活問題でした。長年の「闘争」によって積み上げ、一九六八（昭和四十三）年にようやく勝ちとった「現場協議制」を足場に「国労による国鉄支配」の仕上げに向かっていた矢先に起こった「生産性向上運動」の逆風です。

革同は民同を巻き込みながら綿密な反撃計画を練りました。

まず取り組んだのが、マスコミを使っての反撃計画です。

革同が民同を巻き込むために手を組んだのが、細井と盟友関係にあった国労企画部長の富塚三夫《とみづかみつお》（民同左派）でした。富塚は、『国鉄マル生闘争資料集』（国鉄労働組合編、労働旬報社、一九七九〈昭和五十四〉年）の座談会で、次のように語っています。

> 私は磯崎氏を中心とする官僚支配体制が一番弱いのは何かということを考えた。これはマスコミが《ママ》（に＝引用者注）一番弱い。ぼくはそういうふうに官僚の体質の弱さを見抜いて、新聞記者のところに駆け込んで、いろんな内容を全部社会的に告発し、暴露することをやったわけです。

函館大会期間中の役員会で、富塚は、テレビ、新聞、雑誌などマスコミを通じて徹底した「反マル生」のキャンペーンを行うことを提案し、了承されました。

一方、革同は日本共産党シンパとともに国労組合員に向けて「マル生粉砕」の教宣活動を活発化させました。

先頭に立ったのは細井です。

組合員にわかりやすく解説しようと漫画を使った教宣文書を作成し、労組の教宣文書としては異例の二十九万五千部が配布されました。これに要した費用は一億円といわれています。のちに、これら教宣資料が〝丸写し〟でマスコミに転用され、生産性向上運動が不当労働行為だとする「誤報道」に誘導されることになるのです。

日本共産党勢力によるマスコミ支配の実態

日本共産党の下部組織で、つねに「労働者教育協会」と連動している組織に、「機関紙連合通信社」と「日本ジャーナリスト会議」（ＪＣＪ）があります。

「機関紙連合通信社」は、労働組合の機関紙（誌）やビラに転載できるようニュース、資料、漫画、写真カット等を配信している会社です。ニュースを中心に「階級的意識の高揚」を目的として活動しています。現在、情報提供を受けているのは約二千の団体および労働組合で、いずれも全労連（全国労働組合総連合＝連合に対抗して約百四十万人組織で結成された日本共産党系ナショナルセンター。組合活動の基本方針である行動綱領規約、大会宣言は、いずれも日本共産党の方針にもとづき、「戦闘的労働運動」を強調し、傘下組合をゼネストに動員できる内容で、日本共産党が革命を目指すにあたっての「統一戦線づくり」を規定した方針に沿ったもの）の加盟労組、または執行部の中心を日本共産党員が握っている組織です。

「日本ジャーナリスト会議」も、日本共産党の下部組織で、日本共産党の意図する世論づくりの盛り上げという明快な目的があり、各種研究会、講座、集会等を通じて日本共産党の啓蒙《けいもう》活動を行っています。オウム真理教《しんりきょう》事件など世間の関心の高い事件には即応態勢をとるなど、新聞労連やマスコミ共闘など労組との連携で組織拡大を図ってきました。東京、地方に八百四の支部を持ち、全国のマスコミ各社に職場支部を持っているのが特徴です。代表委員には東京新聞、共同通信の社員が就任しており、フリージャーナリストの茶本繁正《ちゃもとしげまさ》、橋本進《はしもとすすむ》らも名を連ねています。

余談ながら、少数の日本共産党員がマスコミ全体に絶大な影響力を持ち続けているしくみについて説明しておきましょう。

前述のとおり、戦後、ＧＨＱは日本を民主化（弱体化）するための具体策のひとつとして、労働組合の結成を命じました。その〝尖兵〟として使ったのが当時、獄中にいた日本共産党員で、彼らを解放してその任務にあたらせたのです。「労働組合組織をつくるための準備委員会」メンバー十五人のうち、日本共産党員でなかったのは、わずか二人だけでした。

これら日本共産党員たちがはじめに手をつけたのが新聞社における労働組合の結成です。当時、占領軍介入のもとに「民主的な労働協約のモデル」として実施されたのがクロス型の「ユニオンショップ制」労働協約の締結でした。

ユニオンショップ制度は、企業内労組を単一労組に限定し、使用者が雇い入れた労働者は必ず一定期間内に労働組合に加入しなければならず、労働組合を除名されれば、使用者から解雇されるという制度です。全国紙と有力地方紙七十六社の労組は、「新聞労連」（日本新聞労働組合連合）に加盟しており、労働協約においてユニオンショップ制を採用しています。

ユニオンショップ制度下では、つねに一部の幹部、あるいは書記局を握ってさえいれば、大多数の組合員に対する支配が可能になります。方針に従わない組合員は、いつでも統制処分、または除名できるからです。

除名されたら最後、その人は職を失うことになります。その結果、一般の社員が会社の経営陣に対する以上に労働組合ににらまれないよう〝忠誠〟を誓うのは当然のなりゆきでしょう。その結果、労働組合の影響力は新聞紙面にも反映され、労組が紙面のチェックをしたり、内部的に経営陣に圧力をかけたりする〝弾圧機関〟としても機能することになるわけです。とくに新聞社の場合、新聞編集の実権を握っているデスククラスの副部長、会社によっては部長までもが労組の組合員というのが実情です。

ひと握りの日本共産党員が組合の執行部および書記局を握り、ユニオンショップ制度を最大限に利用して単組全体を支配し、会社全体にも強い影響力を与えているというのがマスコミ全体の労組の実態であることを、政治家も官僚も企業経営者もしっかり認識しておく必要があります。

「騒動師」内藤国夫

さて、細井が主導する国労の教宣活動は、国労組合員への発信と同時に、日本共産党傘下の関連組織にも巧みに発信され、次第に労組およびマスコミ関係者に浸透し、国鉄の生産性向上運動に対する批判勢力の基盤が醸成されていきました。

あとはマスコミに〝火〟がつくタイミングを待つばかりです。

「反撃に打って出る」と決議した国労函館大会から帰った企画部長の富塚は、労働省（現・厚生労働省）の記者クラブ「労農記者会」に日参し、生産性向上運動の〝実情〟を訴えました。

この富塚の働きかけに反応したのが毎日新聞の記者・内藤国夫《ないとうくにお》です。

内藤は学生時代、自治会委員長を務め、六〇年安保では東大生を指揮してデモ隊の先頭に立った闘士で、新左翼の活動歴がありました。みずから『社会教育　管理者版』（産業労働調査所）一九七一（昭和四十六）年十二月五日号で、「騒ぎにのっかって、ニュースを売るのが新聞であり、新聞は、ときに、〝トラブル・メーカー〟の役割さえ果たす。いわばひとつの騒動師である」との自説も披露しています。かつて高橋幹夫《たかはしみきお》警察庁長官は、「左翼活動家の転向というのはありうるのか」という記者の質問に対して、「現住所（現在の状況）としての転向はありうるが、騒動師としての本質（性癖）は変わらないので、注視の対象としては変わらない」と返答したことがありました。

富塚の働きかけに対して、内藤は「戦後の労働運動の牽引車的役割を果たしてきた国労がつぶされかかっているというのだから、ことは穏やかでない」と語り、「騒動師」をみずから買って出て、その本領を発揮します。

富塚と結託した内藤は、生産性向上運動の本質については無視したうえで、「生産性向上運動＝不当労働行為（使用者が労働者や労働組合の団結権を侵害する行為）」というシナリオを描き、まず毎日新聞紙上で「生産性向上運動は労働者いじめの運動」というイメージづくりの先導役を果たしました。

内藤国夫

富塚自身も、「内藤国夫がいなかったら、マル生（の問題）は、あまり世の中にでなかったと思う。なかなか個性的な人で、徹底して毎日新聞が国鉄の不当労働行為を取り上げてくれた」と語っています（後出『昭和解体』）。一方の内藤も、富塚を「マル生時代の戦友仲間」と呼び、記者としての一線を越えた利害関係者であることを認めていました。

当時、生産性向上運動の陣頭指揮をとった国鉄の大野光基《おおのみつもと》能力開発課長は著書『国鉄を売った官僚たち』（善本社《ぜんぽんしゃ》、一九八六〈昭和六十一〉年）でこう証言しています。

一片の良識さえない国・動労の階級闘争路線の擁護のために、この時すでに走狗《そうく》となって走り回っていたものがいる。それは、『朝日新聞』『毎日新聞』という、わが国のマスコミを代表する二大紙である。

とくに、その中心となって『新聞ザタ』を起こしたのが毎日新聞記者・内藤国夫である。

さらに、大野は内藤記者がみずからを「騒動師」だとする発言に対し、「こんなことを書く人間に、正義感などあるはずがないのである。彼は思想らしい思想を何一つ持っていない、ただの騒動師であった」（前掲書）とも述べています。

踊らされたマスコミ

内藤のリードで毎日新聞が「マル生批判」記事を書き始めると、朝日新聞も書かざるをえなくなりました。当然、読売《よみうり》新聞その他の新聞も書かないわけにはいきません。独自主張を持たず、横並び方式で、記事の「特落ち」を嫌う各社のデスクたちは、毎日新聞に追随し、「騒動師」内藤国夫の狙いどおり、競って「マル生」批判記事を掲載し、紙面を飾り始めました。

こうして日本のマスコミの特性を知りつくしている革同の首領・細井宗一が描いたシナリオどおり、一九七一（昭和四十六）年九月から十月にかけて連日、新聞に「マル生」批判記事があふれていきます。

記事のなかには国労の役員が読者を装って偽名で投書したものまであり、それが「家まで来て組合干渉」という大見出しで同年一月二十三日付『朝日新聞』の「声」欄に掲載され、トラブルになったケースもありました。

また、同年五月十六日付『朝日新聞』が掲載した「突走る〝マル生列車〟」という特集記事は、国労が作成して配布した小冊子「マル生闘争」をそっくりそのまま転用してつくられた記事でした。

国労とマスコミが結託連動して展開した「マル生反対報道」は、「水に落ちた犬は叩《たた》け」方式の偏向報道の洪水となり、全国の国鉄職場をマル生粉砕の濁流に巻き込んでいきます。

「マル生粉砕闘争」のマスコミ工作を一身に負った表舞台の立て役者・富塚三夫は、『月刊労働問題』一九七一（昭和四十六）年十二月号で、「多くのマスコミ関係者の協力を得て、国鉄のマル生運動イコール不当労働行為というキャンペーンをはることに成功した」と告白しています。富塚はまた、同誌で、「これはたんに国鉄当局に対するたたかいにはとどまらず、佐藤自民党政府や独占資本とのたたかいになることは論をまたない」とも述べています。

地方調停委員会を活用した〝裏工作〟

富塚が表舞台でマスコミ工作を続ける一方、裏舞台での工作も進められていました。

細井が「マル生闘争」の〝裏工作〟として積極的に進めていたのが裁判対策や公労委（公共企業体等労働委員会）対策でした。とくに「公労委の仲裁委員会」や公労法（公共企業体等労働関係法。現在の「特定独立行政法人等の労働関係に関する法律」）に定められている「地方調停委員会」などの存在に目をつけ、その積極活用法を指導していました。

地域で発生した労使紛争問題を処理する地方調停委員会（現・都道府県労働委員会）は、全国に九カ所設置され、使用者側、労働者側、公益代表の三者で構成されています。この三者のうち、公益を代表する公益委員の多くは日本共産党系の左翼学者が多く就任しており、当然、労組有利の調停が行われていました。

細井が取り組んだ地方調停委員会の活用成果は、やがてその調停結果がマスコミの報道に利用されるかたちで具体化していきます。

たとえば、一九七一（昭和四十六）年九月十四日、札幌《さっぽろ》地裁は組合が申し立てた「苗穂《なえぼ》工場不当労働行為事件」について、「当局は組合の脱退を強要してはならない」との仮処分を決定しました。

また、同年十月八日、国労が申し立てていた「静岡鉄道管理局内で発生した不当労働行為事件」に対して、公労委は「国労から脱退するよう勧奨したことについて陳謝するよう」磯崎叡国鉄総裁に対して陳謝命令を出しました。

細井宗一と田中角栄の知られざる関係

「マル生粉砕闘争」は、マスコミを巻き込んだことによって世論が国労側に味方し、細井らにとって有利な展開になっていきました。

しかし、それだけでは「生産性向上運動」をつぶす決定打にはなりません。

こうして闘いのステージは最終決着をつけるための政治工作に移ることになります。

富塚を補佐しながら闘いの全体像を取り仕切っていた細井は、みずからの人脈を駆使して政界工作に動き出しました。

ここで再び細井の生い立ちについて触れてみたいと思います。とくに前述した『左翼活動家・文化人名鑑』に記載されていない部分について追記しておきます。

細井は新潟県糸魚川市の貧しい漁師の家に生まれました。五人兄弟の長男で、金沢《かなざわ》の四高《しこう》（現・金沢大学）に進学しますが、父親の死で学費が続かず、一年で中退して国鉄の富山機関区に入りました。

一九三七（昭和十二）年七月、盧溝橋《ろこうきょう》事件をきっかけに日中戦争が始まると、細井は思い直して翌一九三八（昭和十三）年春、仙台《せんだい》に設立されたばかりの「陸軍予備士官学校」に入学します。そして、同年の暮れに同校を卒業すると、士官候補生として盛岡《もりおか》騎兵第三旅団二十四連隊に配属。ここで細井は当時は一兵卒だった田中角栄に出会うことになります。

ジャーナリストの牧久《まきひさし》は、細井と田中の関係について、著書『昭和解体』（講談社《こうだんしゃ》、二〇一七〈平成二十九〉年）で、次のように記しています。

そこ（二十四連隊＝引用者注）へ二十歳となって徴兵検査を受け、甲種合格となった田中角栄（後の首相）が入隊してきた。（略）士官候補生の細井と一兵卒の田中は上官と部下の関係となったが、同じ新潟県出身で、大正七年生まれの同い年。二人は最初の出会いからどこか心の底に相通じるものを感じたのだろう。（略）

騎兵連隊での乗馬訓練中、決まって落馬する。（略）田中は怪我《けが》による兵役免除を考えていたのである。何かというと訓練や作業をサボり、古参兵の制裁を受けた。そんなとき、いつも

田中を庇《かば》ったのが細井だった。（略）

騎兵二四連隊は翌昭和十四年（一九三九）三月、満州《まんしゅう》北辺の富錦《フージン》へ出兵することになり、（略）この旅で細井は班長、田中が副班長を務めた。（略）

富錦駐屯二ヵ月後の同年五月、ノモンハン事件が発生、騎兵二四連隊は富錦からソ連との国境線にある平陽鎮《へいようちん》に移動する。翌昭和十五年十一月、営内で日用品や酒などを販売する酒保《しゅほ》に勤務していた田中は突如倒れて野戦病院に担ぎ込まれ、クルップス肺炎と診断され、内地に送還される。真面目で勉強家の細井は、大尉に昇進、終戦時には満州・牡丹江《ぼたんこう》の第五部隊（対ソ戦の覆面軍）の軍参謀として任務についていた。昭和二十年八月九日、日ソ中立条約を破って満州に雪崩《なだ》れ込んだソ連軍に捕まり、シベリアを経由してモスクワ近くの収容所に放り込まれる。細井は極寒の収容所暮らしでの時間潰しにロシア語を学び、ある程度の読み書きができるようになった。

そんなときに手にしたのが、ソビエト文学の古典といわれるニコライ・オストロフスキーの小説『鋼鉄はいかに鍛えられたか』だった。（略）この小説に感動した細井は、徹底的に「マルクス・レーニン主義」を学び、マルキストの道を歩き始める。昭和二十三年春、復員すると機関士になろうと再び富山機関区に戻った。（略）組合活動に飛び込み、国労金沢地本の専従となった。

田中角栄は、兵役中に助けられた細井を終生、尊敬し続ける。（略）東京・目白《めじろ》の田中邸には出入り自由となる。しばしば田中を訪ね、日本や世界の政治情勢について意見を交わした。田中は思想の違いなどには関わりなく、細井の意見に耳を傾けた。（略）細井から連絡があると時間を割いて会い、会ったあとは必ず玄関まで見送った。（略）
国労と田中角栄を背後で繋《つな》いでいたのが細井だった。（略）「田中君いますか。細井という者ですが」。（略）首相になっても細井は「田中君」と呼んだ。

細井は国鉄総裁・磯崎叡との対決に際しては終始強気の姿勢で臨んでいました。それはやはり、政界実力者「田中角栄」という強力な後ろ盾があったからです。

当時、田中角栄は福田赳夫《ふくだたけお》に接近していた磯崎を快く思っていませんでした。磯崎の総裁就任にあたっても、みずからクレームをつけ、承認する代わりに、子飼いで政界通の山田明吉《やまだあきよし》を副総裁に据える条件を出しているほどです。

また、田中角栄は、著書『日本列島改造論』（日刊工業新聞社、一九七二〈昭和四十七〉年）で全国に新幹線を走らせる構想を披露していたことで知られるように、国鉄に対して特別な思い入れもありました。細井宗一からの協力要請に対して、沖縄国会対策の名目で磯崎総裁のはしごを外す（沖縄返還問題で野党側の協力を得るために生産性向上運動を中止させる）ことなど造作もなかったと思われます。

当時の政治状況については、磯崎自身も一九九〇（平成二）年六月二十五日付『日本経済新聞』の「私の履歴書」で、次のように語っています。

国鉄の生産性向上運動は、やがて国会でも与野党対決の材料の一つになった。国会では佐藤首相が、沖縄返還を引退の花道とするために全力をあげ、障害となるものは極力排除されていた。私と仲のよかった自民党の大平正芳《おおひらまさよし》さんからも「党内でも応援する人ばかりじゃないよ」と注意された。

生産性向上運動の挫折と国鉄の職場荒廃

細井の政治工作が決め手となり、ついに生産性向上運動は終焉《しゅうえん》を迎えます。

一九七一（昭和四十六）年十月八日、水戸《みと》鉄道管理局の能力開発課長が会議で「これからは知恵を絞って不当労働行為をやれ」と発言した内容が国労によって盗聴され、「不当労働行為をあおる発言があった」として証拠のテープとともに翌九日、労働省記者クラブで公表されました。

十月十日、各紙はいっせいにこれを報道します。

十月十一日、衆議院社会労働委員会が開かれると、社会党に追及された磯崎国鉄総裁は「生産性向上運動が不当労働行為によって歪曲《わいきょく》されてしまったことは非常に遺憾に思っています」と、ひたすら弁明しました。しかし、マル生の混乱が国会審議に影響するのを恐れた当時の佐藤内閣は磯崎にブレーキをかけます。

十月十六日、第六十七回国会を召集。

十月二十三日、与野党せめぎ合いの国会対策のなかで、磯崎総裁は国労に対し、公労委の命令に従って「陳謝文」を出し、先頭に立って生産性向上運動を推進した真鍋洋《まなべひろし》職員局長を解任します。

磯崎総裁は、それまでの方針から豹変《ひょうへん》し、生産性向上運動の「全面撤退」の道を選んだのです。

こうして、国鉄が導入した生産性向上運動は突然挫折し、中断されました。

全国の職場でようやく再建機運が盛り上がり、現場管理者たちが自信を持ち始めたところでいきなりはしごを外された格好となり、現場管理体制は瓦解することになりました。

勢いに乗った国労側は、当局の後任人事に介入するとともに、各地の職場で「不当労働行為をした管理者の処分」を申し入れました。

十月二十九日、労組の意向を受け入れて新職員局長に就任した原田種達《はらだたねさと》は、国労、動労の委員長と会談し、正式に生産性向上運動の中止を通告します。

「終戦処理」は労組側主導で行われましたが、細井率いる革同が全体をリードするかたちで進められました。

国鉄当局にとってまずかったのは労組側に人事への介入まで許してしまったことです。その結果、管理機能の麻痺を招いたばかりか、各職場では労組による現場管理者の吊るし上げまで恒常化するようになってしまいました。これによって、国鉄の職場の荒廃はきわまり、その後、十五年間にわたって労組による〝無法地帯化〟が続くこととなったのです。

当時の極秘文書が語る「終戦処理」の実態

順を追って、細井が主導した戦後処理について述べてみます。

マル生運動の終結宣言を受けた労組側は、「紛争処理」のための「小委員会を設けよ」と迫りました。

当局は渋ったのですが、終戦処理を担った山田副総裁に国労出身の社会党衆議院議員・久保三郎《くぼさぶろう》が直接圧力を加えました。その結果、山田副総裁と国労のあいだで密約が交わされ、「マル生紛争対策委員会」が設置されることとなります。

当時の関係者から筆者が入手した同委員会に関する極秘文書があります。この紛争対策処理も、一貫して細井の号令のもと、革同主導で行われたことがわかるものです。

経過——煮えきらない当局の態度を追及する方法として、過日の国会における総裁の答弁に関連させる事が必要と考え、久保（三郎）議員団長と相談し、副総裁と会見してもらった結果、①専門委員会を設けて話し合うこと。②その内容は団交事項にこだわらない事を確認した。

組合から提案した委員会構成メンバーと内容

1、構成

（組合）富塚《とみづか》（三夫《みつお》＝引用者注）企画部長（当時、民同だが共産に同調）、細井中執（共産党）、小《お》山田《やまだ》業務部長（当時、民同左派）、子上《ねがみ》（昌幸《まさゆき》＝引用者注）中執（共産党）、（当局）川越《かわごえ》（美昭《よしあき》＝引用者注）労働課長、橘高《きったか》（弘昌《ひろまさ》＝引用者注）職員課長、八田《はった》（誠《まこと》＝引用者注）給与課長、鈴木労働課総括

2、検討事項

①不当労働行為者の処分

②不利益を受けた者の救済と回復

③昇職、昇格の基準

④昇給の基準
⑤功労賞の授与基準
⑥要員、勤務の基準
⑦権利、慣行の復活

組合側メンバー四人のうち二人は日本共産党（革同）、残り二人もそのシンパ、同調者でした。一方、当局側メンバーは労組側の指名によって決められました。

こうして、戦後処理は日本共産党（革同）主導で実行されたのです。

「勝者」が「敗者」を裁く最悪の事態に

細井は「生産性向上運動」が導入される前に、みずからの手で勝ちとった一九六八（昭和四十三）年当時の「現場協議制」確立時期の「⑦権利、慣行の復活」に固執しました。そのうえで、当局の管轄に属する「③昇職、昇格の基準」「④昇給の基準」「⑥要員、勤務の基準」まで手を突っ込み、これらの条件を丸呑《まるの》みさせたのです。

こうして、国鉄当局は、山田副総裁の「総裁を代理して私が責任を持つから副総裁名で調印しておけ」という指示のもと、みずからの職場管理の権利と責任を放棄して、これを労組側に委ねたため、当局の威光は転落の一途をたどっていったのでした。

国労は、さらに追い打ちをかけます。

細井の指導により、中央の「紛争対策委員会」と並行して、地方管理局にも同様の「紛争対策委員会」を設けることを要求しました。これに地方管理局は反対したのですが、最終的に中央が責任を持つということで押し切られます。

中央、地方を問わず、委員会は、「勝者」による「敗者」に対する戦犯追及の場と化していきました。

中央、地方の紛争対策委員会において、国労は生産性向上運動教育実行者と不当労働行為の実行者を同列にして降格、配転などの処分を要求。国鉄当局は事実上、管理者に対する「処分権」「人事権」まで労組側に認めたのです。そこで現場管理者は規律維持に自信を失うこととなりました。

国鉄当局の指示に従って忠実に生産性向上運動を推し進めた現場管理者は、いきなりはしごを外されて取り残されてしまいました。気がつけば労使の力関係は逆転し、職場環境はマル生導入以前より悪化することとなったのです。

職場の乱れでダイヤも乱れる

手始めに駅長、区長ら三百八十九人が処分され、名前が公表されました。やがて、駅長や区長、助役などを組合員が取り囲んで吊るし上げる大衆団交も日常化していきます。

中国の紅衛兵《こうえいへい》による断罪行動にも似た光景が、全国各地の国鉄の職場に現出したのです。

図表1 国労、動労のストライキ等によるダイヤ被害状況

時期	運休本数	遅れた本数
1970年3～10月	1,139	4.660
1971年4～11月	2,495	5,032
1972年3～12月	8,438	18,973
1973年2～12月	26,104	70,286

［出典］福田博幸『動労、国労を斬る』（全貌社、1975年）

力のバランス変化によって国労に復帰する者が相次ぎ、一時二十万人を割り込んでいた国労組合員は一気に二十四万人に盛り返しました。

こうして勢いに乗った国労の組合員によって現場は規律が乱れ、管理者に対する暴力が蔓延していきます。現場の規律の乱れはサボタージュによる運行の混乱や事故の多発を招きました。

国労、動労のストライキ等によるダイヤ被害状況を図表1に示しました。

これに加えてミスやたるみによる「責任事故」が急激に増加の一途をたどります。

一九七二（昭和四十七）年三月二十八日に発生した総武《そうぶ》線船橋《ふなばし》駅構内での通勤電車同士の追突事故は七百十二人の負傷者を出す大惨事となりましたが、その原因は運転士の信号見落としという初歩的なミスでした。ちなみに、事故があったこの三月だけでも一日一回の割合でミスやたるみによる責任事故が発生しています。

結果的に国鉄の職場の規律を崩壊させ、現場を混乱へと導いたマスコミは、それまでの報道姿勢には頬かぶりをして、今度は「事故の多発」「ダイヤの乱れ」を取り上げて国鉄を批判しました。「マスコミは持ち上げて一度商売し、そのあと叩いてもう一度、計二回商売する」といわれていますが、その言葉どおり、マスコミが恥も外聞もなく言説を変えて何度も商売していることが、これによって見事に証明されてしまったわけです。

「労働運動」の美名のもとに握りつぶされていた〝暴力〟

ストライキ等によるダイヤの乱れ、多発する事故――しかし、それ以上に深刻な問題だったのは、国鉄職場内で頻発する〝暴力事件〟でした。

生産性向上運動が中止となった直後の一九七一（昭和四十六）年十一月から一九七二（昭和四十七）年四月までに発生した暴行傷害事件は、わずか半年のあいだに、把握されているだけでも二百四十件にのぼります。

一九七一（昭和四十六）年十一月十七日、衆議院法務委員会では、民社党の岡沢完治《おかざわかんじ》議員が国鉄内で続発している組織的な暴力事件を取り上げ、国鉄首脳の責任を追及しました（国会会議録検索システム〈https://kokkai.ndl.go.jp/〉より）。

> 最近頻発をしております国鉄内部の暴力事件を中心にお尋ねをいたします。（略）
> 特に国鉄が安全あるいは人権擁護ということが要求される組織であるだけに、その内部で起こっている刑事犯罪を黙視するに忍びませんので質問いたします。（略）
> 食事するしょうゆやお茶に毒物が投入されたという事件がございます。（略）
> 腰かけている助役のうしろに回って硫酸をまいてけがをさせるという事件も起こっております。（略）
> この事犯の実態について、国鉄当局あるいは警察当局は事実関係をどう把握しておられるか。（略）実態をまず明らかにしていただきたいと思います。

岡沢議員の質問に対し、参考人として出席した警察庁警備局参事官の斉藤《さいとう》一郎《いちろう》は、こう答弁しています（傍点は引用者）。

> 全国で百二件のこの種の不法事案が発生しております。そしてそれによって鉄労と鉄道公安職員など百二名の負傷者がおるということになっております。（略）
>
> 警察ではこの種不法事案というものは、労働運動の労使の関係の正当性の限界を越えるものだということで、いずれも鋭意捜査をしておりますが、（略）人員にしますと百二十一人の者を警察では検挙しております。

警察庁が掌握していた不法事案は実際に発生している暴力事犯の〝氷山の一角〟にすぎませんでした。

国鉄には「鉄道公安官」という役職があり、国鉄施設内で発生した諸事犯には、この「鉄道公安官」が対応し、処理していました。ところが、国鉄内の管理秩序を取り締まる立場の「鉄道公安官」が同じ国鉄内の一部署にすぎないため、国鉄に都合の悪い事象は、内々に国鉄内部で処理され、外部には漏れ伝わらないのが通例でした。いわゆる内部で〝握りつぶされる〟ことが恒常化していたわけです。

国鉄側から要請がなければ、警察は国鉄施設内での直接捜査はできません。学園暴動が起きても警察が直接学校内に立ち入ることができなかったのと同様に、国鉄施設内でも同じ現象が起こっており、治外法権化が拡大していました。加えて、すべての暴力行動は労働運動の名のもとにまかり通っていたのです。

当然のように行われた左翼勢力による言論封殺

前述したように、当時、筆者は国鉄詰め担当記者をしていました。

「不当労働行為」という現象に対しては狂信的な勢いで報道し続けたマスコミが、こうした明確な犯罪事犯に対しては、なぜかいっさい触れることなく、無視し続けていました。

はたして、マスコミというのは本当に公平な組織なのか、国民が信頼できる組織なのか——マスコミ関係者のひとりとして、おおいに疑問を持ったものです。

当時、全国の職場内で不法がまかり通る職場環境を嘆いた職員たちが、「石が浮かんで、木の葉が沈む時代」と表現して嘆いていたことを思い出します。

筆者は当時、勤務していたラジオ関東（現アール・エフ・ラジオ日本）で「ある日の法務委員会」というテーマで労働運動という名のもとに繰り広げられる暴力事犯について取り上げて放送することを企画したものの、労働組合「国労」の反撃にあい、放送を断念した経験があります。

この一件について、一九七一（昭和四十六）年十二月十二日付の国労の機関誌『国鉄新聞』は、次のように報じていました。


マスコミの一部に、国労のマル生粉砕闘争に対して水をさす動きがではじめている。（略）ラジオ関東は、去る二十八日の井上加寿子《いのうえかずこ》の日曜夕刊で「特捜レポート」として、〝ある日の法務委員会〟というテーマで放送を企画していたようだ。そのスジ書きは、十一月十七日に衆院法務委で民社党・岡沢完治代議士が取り上げた質問を中心に、国労・動労の〝暴力事件〟なるものをデッチ上げ、国労をヒボウしようとしたものである（略）国労動労、民放労連は共同して、ラジオ関東の責任者にその意図を質《ただ》すことにしていたが、（略）事実上この企画は中止になったようだ。

この番組中止問題を取り上げた一九七一（昭和四十六）年十二月十五日付の司法界に強いミニコミ誌『正論新聞』は、ことの重大さを、次のように指摘しています。

ラジオ関東（略）で、国鉄のマル生問題をめぐるニュース番組に関して、労組側の〝事前検閲〟ともいうべき「放送中止要求」が会社に出され、会社側も唯々諾々とそれをのみ、その番組はついに流れてしまうという、重大な言論圧殺事件が起きた――。しかも、これには、新聞労連、民放労連、国労らの〝緊密な連けいプレイ〟がうかがわれ、新聞労連、民放労連ら、言論機関労組が、自らの手で「言論圧殺」を行うというデタラメさで、ラジオ関東労組にいたっては、事の重大性を認識する能力さえなく、これを得々として、組合ニュースで「放送を中止させる」と流し、言論圧殺の事実を裏付けている。

問題の番組は、JORF日曜ラジオ夕刊・特捜班レポートの「組合運動という名の暴力を追う」（衆院法務委の記録より）というもの。（略）

十一月二十八日午後六時から同三十五分までの放送予定で、同二十四日に、報道部が読売、朝日、毎日、東京四紙のラ・テ番組担当者宛に、番宣（番組宣伝ビラ）を配ったところ、翌二十五日に、早くも各労組が動き出し、二十六日の会社側への抗議となり、二十八日は延期、十二月五日の日曜日に「特捜班レポートは都合により中止」という、おことわりを放送して、ツ

第134号　正論新聞　昭和46年12月15日（水曜日）旬刊

組合、お前もか！言論圧殺

民放労連・国労・新聞労連

消された番組〝組合運動という名の暴力〟

「番宣」配布直後に
組合（ラジオ関東）が中止要求

〝反マル生〟の暴力事件をテーマ

正論新聞

風林火山

マジメなら支持者がある

1面・またまた言論圧殺
2面・仏商成らず吹原弘宣

労組による言論圧殺を伝える1971年12月15日付『正論新聞』

ブされてしまったもの。

　ところが、この番組は、まだ制作が終っていないにもかかわらず、ラジ関労組は、その内容をも調べることもなく、「マル生運動に対する社会的判断に背を向ける、きわめて一方的、反社会的な企画」と〝一方的〟に断じ、総評、国労、動労、民放労連、地連、在京単組を動員して、会社へ会見と放送中止を申し入れて、〝勝った、勝った〟の組合ニュースを発行しているほど。

　この番組放送中止事件で注目しなければならないのは、先にも指摘したとおり、マスコミ各社の労働組合が「左翼的観点で明確に〝番組の事前検閲〟を行っている」という事実です。それは令和の今日も改められることなく、依然として続いています。

　日本共産党勢力によるマスコミ支配の実態

についてはすでに触れましたが、ここでもうひとつつけ加えておきます。

一九六三（昭和三十八）年、当時、日本共産党書記長だった宮本顕治は、マスコミを通じて世論操作を行う目的で、総評をも抱き込みながら、巧妙に「マスコミ共闘」（マスコミ関連産業労働組合共闘会議）を組織しました。

マスコミ共闘は、「新聞労連」「民放労連」をはじめ、NHKの労組「日放労」や「出版労連」「全印総連」「映演共闘」「広告労協」「紙パ労連」「全電波」など約二十二万人の加盟組合員からなり、地方支部を持つ巨大組織です。組織機構の中枢部である書記局、事務局は日本共産党系活動家たちによって完全に掌握されており、組織全体の意向は日本共産党の方針に強く影響されて、今日にいたっています。

特徴は「丹頂鶴《たんちょうづる》」と呼ばれる組織構造にあります。

末端組合員はノンポリに近い者も多いが、上部活動家は日本共産党員およびシンパによって占められているため、丹頂鶴のように頭は「真っ赤」だというわけです。

日本全国を網羅する一大マスコミ労組組織「マスコミ共闘」は、「労働組合」という美名に隠れながら、日本共産党が張りめぐらせている、マスコミのコントロールおよびチェック機関だといえます。

日本共産党員は「アジる」のが商売

日本共産党の労働組合への工作は、労働組合運動の観点からではなく、「労働組合を日本共産党の目指す革命の〝先鋭部隊〟にしていく」という基本戦略に立っています。そのうえで、①日本の国民経済上重要な役割を果たしている主要行政官庁の労組、民間の有力企業とその関連会社に、日本共産党の組織を秘密裏につくり、その組織と影響力の拡大に力を入れる。②労組役員への侵出とともに、「組合活動」という口実のもとに日本共産党ベースの闘争中心、抵抗中心の活動を巧妙に進めていく。③日本共産党系の労組を大きく組織し、日本共産党が計画するさまざまな政治闘争に動員していく。④こうした企業破壊活動に対し、企業や労組内の「良識派」がブレーキや歯止めをかける動きを見せれば、「不当労働行為」「会社のヒモつき」「御用組合づくり」等と一方的にレッテルを貼り、徹底的に批判、攻撃を加え、その排除に全力を挙げていく――という戦術を終始一貫して進めていくところに最大の特色があります。

日本共産党員は「アジる」のが商売です。活動資金は党から出る。犠牲は恐れない。党員間の組織的な行動はとれる。党員は表面に出なくていい――これでは誰も太刀打ちできません。

内部から幹部たちの行動を監視し、引きずって日本共産党の別動隊に仕立て上げる――これが日本共産党の手法です。

革同の総帥・細井宗一は、国労内部において、この日本共産党の方針を忠実に実践し続けた「確信犯」のひとりでした。おそらく細井は、ソビエト抑留中に愛読したニコライ・オストロフスキーをまねて、日本共産党の階級闘争理論の「実践者」として革命の前衛組織を指揮したつもりだったのでしょう。しかし、その行動による犠牲はあまりにも大きかったといえます。

インテリジェンス感覚を養わなければ左翼には勝てない

マル生粉砕闘争は、日本共産党労組が国労全体を支配し、国鉄をコントロール下に置くための闘いでした。それにマスコミがいとも簡単に利用されてしまったという格好の事例です。

労組支配の現状を打破し、管理者の職務に対する自覚を目覚めさせ、管理機能の立て直しを図って導入した国鉄の生産性向上運動は、「現場協議制度」で確立した労組支配体制を死守しようと反撃に出た国労（革同）の工作によって挫折しました。

マスコミは、国鉄の将来を見据えることも、有益な提言をすることもなく、国労の〝先導役〟を務めた毎日新聞の「騒動師」内藤国夫に追随。バッタの大群よろしく国鉄管理職を叩きつぶしました。残ったのは管理権を失って無秩序になった「焼け野原」の現場でした。

戦前は軍部に媚《こび》を売って、反対者には「非国民」のレッテルを貼り、戦後は労組の横暴に批判を向けると「反動」と罵倒する。政財界の批判はするが、みずから反省することはない。「赤信号もみんなで渡れば怖くない」方式なのが、今も変わらぬマスコミの実態なのです。

木を見て森を見ない日本のマスコミ。その欠陥は上部から末端まで「インテリジェンス」思考が欠如している点にあります。それは戦後の政治家や官僚にも共通しているものです。

マスコミや政治家、官僚、そして私たち一人ひとりが「インテリジェンス」のセンスを身につけないかぎり、細井宗一や内藤国夫のような左翼の「確信犯」や「騒動師」には勝てないということを肝に銘ずるべきです。

労働組合の本来の目的を忘れるな

多くの国鉄職員は国鉄の再建を夢見てその実現を志しました。しかし、当時の磯崎総裁によって二階に上げられたままはしごを外され、見捨てられてしまいました。こうして自主再建の〝ひと筋の光明〟は断たれ、職場は挫折感が支配するようになったのです。

ここでは「その後」の話を少しだけしておきます。

マル生粉砕闘争に勝利した国労、動労は、勢いに乗ってストライキ権を勝ちとるための違法ストライキ「スト権スト」を設定し、世論の反発を無視してこれを強行しました。政権与党をねじ伏せてスト権を得ようとしたのですが、政府が違法ストライキに対して二百二億円にのぼる損害賠償請求の訴訟に踏み切ったことで敗北します。そこから先は国鉄の解体、分割民営化、JRの誕生へと濁流のように突き進むことになりました（第二章で詳述）。

まさに平家《へいけ》さながらの「おごれる者は久しからず」の結末となったわけです。

『広辞苑《こうじえん》』（第七版、岩波《いわなみ》書店、二〇一八〈平成三十〉年）の「労働組合」には、「労働者が労働条件の維持・改善および社会的地位の確立を図るために組織する団体」と明記されています。ならば、労働者の生活を守ることこそが労働組合の存在意義であり、究極の目的であるべきです。

国労、動労は、労働組合の本来の目的を忘れ、政治闘争に走りすぎました。そのため、労働者の生活基盤である「国鉄」という職場そのものを崩壊させ、大量の労働者の生活基盤を奪ってしまったのです。

国労の運動を主導した幹部たちの責任はきわめて重い。

それにも増して国労、動労の過激な闘争を無批判にあおり、結果的に多くの国鉄労働者の生活基盤喪失に加担したマスコミの無責任な報道姿勢の責任もきわめて重い。

そのことを指摘して本章を終えます。

第二章　「JR」という伏魔殿

中曽根康弘の危機意識の欠如が生んだ〝負の遺産〟

国鉄の分割民営化、JRの発足は、中曽根康弘《なかそねやすひろ》政権が果たした華々しい成果として〝光〟の部分だけがマスコミで報じられ、〝影〟の部分はあまり報道されてきませんでした。

しかし、実際にはJRの労働組合は左翼の過激組織「革マル派」の〝潜り込み戦略〟によって全国規模で支配され、「ストライキ指令権」を握られる寸前まで追い込まれていたという事実を、多くの日本人は知りません。

幸い、箱根《はこね》より西では、民主的労働運動を進める「旧鉄労」の名もなき人たちが、革マル派による労組支配に危機感を持ち、これを拒否して運動を封じていました。しかし、箱根から東では、革マル派の支配を許したため、三十年にわたって過激派に蹂躙《じゅうりん》され続けてきたのです。

一九七五（昭和五十）年、国鉄労働者を主とする公労協（公共企業体等労働組合協議会）がいわゆる「スト権スト」を敢行した当時、政府関係者の多くは左翼労組の勢いに危機感を抱いていました。

同年十月二十二日、衆議院予算委員会で自民党の奥野誠亮《おくのせいすけ》衆議院議員が「動労ストは革マル派のしわざではないか」と質問したことをきっかけに、革マル派に対する議論が盛り上がっていきました。「このまま革マル派を放置すれば、動労のみならず、官公労全体が乗っ取られるかもしれない」「国家転覆すらありうるのではないか」――そんな危機感が与党の有力政治家たちのあいだで、ある程度共有されていったのです。

当時の政治担当記者たちの話を集約すると、椎名悦三郎《しいなえつさぶろう》は、官公労を革マル派が乗っ取れば、彼らの「革命」が成功し、国家権力が掌握される可能性が七〇～八〇%あると考えていました。後藤《ごとう》田正晴《だまさはる》（警察庁長官を経て政界に進出し、「カミソリ後藤田」の異名をとって活躍した政治家）も、もし革マル派が官公労を乗っ取ったなら、暴力革命が成功する可能性は八〇％あると、強烈な危機意識を有していました。

一方、中曽根は、革マル派による革命の可能性は五〇〜六〇％であると、〝甘い〟考察をしていたのです。この革マル派に対する当時の有力政治家たちの危機意識の違い（甘さ）が、JR発足後の影の部分、「負の遺産」を生み出す原因となります。

中曽根政権は、在任中の功績とみずからの利権獲得を優先するあまり、革マル派の排除、封じ込めを怠りました。それどころか、逆に、この過激派組織の〝温存〟に手を貸すという愚まで犯してしまったのです。

生き残りに成功した革マル派は、非公然部隊（秘密部隊）を動員して、盗聴、尾行、不法侵入等、手段を選ばない諜報工作によってJR労働界を支配することに成功しました。本章はその攻防の記録です。

世論の不満爆発で「倒産」寸前にまで追い込まれた国労

国鉄解体とJR誕生までの流れを簡単に振り返っておきましょう。

第一章で述べたとおり、国鉄再建の最後の望みをかけて導入された国鉄の「生産性向上運動」は、国鉄当局（経営陣）の予想をはるかに上回り、〝燎原の火〟のごとく瞬く間に全国の職場に広がっていきました。運動の広がりは各職場の管理者を勇気づけ、それまで国鉄を支配していた国労、動労が掲げる「階級闘争至上主義」労働運動との決別を促し、左翼労組を顕著に衰退させていきます。

危機感を持った国労は、「座して死を待つより、起って反撃に転じよう」（国労中川委員長）の名セリフのもと、動労とともに「マル生反対闘争」を展開。マスコミの支援を得て反撃の世論工作を実行しました。

その結果、生産性向上運動は中止となり、国鉄は再び労組支配下に戻ります。職場では規律が乱れ、勤務拒否、いやがらせ、暴行が横行しました。違法ストも頻発します。

そもそも、国鉄、専売（日本専売公社）、電電（日本電信電話公社）の三公社には、スト権が禁止される代わりに、賃金交渉が煮つまると公共企業体等労働委員会に持ち込まれ、大手民間の賃金に準拠して委員会で決めることが公労法等によって定められていました。賃金も民間が苦労して決定したものに準拠していたのです。

一九七五（昭和五十）年十一月、「マル生粉砕闘争」の勝利に勢いづいた国労、動労は、過激路線をエスカレートさせ、公労法で禁止されている国鉄職員のスト権を力で奪還する「スト権スト」を強行。運休や遅れが相次ぎ、国民生活に深刻な打撃を与えました。

このように違法行為を「力」で押し切ろうとする国労、動労の姿勢に国民の批判は頂点に達します。「左翼労組の横暴を許すな」の世論を背景に、一九七六（昭和五十一）年二月、政府（国鉄）は国労、動労に対し、「スト権スト」でこうむった経済損失二百二億円を支払うよう求め、「損害賠償請求訴訟」提訴に踏み切りました。その結果、両労組の全面的敗訴は決定的となり、両労組の財政的破綻も目に見える状況になります。労組の実質的な倒産です。

組織温存を最優先した動労革マル派の「偽装転向」

国労は、それでも大局を見通せず、ストライキを設定して抵抗し続けました。

政界では国鉄の解体と分割民営化が具体的に論議され、政治日程としても俎上《そじょう》に載っていました。

そのようななか、国労とまったく逆の行動に出たのが「動労」でした。

過激派「革マル派」が執行部を支配する動労は、それまでの国労との〝共闘〟を裏切り、突然「国鉄の分割民営化に協力する」との〝方針転換〟を表明します。

当時、国労とともに大量の処分者を出していた動労は財政的に苦境に立たされていました。加えて、二百二億円裁判のうち動労分三十六億円の損害賠償は財政破綻を招き、組織そのものが崩壊する寸前まで追い込まれていたのです。

つまり、運動方針の大転換は〝組織の生き残り〟を階級闘争運動に優先させた結果でした。

動労の崩壊は同時に動労内に生息する非合法組織・革マル派の組織が壊滅することも意味します。「組織温存第一主義」をとる革マル派にとって選択すべき方向ははっきりしていました。組織温存のためなら（一時的に）どのような妥協も辞さないというのが革マル派の戦略であり、動労が〝柔軟路線〟に転じた理由でした。

松崎明

折から一九七九（昭和五十四）年に第五回サミット（先進国首脳会議）の東京開催が予定されるなど治安問題が政治の優先課題となっていました。

革マル派の副議長であり、動労委員長でもある松崎明《まつざきあきら》は、与党自民党幹部と裏取引して、治安安定に協力することを約束し、その見返りとして、二百二億円損害賠償裁判から動労を取り下げさせることと、動労組合員の雇用の確約に成功します。豊富な資金を使いながら、あらゆる工作を行って組織存亡の最大危機を乗り切ったというわけです。

松崎は、さらに、国鉄の分割民営化の流れは避けられないと悟るや、当局が提案した人員削減三項目（勧奨退職、出向、一時帰休）にも積極的に協力することを表明。主力労組である国労の〝解体〟に協力することも約束します。当局との対決を極力回避しながら、国鉄の分割民営化後に備え、組織の維持、温存に全力を注いだのです。

当時の動労組合員は四万二千人。その動労組合員のなかにいる革マル派の勢力は約二千人といわれていました。その組織構成は、革マル派同盟員約八百人、積極支持者約千二百人というのが治安関係者の見解でした。

彼らが一糸乱れず、一夜にして「反対」から「賛成」に大転換を決定したのです。「偽装転向」以外はありえない行動でした。

豆がらで豆を煮る怪

一九八七（昭和六十二）年四月、国鉄は分割民営化されました。経営形態の変化にともない、国鉄時代には七〇％近い組織力を誇った国労も大きく分裂。組合員は四万三千人となり、大幅に組織を減少させました。

当時、国労の主導権を握っていたのは日本共産党と協会派（社会党左派）です。分裂した国労右派（国鉄の分割民営化賛成派）は、一九八七（昭和六十二）年二月に「鉄産総連」（日本鉄道産業労働組合総連合）を結成しましたが、組織人員は三万五千人にとどまりました。

水面下での国労と動労の憎しみの闘いは熾烈《しれつ》をきわめました。

両労組の闘いは当時、政界で「豆がらで豆を煮る」現象とたとえられています。動労という同根の「豆がら」で、国労という「豆」を煮ているという意味です。

そのたとえどおり、豆も煮られ、同時に動労という豆がらも燃えてしまえば問題はなかったのですが、実際には、豆（国労）は煮られたものの、非合法組織（革マル派）が支配する豆がら（動労）はそっくり残ってしまいました。

これが国鉄民営化の〝影〟の部分です。

そして、それは今日にいたるまで「負の遺産」として残ることになります。

JR総連に巧みに侵出した革マル派

国鉄時代は少数組合だったものの、一貫して地道に「民主的労働運動」を推進してきた同盟傘下の「鉄労」（鉄道労働組合）は、国鉄の民営化にともない、一躍、主役労組に躍り出て、期待されました。

この民間企業型労働組合である鉄労に、突然「偽装転向」した旧動労がすり寄ります。

そして、それを母体に、社員労（鉄道社員労働組合連合会）、日鉄労（日本鉄道労働組合）の計四組合と、管理者組合である鉄輪労（東日本鉄輪労働組合）が連合して「鉄道労連」（全日本鉄道労働組合総連合会）が結成され、JR各社労組の結集体として十二万七千人が組織されました。

一九八七（昭和六十二）年八月、五労組の連合体であった鉄道労連は、各社別の単一体労組へと組織統合を行い、産別組織としての体制を整えます。しかし、旧動労の主導のもとで急仕立てで行われたため、旧動労を牛耳る革マル派幹部が鉄道労連の役員ポストに計画的に侵出。こうして革マ

図表2　鉄道労連本部における役員名と革マル派の侵出状況

役職	氏名	旧所属労組	所属労組
委員長	杉山 茂	日鉄労（専従）	JR東
副委員長	高橋 弘	鉄労（専従）	JR四国
	金川哲男	鉄労	JR北海道
	松崎 明	動労革マル	JR東
	佐藤政雄	動労革マル	JR東海
	大松益生	鉄労	JR西
	宮道義幸	鉄労	JR四国
	石津兼久	動労革マル	JR九州
	城石靖夫	動労革マル	JR貨物
	金子 清	社員労	清算労
書記長	福原福太郎	動労革マル（専従）	JR東
中央執行委員	柴田光治	動労革マル（専従）	JR北海道
	小谷昌幸	動労革マル（専従）	JR東
	橋本 博	鉄労（専従）	JR四国
	勝又康之	鉄労（専従）	JR東
	武市 豊	動労革マル（専従）	JR九州
	伊藤 勝	動労革マル（専従）	JR東海
	砂田正実	日鉄労（専従）	JR西
	岡本 敏	鉄労（専従）	JR西
	柳沢秀広	社員労（専従）	JR東
	五味一義	動労革マル（専従）	JR貨物
	中村道信	動労革マル	JR貨物
特別執行委員	田中豊徳	動労革マル（専従）	JR東

以上23人（日鉄労2人、社員労2人、鉄労7人、動労12人）
［出典］福田博幸『狙われる国民の足』（全貌社、1989年）

ル派が鉄道労連の支配体制を確立しました。当時の鉄道労連本部における役員名と革マル派の侵出状況は図表2のとおりです。

ごらんのとおり、役員および中執（中央執行委員会）という議決メンバー二十三人中の過半数である十三人を旧動労革マル派が占めています。これら多数派を占めるために巧みな工作が行われた足跡が見られました。なお、日鉄労は、国労のなかに潜入させた革マル派グループで、国労分裂時に独立した組織です。したがって、実際の比率は革マル派十五人対して非革マル派八人という勢力構成となります。また、書記局の専従体制では旧動労革マル派メンバー九人に対して非革マル派はわずか五人という構成となりました。

そして、鉄道労連は「JR総連」へと名称（略称）を変えます。

「要塞」と呼ばれた〝異様〟な組合本部

JR総連執行部の過半数を握った革マル派が最初に手がけた仕事は、JR総連の本部を品川《しながわ》区西《にし》五反田《ごたんだ》に所在する「目黒《めぐろ》さつき会館」に置くことでした。

同会館はJR目黒駅から五反田寄りのJR沿線にあった旧動労本部です。別名「動力車会館」。「要塞」や「砦《とりで》」ともいわれてきた〝いわくつきの建物〟でした。

同会館の建設にあたっては新幹線の橋脚にも劣らない量の鉄筋とコンクリートがふんだんに使われ、爆発物をしかけられてもビクともしない構造でつくられました。すべての窓には鉄製の柵がはめ込まれ、階段は狭く、かつ急勾配につくられているという異様な建物でした。また、外部と遮断するガレージのシャッターは強固そのもので、ボタンスイッチで開閉できる仕様になっていました。ようするに、敵対勢力からの襲撃に備えた〝籠城〟可能な設計になっていたというわけです。

革マル派のメンバーである旧動労JR総連役員たちにとって、敵対する過激派の襲撃から身を守るためには、どうしても「目黒さつき会館」にJR総連の本部を置く必要がありました。彼らにとっては、みずから築いた「要塞」だけが唯一の「安住の地」だったからです。

事実、彼らは常時、このJR総連本部の事務所に泊まり込んでいました。いわゆる「内ゲバ」に対する警戒心の強さを物語っています。「家のつくりを見れば、そこに住む人の人柄がわかる」とは古くからいわれている言葉ですが、まさに要塞化した建物の異様なつくりは、そこに住む旧動労幹部たちの〝特殊性〟を如実に表しています。

「全体主義」を絵に描いたような組織運営

旧鉄労組合員として「正常な民主的労働運動」を主張し、革マル派メンバーと対立したため、JR総連の役員を辞めさせられた元JR総連政治部長・勝又康之《かつまたやすゆき》は数少ない「目黒さつき会館」で執務した経験者でした。勝又は筆者の取材に対し、当時の異常な組織運営の実態についてこう語っていました（当時、筆者がまとめた取材メモより）。

この目黒さつき会館の地下に中執（中央執行委員会の略）会議室がある。窓が一つもなく、太陽の光りを見ることもなく完全に外界と遮断されており、まさに地下密室の形容がピッタリの部屋だ。この地下密室でJR総連の運動が創られるが、その討議が想像を絶する。私より先に退任した役員は「中執会議室でのやりとりは恐怖だった。方針に反対する者への集中攻撃は拷問であり処刑場だ。役員退任は地下密室からの解放でありやっと世間に出られるようになった」と回顧していたが、まさに実感であろう。

私はこの会議室で徹底的に吊るし上げられた。私に集中砲火を浴びせてくるのは友信会（旧鉄労出身者を除くJR総連役員の会）のメンバーであった。専従者会議は週一回の予定で開かれることになっていたが、多いときは連日、それも早朝から深夜に及ぶことも珍しくはなかった。私は自論として労働運動は自由にして民主的であるべきとの信念で凝り固まっている。このため全体主義的な方針や運営を鋭く批判し、反論した。これに対し友信会の旧動労メンバー（専従者会議で過半数を牛耳っていた）が猛反撃を展開してくる。彼らは異口同音に金太郎飴《きんたろうあめ》のごとく反対意見は断固許さぬという凄《すさ》まじい迫力であった。その集中攻撃ぶりは会議前日に発言内容と発言順をしめし合わせてリハーサルを済ませてきたのではないかと感じられるほど、強力であった。そして、ある者は机を叩き、ある者は顔面を紅潮させて大声で立ち上がったり狂気の沙汰としか考えられなかった。また、言質を取られるのを警戒してか筆記することが禁止されたり、配られた資料が回収されることも度々であった。（略）

数々の暴力事件や集団威圧の洗礼を受けてきた私だったが、ＪＲ総連地下密室における吊し上げの実態は、その当事者として言語で表現できぬ迫力であった。

内ゲバの恐怖におびえながら要塞化した労組の本部に寝泊まりするＪＲ総連の役員たち。その内部では特定のセクト（党派）集団が組織を牛耳り、批判や反対意見は封じられていました。セクト集団以外の役員には尾行がつけられ、厳しく行動がチェックされます。そして、気に食わなければ査問し、解任したといいます。

まさに、ＪＲ総連の運営実態は「全体主義」であり、過激派のセクト運営そのものでした。

血で血を洗う恐ろしき「内ゲバ」事件

当初、ＪＲ総連を牛耳る旧動労役員たちが強引に「目黒さつき会館」に労組本部を置いた目的は、旧動労の資産のひとつである「目黒さつき会館」の安定収入を確保するためだと思われていました。あるいは、ＪＲ総連という「寄せ集めの集団」を自分たちの陣地内に取り込むことによって組織の主導権を握ろうとの魂胆ではないかとも見られていました。

しかし、彼らの最大の目的は別のところにありました。

それは「内ゲバの恐怖から身を守る」ことだったのです。

彼らの「内ゲバ」に対する恐怖は現実のものとなります。

一九八八（昭和六十三）年三月三日、JR総連を支配する革マル派の首領・松崎明の〝右腕〟で、後継委員長の最有力者と見られていたJR東労組高崎《たかさき》地本委員長・松下勝《まつしたまさる》（当時、四十五歳）が敵対する過激派「中核派」に襲われ、死亡するという事件が発生しました。同三月二十一日付の中核派機関誌『前進』は、次のように報じ、犯行を宣言しています。


三月三日午前三時十五分、わが革命軍は、群馬県渋川《しぶかわ》市内で、反革命カクマル最高幹部、東鉄労高崎地本委員長の松下勝を完全せん滅した。

松下は、カクマル副議長・松崎の右腕として、カクマルの反革命路線の体現者として、その反革命路線の純化とともに頭角をあらわした許すことのできないファシスト分子である。


この時点で旧動労およびJR総連がらみで発生した「内ゲバ」事件は次の七件です。死者一人、重軽傷者十四人にのぼり、被害者のほとんどは内ゲバ特有の凄惨さで、再起不能に近いものでした。

①一九八〇（昭和五十五）年九月二十二日、動労中央本部教宣部長・小谷《こたに》昌幸が品川区の動労会館近くの路上で襲撃され重傷。革労協が犯行声明。
②一九八五（昭和六十）年十一月十一日、動労中央本部書記・高橋由美子《たかはしゆみこ》が江戸川《えどがわ》区の自宅で襲撃され重傷。中核派が犯行声明。

③一九八六（昭和六十一）年九月一日、動労のダミー組織、真国労《しんこくろう》大阪地本書記長・前田正明《まえだまさあき》ほか八人が大阪府の自宅などで襲撃され、前田は死亡、ほか七人は重傷。中核派が犯行声明。

④一九八七（昭和六十二）年二月二十三日、動労中央本部副委員長・佐藤政雄《さとうまさお》が茨城の自宅近くの路上で襲撃され重傷。中核派が犯行声明。

⑤一九八七（昭和六十二）年五月十八日、動労拝島《はいじま》支部委員長・細田智が武蔵野《むさしの》市の自宅近くの路上で襲撃され重傷。中核派が犯行声明。

⑥一九八七（昭和六十二）年八月二十九日、ＪＲ東労千葉支部副委員長・嶋田誠《しまだまこと》が船橋市の自宅近くの路上で襲撃され重傷。中核派が犯行声明。

⑦一九八七（昭和六十二）年十月三十日、ＪＲ東労東京地本・荒川一夫《あらかわかずお》がＪＲ赤羽《あかばね》駅構内で襲撃され重傷。革労協が犯行声明。

ここで「革マル派」「中核派」「革労協」（革命的労働者協会）といったいわゆる「新左翼」の過激派組織について簡単に触れておきます。

一九五〇年代後半から一九六〇年代にかけて、日本共産党主導の既存の左翼運動に対する不満が世界規模で高まり、日本においても日本共産党路線とは異なる新しいかたちの革命運動を求める声が大きくなっていきました。

そうした機運とともに盛り上がっていったのが「新左翼」（ニュー・レフト）運動です。

日本の場合、日本共産党に反発するかたちで新しい左翼の組織が次々と誕生していったわけですが、その新左翼のなかでもさらに分派を繰り返して生まれてきたのが、革マル派、中核派、革労協などの過激派組織でした。革マル派と中核派は日本の新左翼における二大党派といえる存在であり、ともに「革共同」（革命的共産主義者同盟。前身は一九五七〈昭和三十二〉年結成の日本トロツキスト聯《れん》盟《めい》）という組織から分かれ出ています。革労協は社会党の青年部が母体となって一九六〇年代に結成した「社青同」（日本社会主義青年同盟）から派生した組織です。

彼ら過激派は、「自分たちこそが絶対的に正しい」と信じて組織されていっただけに、ほかの左翼勢力に対する敵対意識はすごいものがあります。お互いを「偽左翼」とののしり合い、果ては〝殺し〟まで正当化するわけですから、世間一般の感覚で見ると異常で狂信的な集団です。

有名な革マル派と中核派の内ゲバも一九六〇年代は小競り合い程度でしたが、一九七〇年代以降は殺し合いの「戦争」にまで発展しました。その流れのなかで、先に挙げた七件の「内ゲバ」事件が起こり、高崎地本の松下勝襲撃事件が発生したというわけです。

仲間の葬儀で見せた革マル派のＪＲ労組〝私物化〟の実態とは

松下の葬儀に際し、革マル派がとった行動は〝異常〟でした。それは、ＪＲ東日本内における革マル派の支配体制の強力さや、ＪＲ総連および傘下労組の〝私物化〟の実態をまざまざと見せつけるものだったからです。

第一の異常は、高崎中央体育館を埋めつくした約三千人参列の異様な規模の葬儀にありました。ＪＲ東日本会社とＪＲ東労組の合同葬として行われた葬儀は、ＪＲ東日本の住田正二《すみたしょうじ》社長が参列して弔辞を読み、会社幹部多数が動員されたほか、労組の各級機関に弔電と代表者の参列が義務づけられました。一労組の、しかも地方委員長にすぎない人物の葬儀です。加えて「内ゲバ事件の被害者」の葬儀です。前代未聞の仰々しい不可思議な葬儀だったといえます。

第二の異常は、葬儀に関する金の流れです。

まず、「葬儀費用」としてJR東労組から千二百万円が支払われたほか、JR総連からも千八百万円が支払われました。さらに、JR東日本会社からも多額の公金が支払われたといいます。しかも、これらの支出が労組の機関審議を経ることなく、革マル派の首領である松崎明の〝鶴のひと声〟で実行された点は見逃せません。まさに組合の〝私物化〟だといえます。

第三の異常は、「遺族育英資金」という名目で実施されたカンパの強要です。

それはJR東日本会社とJR東労組の連名で実施されましたが、社員には金額まで明示されていました。明示された金額は、部長クラス一万円、課長クラス五千円、現場長クラス三千円、一般社員五百円以上。強要的で異常さを感じざるをえないカンパでした。

しかも、このカンパの要請は松下が所属するJR東日本だけではなく、北海道から九州までのJR各社におよびました。会社側や労組からのカンパは推定一億円に達したといわれています。とてつもない資金が革マル派の手によって集められたのです。

第四の異常は、高崎地本の庭に建立された松下の慰霊碑です。

縦九十センチ、横二百四十センチという石碑は、スウェーデンからわざわざ取り寄せたという「赤御影石《あかみかげいし》」で、松崎の直筆による「鎮魂」の碑文が刻まれていました。

この松下の〝異常〟な葬儀を受けて、「松崎が革マル派の力を最大限誇示することで、革マル派の運動に殉じた松下の霊を慰めようとしたのだろう」という憶測がJR社員たちのあいだで飛び交いました。

しかし、内ゲバ被害者に対するJR総連のセレモニーが強制的であり、かつあまりにも仰々しいものであったため、JR東日本内部では、犠牲者救済金の適用やカンパの押しつけ、組合葬の実施等に対する不満が次第に高まっていきます。

そして、その不満の高まりは、〝怪文書〟となってJR東日本社内を駆けめぐりました。

筆者が取材で入手した一九八八（昭和六十三）年十一月二十六日付で発行された「JR東日本社員有志」と署名された文書は、こう指摘しています。

今度の鉄道労連の中央委員会では、3月に内ゲバで殺された高崎の松下委員長へ2000万円もの見舞金を出すことを決めるとの事です。冗談じゃない。すでに松下氏へは見舞金もカンパも育英資金も払っているのですよ。そして、銅像（慰霊碑＝引用者注）も建てた。組合員は非番、公休も働いて給料をもらってるのに、組合費をそんな内ゲバの救済に使われたら、泣くに泣けません。

また、11月24日には鉄道労連の中央委員会を前にして、100人もの役員が、組合費で平日ゴルフを千葉でやっているのです。

内ゲバの犠牲者に組合の救済制度を適用

内ゲバの被害は、その後も続きました。

◎一九八九（平成元）年二月八日、JR東労組水戸地本組織部長・加瀬《かせ》勝弘《かつひろ》が茨城の自宅近くの路上で襲撃され死亡。中核派が犯行声明。
◎同年十二月二日、ＪＲ総連総務部長・田中豊徳《たなかとよのり》が大宮《おおみや》市（現・さいたま市）の自宅近くの路上で襲撃され死亡。革労協が犯行声明。

ＪＲ総連・田中総務部長の殺害は革マル派と敵対関係にある革労協が行った「内ゲバ」事件でした。当時、革労協は、機関紙『解放』特別号（号外）に、次のような声明を発表しています。

　12月2日午後7時50分（略）路上において　反革命動労革マル―鉄道労連（ＪＲ総連）総務部長・田中豊徳を捕捉し、革命的テロルで完全打倒した。（略）
　動労革マル松崎―ＪＲ総連の完全打倒・反革命反革マル政軍中枢の総せん滅を闘いぬく。

殺害された田中は昭和四十年代に動労大宮支部書記長として活躍。職場の管理者に暴力を振るって懲戒免職となり、以後、動労の専従組合員となりました。国鉄改革が本格化したころからＪＲ総連の書記長、委員長となったＪＲ革マル派のナンバー2・福原《ふくはら》福太郎《ふくたろう》の運転手を務めています。いわば福原の腹心中の腹心でした。

ＪＲ総連は事件について緊急声明の号外を出したほか、「一月二十七日十三時三十分より都内・日比谷《ひびや》公会堂において故田中豊徳・ＪＲ総連総務部長の合同組合葬を挙行した。（略）ぞくぞくと参列、その数一千八百人を数えた」と機関誌『ＪＲ総連』一九九〇（平成二）年二月一日号が報じています。

そして、同年六月に開催されたJR総連第五回定期大会で、「第四号議案、犠牲者救済の適用」が承認されると、被救済組合員に死亡した田中総務部長を指定。葬祭料五十万円、見舞金、賃金日額千七百日分、金二千六百十三万円余の支給を決定しました。

犠牲者救済の適用理由について、JR総連は「襲撃事件はJR東労組、さらにはJR総連に対し、挑戦したものである。田中豊徳氏はJR総連総務部長の役職であるがゆえに虐殺されたものと判断する」（筆者が取材時に入手した同大会議事録より）と発言しています。

ところで、当時、JR総連の「犠牲者救済規則」には、「組合員が組合機関の決定に基づいて組合活動遂行中、救済しなければならない事態の発生した場合は、（略）救済する」（第二条）、「遺族補償金として次の通り支給する」（第三条）と明記されていました。もちろん、この適用が純然たる労働運動従事下においてのことであるのは当然です。

田中の場合、組合活動中でなかったうえ、自宅近くの路上での内ゲバ事件によるものでした。JR総連の犠牲者救済規定に該当しないことは明白です。にもかかわらず、それが適用された背景には革マル派の強い意向があります。

適用の承認機関「犠救委員会」にも問題がありました。同委員会の構成メンバーは委員長の福原を筆頭に七人のメンバーで構成されていましたが、このうち六人までもが革マル派のメンバーだったからです。これでは圧倒的多数で革マル派の意向が通ってしまうのは当然です。

JR総連は、ほかにも田中の家族の育英資金として組合員にカンパを強要し、千二百万円を集めました。さらには、田中の慰霊碑も目黒さつき会館の庭に建て、革マル派のメンバーによる「鎮魂の碑」の除幕式も挙行しています。先に見た松下の葬儀の一件と同様、これも明らかに組合の〝私物化〟です。

少数派で多数派を支配するのが革マル派の基本戦術

松崎は、「内ゲバ」犠牲者の葬儀を利用して経営陣に対する革マル派の強い影響力を見せつける一方、革マル派批判の「タブー化」も強力に推進し、着々とその環境を整えていきました。同時に、「独裁体制」を強化するため、革マル派以外の労組メンバーの排除も推し進めていきます。

ＪＲ総連の役員構成で優位に立った旧動労革マル派は、組合の完全支配を達成すべく、革マル派以外の役員に対して尾行をつけるなど監視、締めつけを徹底しました。

たとえば、旧鉄労出身でＪＲ総連青年婦人部事務長に就任した清野伸一の場合、ＪＲ内で発生した内ゲバ事件に関する噂話《うわさばなし》をしたところ、旧動労革マル派に「中核派に通じている」と難癖をつけられ、査問委員会にかけられて、「組合員権停止三年」という処分を受けました。さらに追い打ちをかけるように、職場である新宿《しんじゅく》駅構内でも旧動労革マル派に次々といやがらせや圧力を受け、ついにはＪＲ東日本会社から退職に追い込まれてしまいました。革マル派が敵対する相手に行う常套《じょうとう》手段です。

噂話のやりとりをとがめられ、それを口実に組合が組合員を処分するのも驚きですが、労組が経営側に圧力をかけ、職場から追放するというのだから、異常としかいいようがありません。運動に対する批判や反対はいっさい許さないという姿勢が明白です。それは国鉄時代、革マル派が党派を隠して動労を乗っ取るために使った手口とまったく同じものでした。

また、旧動労革マル派は一九八九（平成元）年の第四回定期大会で反対意見を堂々と発言して邪魔な存在だった旧鉄労出身の高橋弘《たかはしひろし》副委員長と勝又康之政治部長を解任。翌第五回定期大会で福原福太郎委員長、柴田光治《しばたこうじ》書記長という旧動労革マル派コンビを決定し、専従役職員数でも完全制覇をなしとげています。

結成わずか三年にしてJR総連の乗っ取りに成功したのです。

革マル派の運動の基本は「少数によって多数派を獲得、支配する」ところにあります。そのため、彼らはJR各社の単組に上意下達式に指令を出し、手足のように動かせる中央司令塔としての「JR総連」体制確立を急いでいました。

しかし、そうした「独裁者による密室からの指示」体制の確立を急ぐあまりに、旧鉄労が推進してきた「自由にして民主的な労働運動」を実践しているJR各社の単組と対立していくようになります。

「首なし専従役員」雇用の怪

松崎は、国鉄の分割民営化に協力する際、「偽装転向」に気づかれないよう、当局による国労の解体方針に同意、協力したうえで、裏でちゃっかり、次のような密約まで交わしています。

①動労組合員全員を採用する
②二百二億円の「スト権スト」の損害賠償請求を取り下げる（動労分は三十六億円）
③動労解雇役員を再雇用する

①と②は分割民営化移行後すぐに実行されたものの、③は守られていないとして、松崎は一九八八（昭和六十三）年からその履行を求めてさかんに当局に迫りました。そして、経営陣にプレッシャーをかけるために、「会社幹部でもダラ幹（堕落した幹部）は排除する」と各地本で講演して回り、一九八九（平成元）年には、もう待てないとして、関連会社への旧動労「首なし専従役員」の再雇用を迫ります。

「首なし専従役員」というのは、国鉄時代、動労が行った違法ストライキや暴力行為などによって国鉄当局から解雇処分を受けたり、組合の専従期間が「五年以内」という国鉄の内部規定に抵触して離職になったりした者たちを指します。

国鉄時代に過激な闘争を行った動労は大勢の解雇者や離職者を抱えていました。約百人といわれる彼ら「首なし専従役員」の賃金負担は動労の財政圧迫の大きな要因になっていました。

つまり、松崎は国鉄の分割民営化の混乱に乗じてこれらの財政圧迫要因の解消を狙ったというわけです。

松崎にとって「首なし専従役員」の人件費負担を軽くすることは組織運営上でも重要な問題でした。それは同時に次なる組織拡大への〝布石〟でもありました。

採用を渋るJR東日本会社に対して松崎は執拗《しつよう》に迫り、一九八九（平成元）年四月には、あらためて「関連事業の充実」を名目にして「首なし専従役員」を子会社の役員に就任させるよう住田正二社長に強行に申し入れました。これに対して、会社側は「組合の経営参加」という大義名分をもって関連会社の役員に「積極的に登用する」と組合側に提示。その旨を住田社長みずからが表明しました。松崎の勝利です。

採用第一号は中央執行委員だった小室義信《こむろよしのぶ》です。元釜石《かまいし》機関区出身で旧動労の革マル派活動家だった小室は、労組役員を退任し、JR東日本会社の関連会社である「盛岡ターミナルビル株式会社フェザン」に役員として就職しました。「JR東労組の経営参加」というかたちをとったため、露骨な再雇用はこの時点では小室ひとりに絞られ、ほかの「首なし専従役員」たちは関連会社の非常勤顧問として就任することになりました。

「首なし役員」たちの顧問就任リストは以下のとおりです。

①小室義信＝前述のとおり。

②柚木泰幸《ゆずきやすゆき》＝JR東労組副委員長で旧日鉄労革マル派。JR東日本高架開発株式会社（高架下の使用権利一切の管理）の非常勤顧問に就任。

③奈良剛吉＝JR東労組副委員長で旧動労革マル派。JR東日本レストラン株式会社（関連飲食業一切の管理、運用業務）の非常勤顧問に就任。

④竹内巧＝JR東労組業務部長で旧動労革マル派。JR東日本建築設計事務所（建築物の調査、企画業務）の非常勤顧問に就任。

⑤嶋田邦彦《しまだくにひこ》＝JR東労組企画部長で旧動労革マル派。京葉《けいよう》企画開発株式会社（千葉地域における所有地の管理、運営）の非常勤顧問に就任。

⑥四茂野修《よものおさむ》＝JR東労組政策調査部長で旧動労革マル派。JR高崎商事（群馬地域における所有地の管理、運営業務）の非常勤顧問に就任。

⑦今井久栄＝JR東労組関連事業部長で旧動労革マル派。株式会社トッキー（新潟地域における

JR東日本からの委託業務一切）の非常勤顧問に就任。

⑧中村辰男＝JR貨物労組教宣部長で旧動労革マル派。株式会社飯田橋《いいだばし》紙センターの正社員として採用。

これら八人はいずれもバリバリの革マル派活動家です。しかも、このうち中村は旧動労の書記出身者（動労が採用した組合専従の職員）ですから、「解雇者」でさえありません。二人の常勤者を除いては非常勤顧問の待遇ですが、それでもそれぞれに月額三十万円が支給されていたそうです。そのうえ、JR東日本会社では、「彼ら八人を出向社員として扱い、将来本社の課長待遇で引きとる」との約束も交わされていたといいます。

子会社への採用目的が「首なし専従役員」の組合経費負担の軽減策であることはもちろん、同時に革マル派の勢力拡大の〝布石〟として関連企業への〝潜り込み工作〟や本社に採用されるための〝経歴づくり〟にあることは明白でした。

JR総連は一九九〇（平成二）年六月開催の第五回大会で五十万人組織を展望し、JR労組員十七万人、JR関連労組二十六万人、その他直営事業七万人を想定しているとしています。

ようするに、「首なし専従役員」をJR各社の関連企業に送り込み、関連労組を組織化すると宣言しているのです。

事実、一九九一（平成三）年一月十九日にはJR東日本管内で、関連企業労組三十七単組が結集して六万一千人からなる「東日本労連」が結成されています。

産経新聞に暴かれた違法政治献金計画

一九八八（昭和六十三）年十二月十一日付『産経新聞《さんけい》』は、「鉄道共済年金　有利な改正求め献金計画　鉄道労連が3億円　有力政治家など照準　組合員からカンパ」という見出しで、次のように報じています。

JRの単産の一つ、全日本鉄道労働組合総連合会（鉄道労連、杉山茂《すぎやましげる》委員長）が、鉄道共済年金（旧国鉄共済年金）の改訂で有利な取りまとめを図ろうと、関係国会議員らに、政治資金規正法の規定を上回る献金を計画していることが、十日、複数の関係者の証言で明らかになった。

この政治献金計画は、財政危機に陥っている鉄道共済年金を救うため、改訂で有利な取りまとめをしようと福原福太郎書記長（当時）が同年十一月九日の全国委員長会議に提起したものです。

提起された献金計画では、①JR総連から五千万円、②JR総連関係団体である旧動労資産の継承組織「さつき会」と旧鉄労資産の継承組織「鉄労友愛会議」から各一億二千万円の計二億四千万円、③組合員一人あたり千円の臨時徴収によって一億一千万円の合計四億円という財源捻出の見通しが立てられました。

一方、その使途については、①自民、社会、公明、民社、社民の五政党に各一千万円ずつ計五千万円、②JR総連国会議員懇のメンバーに一億五千万円、③有力国会議員三十人に一億五千万円、④関係省庁とマスコミ対策費として五千万円の合計四億円とされました。

この計画に対し、同年十一月二十八日に開かれた第四回中央委員会で真っ向から反対したのがJR西労組の守屋《もりや》正光《まさみつ》中央委員でした。守屋発言は、中央委員会の議事録によると、おおむね次のようなものです。

「労連本部の提案に対し、鉄道共済問題をとりまく状況はきわめて厳しい。取り組み体制を確立し、活動することが急務であることには同様の認識に立つ。しかし、総額四億円の予算を予定しているとのことだが、政治家に使うとすれば、使い方によっては今、世間を騒がせているリクルート問題のようなことに巻き込まれる危惧がある」

守屋発言に対し、役員席の旧動労メンバーがいっせいに罵声を浴びせ、いまにも飛びかかりそうな異様な雰囲気だったといいます。

守屋が懸念するとおり、当時の政治資金規正法では、労働組合員十万人以上、十五万人未満の組織が拠出できる政治献金は、政党、候補者に対しては三千万円、そのほかの政治団体に対しては千五百万円の合計四千五百万円と上限が定められていました。

産経新聞がこの政治献金工作計画を報道するや、JR総連内部はハチの巣をつついたような大騒ぎとなり、JR総連を牛耳る旧動労革マル派グループは一夜にして態度を一変させます。翌十二月十二日には各単組委員長宛に「産経新聞による鉄道労連に対する中傷、誹謗記事についての見解」を発表。JR総連役員を産経新聞社に急行させ、JR総連に謝罪し、訂正記事を掲載するよう抗議しました。

その一方で、JR総連は本部内に「産経問題調査委員会」なるものを設置。産経報道が「JRとJR総連の発展を妬む者が捏造《ねつぞう》したもの」と口裏を合わせ、記事の情報提供の犯人捜しのため、関係者一人ひとりから事情聴取するとともに、「政治献金計画は存在しなかった」と組合員を欺き続けるためのオルグ（組織への勧誘）活動を展開しました。そして、「鉄道共済年金を救う会」という組織名をでっちあげたうえで、「犯人は勝又政治部長だ」という怪文書まで配布して〝捏造〟を押し通したのです。しかし、政治献金が計画されていたことは、まぎれもない事実でした。

組合員が貯めた資産を活動資金に変える革マル派の〝錬金術〟

国鉄解体に際し、解散した旧動労の財産や基金は、財団法人日本鉄道福祉事業協会に引き継がれ、プールされました。引き継がれた資産は、流動資産が二十九億二百七十六万円、固定資産が十二億六千九百万円で、合計四十一億千七百十八万円に達していました。

旧動労資産を財団法人として温存することに成功した革マル派が、その資産の管理および運営をコントロールするためにつくった組織が「さつき会」です。「さつき会」の役員は、会長の松崎を筆頭に、三役および幹事七人までが革マル派メンバーで占められていました。

前述のとおり、松崎は本来「スト権スト」の裁判で失うべきだった動労分三十六億円の賠償請求を取り下げる〝裏取引〟によって資産確保に成功しました。そして、この残された豊富な資金をJR労組支配の裏工作に使ったのです。革マル派はJR総連の主導権を握るために巧妙な諸戦略、戦術を駆使しましたが、それが成功した最大の鍵は、この豊富な〝軍資金〟にありました。

JR各社の各単組に散らばった旧動労革マル派グループに対し、松崎はフラクション（支部組織）づくりの立ち上げ資金として十数億円にのぼる貸付資金を投入。JR総連内における勢力確立に全力を挙げました。各単組の非革マル派組合員を飲み食いで抱き込んだり、弱みを握ったり、攻撃のための情報収集をしたりしながら、きわめて短期間に勢力基盤を確立したのです。

「さつき会」の内部資料を見ると、その設立目的が革マル派の〝互助組織〟としての役割を担っていることがわかります。革マル派とは関係のない純粋な旧動労組合員たちの汗の結晶を蓄積した原資――その資産を革マル派の活動資金に移し替える「濾過器《ろかき》」の役割を「さつき会」が果たしていたのです。

もし、仮に産経新聞が報じた「政治献金計画」が執行部提案どおり大会で承認されていたとすれば、政界工作もさることながら、政界工作の名目で、旧動労の資産が革マル派の活動資金として堂々と流用されたであろうことは容易に想定できます。

ＪＲ総連を公然と批判したＪＲ西労組

一九九〇（平成二）年六月十四日、ＪＲ総連の第五回定期大会が開催されました。

大会では、三月に開催されたＪＲ東労組の臨時大会で松崎委員長が提起した「スト権」問題を受け、正式に「スト権の確立」と「ＪＲ総連に各単組がストライキ指令権を委譲すること」が提案されました。

しかし、「意見はひとつにまとまらない」「ＪＲ総連はスト権委譲にこだわりすぎる」「企業防衛のためのストライキというのは意味がわからない」「職場での意識は不十分」などの反対意見が相次ぎ、決定することができないまま、十一月下旬に予定されている定期中央委員会まで討議を継続することとなります。

この大会でＪＲ総連本部が職場討議資料として作成した「スト権の確立に向けて」というパンフ

レットには、「JRグループ共通の課題で、いわゆる交渉権や集約権、指令権などについて、JR総連に委譲する」との記載が明示されており、その承認の集約が求められました。JR総連本部から唐突に出された「スト権の委譲」の強要方針に対して、各単組がいっせいに反発したというわけです。

JR総連の各単組に対する「スト権の確立と委譲」を求める提起を受け、JR西労組の中央執行委員長・大松益生《おおまつますお》は、六月三十日に開かれたJR西労組の第五回定期大会で、次のように発言しています。筆者が取材時に入手した議事録から引用します。

純民間会社として、自主・自立経営の時機の到来を目前に控え、JR西鉄労とJR西日本会社との固有の企業別労使関係とJR総連レベルにおけるJR企業集団との産業別労使関係の動向及び現在の単組規約と組織運営面等々多くの課題が含まれています。（略）単組としての意志統一がはかられるよう各級機関の取り組みを要請します。

一方、JR西日本の角田達郎《つのだたつお》社長は、前掲の議事録で、次のようにJR総連の方針を厳しく批判しました。

この時期にJR総連からスト権問題の議論を各単組で行うよう提起されたことは、あまりにも唐突であり、まったく理解できない。（略）まして、上部団体である総連への交渉権委譲などは論外であり、〝スト権の委譲〟などという提起はまったく理解しがたい。

これに対し、JR総連はJR西日本の労使に対する批判を強めます。十一月二十日、JR西労組（三万三千人）の第八回中央委員会が開催され、「JR総連の支配介入の排除、単組の自主決定路線の堅持」が再確認されました。

こうした経緯を踏まえ、一九九一（平成三）年二月十九日、JR西労組の第九回中央委員会が大阪で開催されると、冒頭挨拶に立った大松委員長は、筆者が取材時に入手した同大会議事録によると、以下のように語り、JR総連との関係を発展的に解消（脱退）する方向を示し、当面関係を断絶することを提起します。

> 私たちは、62年3月、自主・自立・独立した単組として現在のJR西労組を結成したのであります。そして、国鉄改革に取組んできたJR内他単組との間の連絡調整の場として、今日のJR総連に独立した単組として加盟してきました。（略）JR総連の姿勢は、JR総連が全国単一組織の中央本部であり、私たち単組JR西日本労組は、あくまでJR総連の下部組織であって、単組の自主性や独立は認めないとの立場に立っているとしか思えない全体主義的な言動と指摘せざるを得ないのであります。

革マル派のセクト活動で「鬼の動労」復活

本来、スト権は労働者が生きていくために長いあいだ闘って獲得した団結権、団体交渉権と合わせた権利です。したがって、労働者や国民の生活と権利、平和と民主主義を守るために今まで行使されてきました。

ところが、JR総連の求める「スト権の確立と委譲」は、まったくこれに反し、国鉄清算事業団（旧国鉄の債務処理や余剰人員の再就職などを進めるために一九八七〈昭和六十二〉年四月に設立された特殊法人）の解散にともなう再雇用に端を発した政治的な悪意のあるものでした。その本音は、まず各単組のスト権をJR総連に委譲させ、それを背景に、次はJR総連が各社との交渉権を獲得する――という策略でJR総連とそのドンである松崎が強大な権力を握り、革マル派路線にもとづいてJR各社と各単組を支配しようというものでした。

「スト権の確立と委譲」の集約に失敗した松崎JR東労組委員長ら革マル派勢力は追い打ちをかけるようにJR西日本労使を〝恫喝《どうかつ》〟することでJR総連に同調させようとしました。しかし、恫喝すればするほどJR西日本の労使は「JR総連離れ」の傾向を示し、その結果、「窮鼠《きゅうそ》猫を嚙《か》む」かたちでJR総連脱退を決意します。

JR西日本労組は、一九九一（平成三）年七月四日から三日間、石川県の山中《やまなか》温泉で第六回定期大会を開催。百八十五人の代議員や多数の傍聴者が参集しました。大会では〝満場一致〟でJR総連からの脱退を正式に決定しました。

一方、JR総連は、前出JR西労組の中央委員会開催直後から都内で第十一回臨時中央員会を開き、JR西労組の「組織強化確立方針」を決定。同労組内の革マル派グループへのテコ入れを目的に「全面的な支援を行うため、財政的措置を講じる」とし、「西労組を強化する会」を結成します。公然とセクト、分派活動を始めたというわけです。その結果、一九九一（平成三）年五月二十三日には、JR西日本労組内の旧動労グループが同労組から脱退し、「JR西労」（JR西日本労働組合）

を結成して分裂します。名前が似ていてややこしいですが、「ＪＲ西日本労組」（西日本旅客鉄道労働組合）とはまったく別組織です（以下「ＪＲ西労組」との混同を避けるため、分裂労組はＪＲを削り、「西労」とのみ表記）。

当時の組織状況は、ＪＲ西労組二万九千人に対し、旧動労革マル派系の西労は四千七百人でした。その後、ＪＲ西労組は「西日本鉄産労」（西日本鉄道産業労働組合）と統一。組合員は三万五千二百人となり、社員の組織率も七五％を超え、名実ともに「責任組合」となります。

一方、旧動労革マル派がみずからＪＲ西労組を割って結成したセクト集団「西労」の総決起集会には、ＪＲ総連の福原委員長を先頭に、「本部」の革マル派勢力が大挙して大阪に乗り込み、千五百人を集めて開催されました。西労本部役員は全員が運転職場関係者です。運転現場職員の職能労組だった動労は、国鉄時代に国労より過激な労働運動を繰り返し、「泣く子も黙る、鬼の動労」と恐れられていましたが、まさに、その「鬼の動労」の復活版ともいえる労組がここに誕生したというわけです。

この西労の分裂脱退劇は革マル派の教典どおり「少数派になることを恐れず」実行したものでした。とはいえ、みずから分裂脱退の道を選んだことによって、逆に革マル派グループがＪＲ西労組から弾き出されたかたちとなり、ＪＲ総連本体も徐々に失墜し始めていきました。

全体主義の〝効率のよさ〟に慣れ親しんだがゆえの過ち

西労の誕生に見られた革マル派の「セクト主義」（自派の利害のため独善的な行動に走り、他派を排除しようとする派閥主義）への回帰現象はＪＲ東海《とうかい》会社にも波及することになります。

ＪＲ東海労組の組織運営にあたって独善的な行動に終始していた佐藤政雄委員長は、一九九一（平成三）年八月十一日、旧動労革マル派を中心とする一部組合員千百八十人を率いて突如分裂。新たに「ＪＲ東海労」（ＪＲ東海労働組合。「ＪＲ東海労組」との混同を避けるため、以下「東海労」とのみ表記）を結成しました。いうまでもなく西労の動きと連動したものです。東海労の本部事務所がただちに「目黒さつき会館」内に置かれたことから、彼らが誰の〝指令〟で動いていたのかは明白でした。

佐藤が中心となって結成した東海労には新幹線を含む運転および車両職場の七割近くの組合員が参加しました。しかし、旧動労メンバー三千人のうち、東海労に参加したのは約四〇％で、残りの六〇％のメンバーはＪＲ東海労組に残ったままでした。

佐藤はＪＲ東海における最大労組「ＪＲ東海労組」の委員長のポストにありながら、労組が自分の思いどおり、すなわちＪＲ総連（＝革マル派）の意向どおりにならないからといって、組織内で説得の努力もせず、唐突に分裂の道を選びました。その行動は、とても「労働運動」とはいいがたく、組合民主主義の基本さえも理解していない独善的なものでした。

「革マル派」というセクト組織で育ち、狭い「教条主義」社会で組織活動をしてきた彼らには、民主主義にもとづく日本での〝常識的〟な労働運動の組織運営方法を理解することは難しいのかもしれません。

全体主義的組織は、いわば〝軍隊組織〟であるため、意思決定が迅速で、行動もきわめて効率的です。

一方、民主主義的組織は何をするにしても手間と時間が多くかかります。

セクト集団の〝軍隊方式〟に慣れてしまうと一般社会に同化しにくいのは当然であり、つねに性急にことを運ぼうとする習性が出てくるものです。

佐藤の新労組旗揚げは、確実に情勢判断を誤っていました。

東海労のＪＲ総連加盟で起きた〝異常事態〟

東海労が分裂して間もない一九九一（平成三）年八月二十六日、ＪＲ東海労組の第七回定期大会が名古屋《なごや》市のホテルキャッスルプラザで開催されました。

この大会は当初七月上旬に開かれる予定でした。しかし、組織内で路線対立が表面化したことから、佐藤前委員長が独断で大会を延期。その後、佐藤みずから東海労を結成してＪＲ東海労組から分離独立したことによって、ようやく八月下旬の開催にこぎつけたというわけです。

大会では、分離独立した東海労の分派活動を激しく非難し、東海労のＪＲ総連加盟に反対する「特別決議」が採択されました。

しかし、革マル派に支配されているＪＲ総連は、そのＪＲ東海労組の「特別決議」を無視して東海労のＪＲ総連加盟を認めてしまいます。

つまり、同一企業内で対立する二つの労組が同じ上部団体に加盟するという異常事態となったのです。

当然、ＪＲ東海労組はＪＲ総連の臨時中央委員会をボイコットしました。翌十二日付『読売新聞』は、次のように報じています。

ＪＲ総連の臨時中央委員会は十一日、総連方針案に反発する東海旅客鉄道労働組合（ＪＲ東海労組、明石洋一《あかしよういち》委員長、一万四千五百人）の中央委員七人が欠席のまま東京都内で開かれた。同中央委ではＪＲ東海労組の分裂組合であるＪＲ東海労働組合（ＪＲ東海労、千三百人）の佐藤政雄委員長のＪＲ総連副委員長就任を決めた。

また、筆者が取材時に入手した同大会の議事録によると、ＪＲ東海労組は、ＪＲ総連が「東海労」加盟を決定したことについて、組合員に対して、次のように呼びかけました。

私たちＪＲ東海労組は、かっ《ママ》て国鉄における労使関係が、官僚主義に徹した一部経営陣と多くの真面目な組合員の意志を無視し、一部のプロの役員やリーダーの野心のために私物化され、国鉄自体の経営の荒廃を招き、組合員を雇用不安に陥れたという深い反省に立ち、（略）

ＪＲ東海労は、「闘う労働組合」を標謀《ママ》し、スト権行使をほのめかしつつ、何ごとにおいても会社との対決姿勢を強めています。（略）

ＪＲ総連に対し、私たちＪＲ東海労組が集団脱退し結成したＪＲ東海労のＪＲ総連加盟にあたって、（略）再三にわたって、（略）断固反対であり、適切な対処をお願いしてきました。

しかし、ＪＲ総連は9月11日、私たちの強い願いも無視され、（略）承認をしました。

十一月五日、ＪＲ東海労組はＪＲ西労組に続いてＪＲ総連を脱退しました。翌六日付『日本経済新聞』はこう伝えています。

東海旅客鉄道（JR東海）最大の労働組合である東海旅客鉄道労働組合（JR東海労組、明石洋一委員長）は五日、静岡市内で全機関代表者会議を開き、上部組織のJR総連（福原福太郎委員長）から脱退する方針を決めた。（略）同総連からの脱退は、JR西日本の西日本旅客鉄道労働組合（JR西労組）に次ぎ、二番目。

一方、分裂した旧動労組合員の一部で組織する東海労は、結成三カ月後の一九九一（平成三）年十一月九日、名古屋市内で臨時大会を開き、スト権確立のため、組合員による投票の実施を求めました。翌十日付『朝日新聞』と『日本経済新聞』は、次のように報じています。

JRグループ最大の産別組織、全日本鉄道労働組合総連合会（JR総連）内の組合がスト権投票に踏み切るのは初めて。（略）

JR東海労は「東海道新幹線の運転士の6割を押さえている」としており、ストになれば運行にかなりの影響が出ることになる。（朝日）

スト権確立は確実と見られる。

東海道新幹線の運転士の四割以上がJR東海労に加入しており、ストが行われれば新幹線を中心に、大きな影響が出そうだ。（日経）

旧動労革マル派グループの「スト権確立」の狙いがどこにあるかは明らかです。

革マル派によるJR支配の司令塔「JR委員会」

革マル派は、政治組織局のもとに中央労働者組織委員会があり、同委員会が労働者活動家の末端組織まで統括しています。その中央労働者組織委員会のもとに産業別労働委員会が組織されており、その一部門として「国鉄委員会」がありました。

革マル派国鉄委員会は情報宣伝用理論誌として『ケルン』を解放社《かいほうしゃ》（革マル派の公然拠点となっている出版社）から発行。戦術面でも綿密な計画を立て、組織的に国鉄内での浸透工作を行いながら、最も多数の「職場拠点」を動労内に設け、「読書会」「研究会」などの開催や「闘争」の打ち合わせなど職場内日常活動を熱心に続けていました。こうした会合は、革マル派の赤化オルグ活動のなかでも有名で、「国鉄学習会」と呼ばれ、「理論の革マル派」との評価を定着させました。

国鉄委員会は、国鉄の分割民営化とともに「JR委員会」と名称が改められ、今日まで続いています。

JR最大の産別労組「JR総連」は、革マル派の一組織として見る場合には、このJR委員会の下部組織に位置づけられました。JR委員会は、革マル派による全国JR内でのセクト活動の最高決議機関であり、全方針を決定したうえでJR総連に指示を出す〝司令塔〟だというわけです。

ところが、そのJR委員会の責任者がJR東労組委員長の松崎だったことから、まるでJR総連の上にJR東労組が君臨しているかのようないびつな組織形態になりました。JR各社の労働組合を束ねる「JR総連」の〝上部組織〟として非合法組織・革マル派の「JR委員会」があり、松崎が委員長を務める「JR東労組」が、JR委員会の〝ダミー組織〟として機能していたというわけです。

「革マル派の首領の言動」も表面的には「JR東労組の委員長の言動」となったので、松崎は「革マル派の意向」を、腹話術のようにダミー組織「JR東労組」を通じて発していました。革マル派によってJR総連の役員を解任された元政治部長・勝又康之も、筆者が取材時に入手した告発文で、次のように語っています。

JR総連にはJR各社の労働組合である単組が加盟しており、本来JR総連のおもな任務は加盟している単組との連絡調整である。ところが、実際にはJR総連から各単組宛に指示第○号というかたちで文書が発令され、対話集会の名目でJR総連の役員が直接職場へオルグに入る。このようなことはほかの産別組織ではありえない。さらに不思議なことは、JR総連の上部機関として松崎委員長が君臨するJR東労組が存在している事実だ。JR総連にとってきわめて重要な方針をJR東労組が先に決定し、JR総連がこれに追従していることだ。（略）スト権確立問題でもJR東労組の方針として打ち出されると、JR総連がこれを受けて提案するといった具合だ。この図式はJR東労組→JR総連→JR各会社労組という上下関係と指摘されても弁解の余地はない。部外から松崎鉄道総連と陰口を叩かれるゆえんだ。もし、スト権がJR総連に委譲されることになったら、革マル派の首領松崎明の指令で全国の列車が止まることになりかねない。

自分の指令ひとつでストライキが実行され、全国各地の電車が止まる――それこそ、まさに松崎が求めていた〝力〟でした。そして、その力を背景に、松崎は革マル派によるJR全国制覇の野望をなしとげようとしていたのです。

今日の新幹線の〝安全〟につながった旧鉄労の抵抗

松崎明がJR支配を企てた背景には、少数勢力でも全国の全線区を支配できる革マル派独特の戦略が可能だったことがあります。

極端にいえば、ストライキで最も影響力を行使できる「山手《やまのて》線を中心とする首都圏鉄道」と「東海道新幹線」の二つを支配下に置けば、それで十分なのです。なぜなら、首都圏の国電区間はJR東日本の収入の八〇%を占め、東海道新幹線はJR東海の収入の八五%を占めていたからです。

JR東労組のE電区間（東京の山手線や京浜東北《けいひんとうほく》線など高頻度、等間隔で大量輸送を行う大都市周辺の近距離電車の運転区間。「E電」はJR東日本の造語で、国鉄時代には「国電区間」と呼ばれた）を取り仕切る東京地本には十四の地域支部があり、そのすべての支部長は旧動労出身者、すなわち革マル派メンバーとそのシンパで占められていました。それは、山手線をはじめとする首都圏の電車を、革マル派がいつでも完全に止める力を持っていることを意味しました。

一方、JR東海も、発足当初はJR東海労組の新幹線支部に所属する旧動労革マル派系の役員たちによって「ドル箱」の東海道新幹線を牛耳られていました。

しかし、民営JRがスタートする直前、東海道新幹線の運転者配置計画を見た旧鉄労組合幹部が、配置要員がすべて旧動労組合員によって占められていることに気づき、強い危機感を抱きます。そして、その異様性が当時の松本正之《まつもとまさゆき》新幹線本部長に進言されると、須田寛《すだひろし》社長の決断によって秘密裏に旧動労組合員以外の運転士による「裏版の運転計画」が編成され、〝最悪の事態〟に備えて新たな運転要員の養成に着手しました。

この秘密裏に行われた運転計画に対し、ＪＲ東海労組の多数派である旧鉄労組合員たちが積極的に協力したのはもちろん、管理職の一部や新採用された学卒、新幹部候補者たちも協力します。その結果、旧動労グループが革マル派の指令でストライキに突入しても、新たに編成した〝裏部隊〟によって東海道新幹線の運転を一〇〇％確保できる体制ができあがったのです。

同様に旧動労革マル派に対する危機感を抱いていたＪＲ西日本も、民営化スタートに合わせて運転要員の確保に動き、なんとかその目途《めど》をつけました。また、関西旧動労メンバーのなかに松崎に批判的なグループがいることに目をつけ、彼らをストライキ指令権委譲の反対勢力として抱き込み、旧動労勢力の分断にも成功しています。ちなみに、ＪＲ西労組も旧鉄労組合員が多数派を占めていました。

このように、ＪＲ東海、ＪＲ西日本では、旧鉄労を中心とする〝健全な思考〟を持つ労組員が多数派勢力として存在し、彼らが身体を張って旧動労革マル派を排除したという事実があります。その結果として今日、安全な新幹線を利用できているのだということを、われわれ一般国民が知っておくべきでしょう。

民営化開始とともに〝本性〟を現した松崎明

松崎の「全国制覇」の野望はＪＲ西日本、ＪＲ東海の経営陣と旧鉄労組合員の抵抗によって挫折しました。一方、ＪＲ東日本は、経営陣も組合も完全に松崎率いる革マル派に屈してしまい、その排除を決断するまでに、じつに三十年もの歳月を要することになります。

箱根の山を境に西側と東側でＪＲの労政は二分され、明暗を分けることとなったのです。

この労政の極端な違いは国鉄の分割民営化スタート時点における革マル派に対する東西経営陣の危機意識、危機管理能力の差によって生じたものだといえるでしょう。

国鉄の分割民営化によりＪＲ各社が発足したばかりの一九八七（昭和六十二）年六月十日、ＪＲ東労組委員長の松崎は、筆者が取材時に入手した講演記録によると、ＪＲ東日本本社で若手幹部を前にした講演で、次のように語りました。

今後の労働運動に対して私たちは「労使協力」と言い続けてきた。従来の「労使協調」とは概念がまったく違う。「労使協調」という概念は、ともすれば会社側・当局側の言いなりになる労働組合、そこにおける使用者側との関係をいうわけだが、それは間違いだという立場である。労働者側は使用者側と立場を異にしているわけであって、どこが一致しているのか、異なるのか、はっきりさせなければならない。労使は多くの場合、対立する。そして場合によっては闘うものだということが前提である。われわれは御用組合にはならない。御用組合を軽蔑している。

そして、「御用組合にはならない」「組合は会社と対等であり、〝労使協調〟ではなく〝労使協力〟の関係を目指す」と強調したのです。

松崎は、国鉄の分割民営化の移行過程では、国鉄時代に「御用組合」と攻撃し続けてきた鉄労に膝を屈してすり寄り、国鉄当局の提案をすべて丸呑みしてきました。しかし、JRが発足し、労働運動の主導権を手中に収めると、ついにその本性を現したというわけです。

労働運動において、「労使協調」という言葉は、「階級闘争」を目的とした労働運動と区別、対比するなかで使われる用語です。それをことさら否定するのは、暗に「階級闘争労働運動継続」を宣言したことを意味しています。

松崎はこの講演で、JR東日本の初代社長に就任した住田正二と、常務に就任した松田昌士《まつだまさたけ》をほめちぎりました。これが、その後の松崎、住田、松田の三人の〝蜜月関係〟を深める伏線となり、社員に三人の親しい間柄を印象づける機会にもなりました。百戦錬磨の松崎が会社中枢に対するみずからの影響力を若手幹部たちの前で見事に誇示したのです。

「政治改革」の裏にこそ「利権」が潜む

JR東日本の初代社長・住田正二について、ジャーナリストの牧久は著書『暴君』（小学館《しょうがくかん》、二〇一九〈平成三十一〉年）でこう書いています。

初代社長としてJR東日本を牽引することになった住田正二は、元運輸省（現・国交省）の事務次官で、第二臨調（土光敏夫《どこうとしお》会長）の国鉄分割・民営化に反対論の強かった運輸官僚たちを賛成の方向に主導した功労者である。中曽根首相も彼の功績を高く評価し、国鉄内外の予想に反して、JRの最大会社である東日本社長に据えた、と言われる。住田の妻は〝最後の相場師〟と呼ばれた山種《やまたね》証券の創業者、山崎種二《やまざきたねじ》の娘で、山崎は中曽根の有力な後援者だった。

運輸官僚としてはトップを極めた住田だが、現場の労働組合と真正面から対峙《たいじ》するのは初めての経験だった。相手となるJR東労組の委員長は、動労の方針を大転換して、中曽根の国鉄改革を成功に導いたもう片方の立役者の松崎明である。松崎は当時、「私は転向した」とさかんに世間に吹聴し、その本性を隠して自民党政権にも接近していた。

住田は、すでに運輸省を退官していた自分をJR最大の会社であるJR東日本社長に取り立ててくれた中曽根に恩義を感じてもいたのだろう。中曽根の決断で生まれたJRをかつての国鉄時代のような労使紛争の場にしないためにも、対峙する組合のトップとなった松崎とはイザコザを起こさず、互いに協力し合って、立派な会社に育てようとしたとしてもなんの不思議もないかもしれない。

一方、常務取締役の松田は旧国鉄では珍しい北海道大学出身のキャリア職員。父親は北海道内を転々とするノンキャリアの〝国鉄マン〟だった。東大出身の井手正敬《いでまさたか》、葛西敬之《かさいよしゆき》と並ぶ「改革三人組」のひとりだが、東大出身者が幅を利かす旧国鉄時代には、運輸省など中央官庁に出向した期間が長く、自らを〝プランナー〟と称していた。民営化後は出身地であるJR北海道に行くことが希望だった。（略）

改革三人組の処遇人事については中曽根―住田ラインの力が強く働いたと言われる。住田にとっては旧国鉄のエリートコースを走り続けた、やり手の井手、葛西を敬遠し、運輸省で部下として使ったことがあり気心も知れている松田が最も与《く》みしやすかったのだろう。JR東日本は発足当初から、住田社長―松田常務は一心同体だったといってもよい。

ところで、住田は中曽根康弘と古くから関係を築いていました。

佐藤栄作政権下で中曽根は運輸大臣に抜擢《ばってき》されていますが、運輸省は当時、佐藤が采配していた官庁でした。佐藤は中曽根を抱き込むにあたり、自分が采配する官庁の大臣ポストを与え、影響力を発揮できないよう封じ込めたわけです。佐藤の影響下にあった運輸省のなかで、「何かと気使いしてくれたのは住田さんだけだった」と中曽根は周辺の人たちに語っていたといいます。

住田が自分をJR東日本の社長に取り立ててくれた中曽根に恩義を感じていたのは当然でしょう。しかし、むしろ中曽根のほうにこそ気心の知れた住田を社長に据える必然性があったととらえるべきかもしれません。

かつて筆者が政界にくわしい評論家に教わった言葉があります。

「政治家は〝政治改革〟をいいたがります。それは流れを変えるという意味です。川と同じで流れが変わると、そこに淀《よど》みができます。その淀みのことを世間では〝利権〟と呼んでいます。流れを変えなければ淀みはできないのです。だから、政治家は〝政治改革〟を声高に叫ぶのです」

国鉄改革をこれに照らし合わせてみれば、中曽根の選挙区は「JR東日本」の管内にあります。中曽根銘柄企業群が結集した汐留《しおどめ》操車場跡の開発地区に代表される利権の数々（一九八六〈昭和六十一〉年に廃止された汐留駅〈東京・新橋《しんばし》にあった貨物駅〉の広大な操車場跡は、民営化によって払い下げられ、電通《でんつう》、日本テレビに代表される中曽根を支援する企業群の高層ビルが立ち並んだ）も「JR東日本」の影響下にありました。

つまり、中曽根からすると、JR東日本の社長には自分に「忖度《そんたく》」してくれる人物＝住田正二を据える必要があったということです。そして、中曽根に取り立てられた住田もまた、それを承知のうえで、自分が使いやすい松田を〝右腕〟に選んだという構図が浮かんできます。

しかし、住田も松田も労務対策には経験不足で、百戦錬磨の松崎と対峙するには不向きなタイプといえます。二人の弱点を補うべき立場にあったのが初代副社長の山之内《やまのうち》秀一郎《しゅういちろう》ですが、山之内は国鉄時代から松崎と〝二人三脚〟で運転部門を取り仕切ってきた人物でした。幹部三人を手玉にとる松崎ですから、彼の〝ひとり舞台〟だったであろうことは容易に想像がつきます。

会社から提供された個人情報で家庭訪問して新人を勧誘

ＪＲ西日本とＪＲ東海が革マル派の支配するＪＲ総連とその〝上部組織〟として君臨するＪＲ東労組と激しい暗闘を繰り広げていたころ、ＪＲ東日本では住田、松田体制のもとで松崎との〝蜜月〟が続いており、ＪＲ東労組による経営権への〝異常な介入〟を許していました。そして、それを容認する経営陣にもの申した多くの人たちは、松崎ら革マル派が支配するＪＲ東労組によって排除され、会社を追われました。

それから、労組の人事への介入は、ますます度合いを深めることになります。

ＪＲ東労組の人事介入は新人研修から始まりました。

ＪＲ東日本では当時、高卒新人を七百人ほど採用していました。全員が研修センターで新人研修を受けますが、その時点で、すでに八割はＪＲ東労組の組合員になっていました。

松崎ら旧動労革マル派は、研修に先立ち、新人社員の名前や住所などの個人情報を掌握し、労組員が家庭訪問してＪＲ東労組に加入するよう勧誘作戦を繰り返していました。会社側が新人の個人情報をＪＲ東労組に提供していたのです。当然、残りの二割の新人も研修センターでＪＲ東労組に入るよう勧誘されました。ＪＲ東日本では一九八九（平成元）年から大卒の採用も始まりましたが、大卒もほぼ全員がＪＲ東労組に加入しています。しかも、運転研修にいたっては、労組に全面委託していたのです。

労組の介入は人事にとどまりません。

筆者が当時、取材で手に入れた記録によると、一九九一（平成三）年九月八、九日の両日にＪＲ東労組が組合員を集めて山形県の天童《てんどう》温泉で開催した「ＪＲ東労組ユニオンスクール」では約百八十人の組合活動家を前に松田副社長がこう挨拶しています。

我々は経営協議会という所で、会社の基本的な政策についてパートナーである皆さん方と合意に達した後、具体的な労働条件や何かというものの適用を団体交渉で、決めていこうということをとろうとしているからであります。ですから、今作っている山形にくる新幹線であろうと、なんであろうと、やるかやらないかということから投資問題に至るまでいろんな議論をさせていただいている。

ＪＲ東労組が松崎率いる革マル派に支配されていることを百も承知のうえで、そのＪＲ東労組を「よきパートナー」と呼び、「事業計画から投資」まで相談して決めるといっているのです。この松田副社長の発言は、「経営権の放棄」としかいいようがありません。

「労働運動のマフィア化」を指摘した屋山太郎論文への反発

元臨調（行政改革についての審議を行った第二次臨時行政調査会）メンバーで国鉄分割民営化の旗振り役も務めた評論家の屋《や》山《やま》太《た》郎《ろう》が、『ＴＨＩＳ ＩＳ 読売』一九九二（平成四）年四月号にＪＲ東日本の労使関係の現状と問題点について、「マフィア化するＪＲ東日本労組」と題する論文を掲載しました。内容のポイントは次のとおりです。

①ＪＲ東日本が投資や経営方針までも労使で決めるというのは癒着もきわまれりで、そもそも会社は経営方針が失敗したとき、労働組合が責任を負えるようなしくみになっていない。

②ＪＲ東労組の松崎委員長は、実態的にＪＲ総連を牛耳る黒幕である。

③松崎委員長はＪＲ東日本の労使協調路線方式をほかのＪＲグループ企業に押しつけようとしているが、これが不成功に終わると、今度はスト権を確立して各社組合のストライキ指令を上部組織のＪＲ総連の手に握ろうとした。これでは、ＪＲ各社組合個別の労使紛争でもＪＲ総連の一存で全国規模のストライキに発展させることができることになり、国鉄を分割した意味がない。

④松田副社長は、「松崎委員長が革マル派かどうかは関係ない」というが、これは経営者の発言として、聞き捨てならない。ＪＲ東日本で起こっていることは、労働運動の革マル派化、マフィア化ではないか。

この屋山論文に対して、ＪＲ東労組は当然のごとく猛反発。著者と発行元の読売新聞社を相手取り、総額二千二百万円の慰謝料を求めるなどの訴訟を起こしています。

屋山論文には伏線がありました。

これは筆者が屋山本人から直接聞いた話ですが、過去に屋山が松崎委員長の革マル派疑念について松田副社長に問うたところ、松田は語気を荒らげてこういったそうです。

「あなたは何をもって松崎を革マルというのか。彼がなんであるかわかる手段がありますか。毎日の経営のなかで彼の態度を見ていると、革マル的な態度をとったことがない。そういう現象が出ていない以上、彼に今も革マルかそうでないか、聞く必要はないだろう。今までのやり方が間違っていたと鉄労に謝って変わった（転向した）のですよ」

しかし、極左暴力集団といわれる組織は、非公然であるがゆえに、そんなに簡単に本人が脱退したり、転向したりできるものではありません。屋山は、この松田の発言がよほど腹に据えかねたのでしょう。

そうした経緯のなか、一九九三（平成五）年四月十九日、ＪＲ東日本は住田社長の会長就任と松田副社長の新社長昇格人事を発表します。

松田副社長の社長昇格には、自民党や財界筋からも猛烈な反発が出ました。「松田は住田社長に媚を売ってきただけで、経営上なんの実績もない」「松田は革マルの松崎の言いなりになっている人物」「反松崎の組織から狙われるのを恐れてホテルを転々としているような人物に社長は任せられない」等の声が上がったのです。

松田新体制が発表される直前、新しく取締役に就任が内定していたＪＲ東日本の花崎淑夫《はなざきよしお》総務部長は、筆者が取材時に入手した幹部会議事録によると、中堅幹部社員を前に経営首脳の意向をこう伝えています。

仙台や新潟などで東労組の中が少しガタガタしている。株上場を前にして労使関係の乱れ（組合員脱退分裂の動き＝引用者注）が表に出るのはいかにもまずい。この動きは、去年、西日本や東海でJR連合ができたときから当然くると思っていたが、思ったより早かった。処置を誤れば大きな動きになる。だから十分注意して対応する必要がある。とりあえず、上場までは抑えろと言え。主管（各系統の責任者＝引用者注）を通じて圧力をかけるのが一番効くと思う。バレないように電話を使ってやるほうがいい。バレたら不当労働行為だから、気をつけてやってくれ。（略）

松は革マルじゃないか、という話も出ているが、それはそうに決まっている。会社として松が革マルじゃないなどと一度も言ったことはない。しかし、松は生き延びるために会社に協力する姿勢を取っている。共産党や（社会主義）協会派と闘わせるには、革マルを使うより手はないというのが、会社の判断だった。この方針は間違っていなかった。西や東海のように革マルを切って暴れさせるのは得策でない。あれはバカだ。ストをやられて（スト権を確立されて）困っているようだが、あれは自業自得だ。東日本ではストをやらせない。今後もやらせない。これが東の方針だ。

松の最近のやり方には（経営幹部も）少々、頭に来ているようだが、おとなしくさせておくにはこの方法しかない。少々高いアメをしゃぶらせても結局はその方が安上がりだ。これも東の労務方針だ。

ＪＲ東日本経営陣のこうした考えは、事態がたんなる一企業の労使関係にとどまらない「治安上の問題」でもあるだけに、聞き捨てなりません。しかも、松崎委員長をあくまで〝擁護〟していこうというのだからあきれます。

発言者の花崎総務部長は国鉄時代から松崎との深い関係が噂されている人物です。革マル派の首領である松崎を同じ反社会勢力である「総会屋」に見立てるなら、ＪＲ東日本は「総会屋の代弁者」を企業の中枢である総務部長のポストに就任させていたことになります。

屋山論文に対する松田の反発にもかかわらず、花崎発言は屋山論文が正しいと見事に裏づけるものとなったのです。

革マル派の潜り込み戦略

以下の文章は、一九八七（昭和六十二）年七月、鉄労の解散大会で衆議院議員だった民社党の和田春生が講演した内容の一部です（筆者が取材で入手した講演記録より引用）。

民主的な労働組合の組合員はまじめな従業員である。（略）

大体は職場で一所懸命まじめに仕事をやるということが本業であって、労働運動は副業なんだ。ところが、こういうプロ的活動家、筋金入りの諸君は活動をやることが本業で、職場で仕事をするのは副業なんだ。これとこれがけんかしたらどうなるかということを考えてごらんなさい。（略）

なぜ、私が動労の動向に疑問を持つかと言えば、（略）

あれだけ国鉄の分割・民営化に反対し、鉄労の同志の皆さんに対しては、言われなき非難、中傷を加え、あまつさえ数々の暴力を振るってきた。それは動労の路線だったわけ。活動家の諸君がその中心になってきたんです。その方針を今のように鉄労と全然変わらないように変えるとするならば、当然、組織内で大きな混乱も起これば、苦悩を重ねて、討議も行い、そして納得づくで変えたのならいいわけでありますが、一夜にして変わったということは、まさにこれは戦術上の転換であるという疑いが非常に強いと思うんです。

前述のとおり、鉄労は「階級闘争至上主義」の運動方針を掲げる労組が横行していた旧国鉄内で唯一「民主的労働運動」の旗を掲げて活動していた労働組合であり、国鉄の分割民営化実現の推進母体となった組織です。この鉄労の運動路線に「偽装転向」した動労が同調。両労組が合併して今日のJR総連が誕生しました。革マル派による〝潜り込み戦略〟です。

同年二月のJR総連旗揚げから五年を経過した時点で、この和田の危惧と予感は現実のものとなります。JR総連本部はもとより、傘下労組においても鉄労グループが次第に幹部ポストから排除され、旧動労革マル派が組織を支配するようになったからです。

JR関係労組の〝司令塔〟となったJR東労組役員にどれだけ革マル派が侵出していたのでしょうか。一九九〇（平成二）年六月の時点での実態は図表3のとおりです。

JR東労組の中央本部執行委員三十五人中、革マル派は十五人（うち兼務三人）。革マル派の特別執行委員五人を合わせると二十人で、過半数を革マル派が占めていることがわかります。

図表3 JR東労組役員への革マル派の侵出状況

（1990年6月24日現在）

役職	氏名	専従／非専従	旧所属労組
委員長	松崎 明	専従	旧動労革マル
副委員長	柚木泰幸	専従	旧動労革マル
	奈良剛吉	専従	旧動労革マル
	山本 悟	非専従	
	下田峯夫	非専従	旧動労革マル
	加藤 実	非専従	旧動労革マル
書記長	菅家 伸	専従	旧鉄労
企画部長	嶋田邦彦	専従	旧動労革マル
組織部長	小室良雄	専従	旧動労革マル
共闘部長	今井久栄	専従	旧動労革マル
政治部長	小島友一	専従	
教宣部長	高橋佳夫	専従	旧動労革マル
広報部長	赤石良治	専従	旧鉄輪労
サークル部長	田中利雄	専従	
国際部長	高橋正和	専従	旧動労革マル（特執）
業務部長	竹内 巧	専従	旧動労革マル
労働生活調査部長	三木博計	専従	
福祉部長	清水康四	専従	旧動労革マル
職対部長	田中廣司	専従	
労働生活担当部長	岩本隆徳	専従	
	田中 厳	専従	
政策部長	四茂野 修	専従	旧動労革マル
調査部長	黒崎文雄	専従	
総務部長	新山升朗	専従	
事業部長	清水 明	専従	旧鉄労
総務担当部長	富本 裕	専従	旧動労革マル（特執）
	家後政雄	専従	旧動労革マル（特執）
特別執行委員	穐元勇一	非専従	旧動労革マル
	大藪俊行	非専従	旧動労革マル
	鈴木政和	非専従	
	樋口勝之	非専従	
	福原福太郎	非専従	旧動労革マル
	小谷昌幸	非専従	旧動労革マル
	柳沢秀広	非専従	
	中村 隆	非専従	旧動労革マル

［出典］福田博幸『過激派に蹂躙されるJR』（1992年、日新報道）

松崎明の親衛隊「特別執行委員」

革マル派がかかわっている労働組合の特徴は、「特別執行委員」という役職を設けている点です。これは主として政治組織に見受けられます。

革マル派の政治組織には「組織防衛隊」という特殊な役職があります。JR東労組およびJR総連における「特別執行委員」の役職は革マル派組織の「組織防衛隊」に該当するもので、革マル派の首領である松崎の「親衛隊」の役割を担っています。

その事実を指摘した文書がJR東日本の社内で出回ったことがあります。筆者が取材時に入手した文書から引用します。

私達は、動労（革マル）主導の組合運営には、もうついてゆけません。なぜ会社は、この人たちをかばい、私たちに組合費を払わせ続けさせるのでしょうか。

松崎委員長がオルグする時には、いつもピタリと寄りそい、ガードをし、車の運転手をしている何人かの人がいますが、この人たちを、特別執行委員としての役職をつけ、その人件費を組合費で賄われている。そしてそれらの人は、革マルの内ゲバ隊員だそうです。

特に「富本裕特別執行委員（原文ママ＝引用者注）」という人は、日本大学の学生時代に中核派との内ゲバでは大変な活躍をした人物だそうで、昭和45年8月には、中核派の拠点である法《ほう》政《せい》大学に襲撃をかけた革マルのリーダーといわれてます。

そういう革マルのガードマンを必要とする松崎委員長は、やはり革マルの大幹部なんですね。しかし、革マルのガードマンつきの組合の委員長なんて、私たちは、ほしくありません。JR

から出ていってほしい（略）。

63・11・26　JR東日本社員有志

革マル派の非公然組織の最たるものに、内ゲバ用専門行動部隊「特別行動隊」の存在があります。通称「TAC」と呼ばれ、この語源は暗殺専門部隊が登場するフランス映画『ジャッカルの日』からとったものだそうです。内ゲバ用の「特別行動隊」、JR総連の「組織防衛隊」、親衛隊として首領の松崎をガードする「特別執行委員」――すべて同一の発想にもとづく組織であり、非公然部隊を抱える革マル派という同根に行きつきます。

ちなみに、革マル派の天敵・中核派は、筆者が取材中に入手した文書で、当時のJR内の革マル派組織について、次のように位置づけています。

革マル中枢は、JR総連松崎路線を自己の唯一のファシスト的延命路線としてきた。現実にも「JR総連」は、革マル最大の「党」的実態である。JR総連革マルの松崎路線は、革マル派議長・黒田寛一《くろだひろかず》の「組織現実論」の帰結である。「革命運動は、場所的現在においては党づくり」として体制内的な党勢温存運動にいっさいの基準を置く。

息子の結婚式も権勢誇示のセレモニー

一九九三（平成五）年二月二十日、東京・目黒区の高級ホテル・目黒雅叙園《がじょえん》「鷲《わし》の間」で松崎の長男・篤《あつし》の結婚披露宴が行われました。仲人は俳優の石坂浩二《いしざかこうじ》夫妻でした。篤の結婚相手の女性は

住田正二（上）と松田昌士（下）

石坂プロダクションに所属していました。

　治安関係者が注視するなか、JR革マル派の活動家たちも出席のため勢ぞろいします。

　治安関係者に「革マル派活動家」として名指しされた出席者は、JR総連関係では、福原福太郎委員長、柴田光治書記長、小谷昌幸政策教宣局長、佐藤政雄JR東海労委員長、船戸秀世副委員長、小泉泰男特執、城石靖夫JR貨物委員長、緒方博恭JR貨物組織部長、遠山雄一郎JR貨物書記長の九人です。JR東労組関係では、柚木泰幸副委員長、小島友一副委員長、新山升朗組織局長、竹内巧業務部長、四茂野修政策部長、富本裕総務局長、家後政雄総務部長、嶋田邦彦企画部長、加藤実東京地本委員長、安喰俊一八王子《はちおうじ》支部組織部長の十人。そのほか、革マル派JR委員会組織防衛隊の田岡耕司ら革マル派および旧動労の活動家十一人も出席していました。

　これら革マル派活動家に混じって、JR東日本の松田昌士社長と山之内秀一郎副会長の経営陣も祝いに駆けつけています。

　なかでも、とくに注目されたのが、松崎の対外的な裏工作を取り仕切っていた映広《えいこう》企画の社長・小松重治《こまつじゅうじ》が出席したことでした。小松は元警視総監の秦野章《はたのあきら》を松崎に引き会わせた人物として知られています。

　また、山之内副会長は国鉄時代から一貫して運転局畑を歩んできた人物で、運転現場を支配していた動労と表裏一体となって出世してきたといわれています。国鉄時代には松崎と〝二人三脚〟で運転部門を取り仕切ってきたことから、分割民営化後の住田、松田体制下でも松崎のJR支配を進めるためのパイプ役となってきました。

「労使対等」を主張するJR東労組が主導するJR東日本の特異なかたちの「労使協力路線」は、つまるところ「革マル派との協力路線」というのが公安関係者の一致した見方でした。

　このように、松崎の息子の結婚式はセクトの配下と水面下の協力者が一堂に会するかたちとなりましたが、同時にそれは松崎が革マル派の〝首領〟としてみずからの勢力を誇示する舞台でもありました。

　ちなみに、革マル派活動家のほとんどは内ゲバの被害を想定して子どもをつくらないといわれています。そのような環境にもかかわらず、松崎は妻・光子《みつこ》とのあいだに一男一女を儲《もう》け、長男・篤をJR東労組の関連会社「さつき企画」社長に就任させていました。

　松崎は革マル派活動家としてのペンネームに長男と同じ名前の「倉川篤《くらがわあつし》」を名乗っていました。また、長女は「みどり」という名前ですが、JR東労組の機関誌を長女の名前から『みどりの風』と名づけました。権力を握った者にありがちな独善的な行為が目立ちます。

ボスの飲尿健康法までまねするセクト活動家の異様な関係性

　ところで、この結婚式の数年前から松崎にまつわる変な〝噂〟が労働界で広がっていました。JR東労組の本部事務所ではコップを片手に握りしめた職員たちがトイレに行列をつくる姿がしばしば見られるというのです。

コップは小水を採取するためのものですが、何も健康診断の検査用に採取するものではありません。にわかには信じられませんが、採取した自分の小水を健康法のひとつとしてみんなが飲んでいるというのです。

一九九一（平成三）年のJR東日本・新春労使セミナーで講演に立った松崎は、自分の健康法について、「尿療法というのがあります。つまり自分の小便を飲むということです。小便を飲むというのはたやすいことではないということはわかっていますが……」と自慢げに語っています（筆者が取材時に入手した講演記録より）。

この尿療法の話題が、いつしかJR東労組のなかで広がったわけですが、異様なのは、こうした松崎の行動をまねて、奈良剛吉副委員長や小室良雄組織部長らを先頭に革マル派メンバーが次々と小便を飲み始めたことです。「ボスがやることなら、なんでもまねをするというのはセクト活動家の特徴的な行動です。つまり、小便を飲むことが松崎委員長に対する忠誠心の証《あか》しで、連帯を意味しているのです」と治安関係者は語ります。

外部から見れば異様な雰囲気であり、幹部ばかりか労組本部で働く女性活動家までが松崎流健康法をまねしていたといいます。JR東労組の「小水事件」はJR東日本の本社内でも話題になり、「尿療法」を揶揄《やゆ》する怪文書まで飛び交いました。

筆者が当時、取材で入手した「松崎はなぜショウベンを飲むのか」と題したこの怪文書は、「麻薬で逮捕された勝新太郎《かつしんたろう》とのつながり」として、こう記しています。

かつて松崎が親密ぶりを誇示するためにJR東労組のセミナーなどで講演を頼んできた俳優の勝新太郎との関係、当時はサイン入りの色紙をもらって大喜びしていた革マル連中も、今では誰ひとり勝新太郎とはかかわりがなかったふりをしている。このころからすでに松崎と勝新太郎との黒い噂が公安筋から流れ、松崎も事情聴取されたといわれている。（略）革マル松崎がショウベンを飲むようになったのは勝新太郎が逮捕されてから（略）

この〝小水事件〟は、図らずもJR東労組幹部たちが一般社会とは隔離された独自世界をつくりあげていることを物語っています。

JR革マル派と北朝鮮をつないでいた「さつき企画」

二〇〇二（平成十四）年六月二十一日、東京駅八重洲《やえす》口付近でJR総連の役員三人がJR東海の助役を取り囲み、暴行を加えるという事件が発生しました。この事件を捜査していた警視庁公安部は、翌二〇〇三（平成十五）年六月十二日、「目黒さつき会館」内にあるJR総連本部をはじめ、財団法人「日本鉄道福祉事業協会」「さつき企画」「鉄道ファミリー」や鉄道福祉事業協会理事長の佐藤政雄（元東海労委員長）の自宅など十数カ所を「暴行罪」容疑で家宅捜索を行いました。さらに、三カ月後、再び同事業協会と同事業協会が品川区の銀行に持っていた貸金庫などを捜索しました。同事業協会が旧動労の資産やJR総連、JR東労組の資金プール機関であり、理事を務める佐藤は〝松崎の金庫番〟として信頼されていたからです。

そして、そのプールされた莫大《ばくだい》な資金の運用、使途を決めていたのが「さつき企画」でした。

「さつき企画」は松崎が唯一の株主であり、前述のとおり、代表取締役社長には松崎の長男・篤が就任しています。

「さつき企画」はＪＲ東日本の社員向け商品の販売も手がけていました。ＪＲ東日本社員の制服用のネクタイを北朝鮮で製造させて納入していたり、使い捨て簡易カメラの回収業者と組み、北朝鮮で修復再生したのち、キヨスクで販売していたりなど北朝鮮とのつながりもあります。北朝鮮との関連でいうと、ＪＲ東労組が労組活動家を養成するために、たびたび北朝鮮で「研修」を行っていた事実も見逃せません。彼らは中国の瀋陽《しんよう》から「北朝鮮」への直行便に乗り換えて「北朝鮮」に入国。研修参加者は千人を超えています。ＪＲの革マル派と北朝鮮とのあいだには地下水脈が流れており、「さつき企画」が重要な役割を果たしていたというわけです。

労組資金の私的流用と墓穴を掘った糾弾文

当時、警視庁は一連の家宅捜索で多数の経理帳簿を押収しました。この経理帳簿の分析などから「松崎の業務上横領疑惑」が浮上してきます。

二〇〇五（平成十七）年十二月七日朝、警視庁公安部は、「松崎らＪＲ総連の関係者が労組の運営資金を私的に流用した疑いがある」として、ＪＲ総連本部、埼玉県内の松崎の自宅など大がかりな一斉捜索を行いました。捜索は四日間八十時間におよび、公安部二課が中心となり、徹底して行われました。同課の主たる任務は革マル派など新左翼の情報収集にあります。

ＪＲ総連やＪＲ東労組に過激派、革マル派が侵出していると見た公安部は業務上横領容疑の捜査を通じてＪＲ総連内の革マル派の実態解明を狙っていました。同年十二月十一日付『産経新聞』は、次のように報じています。

警視庁公安部は十日深夜、（略）ＪＲ総連事務所などが入る「目黒さつき会館」（東京都品川区）の家宅捜索を終了した。捜索は八十四時間を超す異例の長時間となり、関係資料約千四百点を押収した。

押収資料はＪＲ総連や関連団体の名簿、会計資料など。（略）

調べでは、ＪＲ総連や傘下のＪＲ東労組の元幹部ら四人が平成十二年四月、ＪＲ総連の関連口座から約三千万円を着服した疑い。

警視庁の捜索に対し、ＪＲ東労組は同労組中央執行委員会名で「強制捜査に断固抗議する」との声明を発表するとともに、警察当局に対する「糾弾文」を公表しました。

ところが、この「糾弾文」で墓穴を掘ってしまいます。

容疑を否定するあまり、中身をみずから具体的に説明して抗弁したため、逆に資金の流用を認めるという奇妙な結果となったのです。「糾弾文」はこう述べています。

警視庁公安二課は、被疑者とされる松崎明氏の個人的資産の受け渡しに、ＪＲ総連と加盟単組が設立した国際交流推進委員会の国際交流基金の口座を一時的・便宜的に使用したことを、「業務上横領」としているが、これはでっち上げ以外のなにものでもない。（略）

松崎は沖縄に別荘を持っていたが、それを鉄福事業協会に五一〇〇万円で売却し、それを国際交流基金の口座に二回に分けて預け入れ、その口座から引き出した金でハワイに別荘を購入した。

この糾弾文によって、JR総連は「松崎明が国内外に高価な別荘を所有したこと」「売買取引のために公的な『国際交流基金』の口座を使用したこと」を認めてしまったのです。

革マル派のドンが食らった「文春砲」

強制捜査から五日後、『週刊文春《ぶんしゅん》』二〇〇五（平成十七）年十二月二十二日号は、「JR東労組の〝ドン〟松嵜明が組合費で買った『ハワイ豪華別荘』」と報じました。内容は、次のようなものです。

①松崎は、二〇〇〇（平成十二）年四月、ハワイ島西岸の高級リゾート地コナの中心にある会員制ゴルフクラブ「コナ・カントリークラブ」に隣接する高級コンドミニアムを当時の日本円約三千三百万円で購入。広さは約三百平方メートル。居住スペースのほか浴室が二つ、寝室が三つある豪華なもの。松崎のほか、長男で「さつき企画」の社長をしていた「篤」の家族も住んでいた。「篤」は、コナ市内のショッピングセンターでフラワーショップを営んでいたが、この店舗の購入資金も含め、松崎が一括して振り込んだという。

②一九九九（平成十一）年、ハワイ島東側に位置するヒロ市に庭つき一戸建て住宅を日本円約二千六百万円で購入。総面積は約九百平方メートル。ここも浴室二つ、寝室三室と豪華なもの、名義は本人のほか、夫人と長男、長女が名を連ねていた。ヒロ市には「さつきプランニングUSA」と

いう会社も設立している。

③ハワイばかりではなく、国内でも埼玉県比企《ひき》郡小川町《おがわまち》の自宅マンション以外に東京・品川区に所有する高級マンションがあった。約六十三平方メートルの一戸で、このマンションの売り出し中のパンフレットによると、販売価格は一戸三千五百万円～六千七百万円で最多販売価格は五千七百万円と記載されている。

④鉄福事業協会が所有する群馬県吾妻《あがつま》郡嬬恋《つまごい》村、沖縄県国頭《くにがみ》郡今帰仁《なきじん》村、宮古島《みやこじま》の三カ所にある保養施設も実質的には松崎の所有となっている。

松崎明の国内外の資産を調べ上げ、『週刊文春』に記事を連載した西岡研介《にしおかけんすけ》記者は、同記事でこう述べています。

> 松嵜氏とそのファミリーが所有していた資産は、小誌が把握している不動産だけでも、ゆうに一億円を超え、さらに過去には沖縄にも別荘を持っていたことがある。
>
> これが果たして労働者の権利と生活を守る労働組合幹部のあるべき姿なのか、（略）

二〇〇三（平成十五）年、ＪＲ東海助役への暴行事件に端を発して行われた「目黒さつき会館」へのガサ入れ以降、松崎の動きは慌ただしくなります。

二〇〇五（平成十七）年二月には、品川区内にあるマンションを売却。同年三月にはハワイ島ヒロ市にあった別荘を売却するなど所有不動産の売却が相次ぎました。

そうしたなか、二〇〇五（平成十七）年六月一日、谷川忍著『小説　労働組合』という本が自費出版されます。奥付の著者経歴から「谷川忍」が元JR総連委員長・福原福太郎のペンネームであると当時、誰もが直感しました。

松崎明の「腹心中の腹心」による内部告発

先にも名前が出てきましたが、福原福太郎は、松崎が旧動労の委員長時代に書記長を務め、JR誕生後もJR総連委員長として松崎の〝右腕〟を務めた「腹心中の腹心」です。旧動労時代から松崎体制を支え、「偽装転向」の裏方を務めました。JR発足後はJR総連委員長を三期務めており、松崎の重要な〝替え玉〟役も果たしています。

その福原が、著書『小説　労働組合』のなかで、「松崎の組合資金の流用疑惑」について、次のように指摘しています（小説の登場人物、団体名等を引用者が実名に変換した）。

松崎が君臨しているJR総連や東労組や関連会社の資金を、あれこれの理由をつけてはいるが、私的に流用している点がはっきりしたからである。（略）

松崎が恒常的に使用している国内外にある別荘のいくつかは、松崎が指示して建築をさせたが、松崎の所有ではなくJR総連や東労組の関連会社の所有としてある。（略）

やがて、佐藤政雄を中心に松崎の息子を関連会社の社長にしようとする動きが出てきた。

（略）

労組出身でもない息子を社長に据えたのは、公私混同の領域をこえ松崎の組織私物化の象徴として組織内外で批判されはじめた。

なぜ、「腹心中の腹心」だった福原が松崎を糾弾する「内部告発」を行ったのでしょうか。

福原は、二〇〇三（平成十五）年、いっさいの労働組合役職を辞任したうえで、『「国鉄改革」前後―労組役員の備忘録から―』を自費出版し、国鉄改革をともに担った仲間たちやJR総連の各組織に限定的に贈呈しました。

しかし、その「まえがき」が松崎の逆鱗《げきりん》に触れることになります。

「深刻なのは、（略）JR東労組で八人に及ぶ中央本部役員が昨年十月末辞任したことをめぐる組織問題である」と述べ、松崎に〝粛清〟された八人を擁護したからです。

松崎は、福原に「組織破壊者」のレッテルを貼り、嶋田邦彦ら辞任した八人の黒幕と位置づけて、福原を執拗に攻撃するようになりました。これにより、福原と松崎はたもとを分かつことになったのです。

松崎明の私欲と革マル派の活動資金に消えた四十億円

旧動労の解散とともに、その資産四十一億七千万円は「財団法人日本鉄道福祉事業協会」にそっくり引き継がれ、プールされました。その旧動労のプールされた資産を管理し、運用をコントロールする任意団体（法人格のない団体）として組織されたのが「さつき会」です。

「さつき会」の規定には、「鉄福事業協会の基金および資産の運用」についてはさつき会が「事業協力および意見具申する」という趣旨の規定があり、「役員会の決定に従う」となっています。初

福原福太郎

代会長には松崎が就任し、事務長にはＪＲ東労組執行委員の小谷昌幸がつき、三役、幹事など全員が革マル派の松崎腹心で固められました。

松崎は〝変わり身〟（偽装転向）も早かっただけでなく、旧動労解散によってプールされることになった巨額の資金を手に入れるのも早かったというわけです。

ＪＲが発足すると、鉄福事業協会は「目黒さつき会館」「伊《い》東《とう》さつき会館」という施設運営のほかにも、「さつき商事株式会社」「株式会社鉄道ファミリー」「有限会社国鉄ビル管理互助協会」という関連会社に出資し、そこに松崎の配下たちを送り込んで経営させていました。

「さつき商事」は、ＪＲ発足とともに「ＪＲ積立年金」を新設し、ＪＲ各社の社員に加入を呼びかけました。東邦《とうほう》生命が引受会社となり、掛け金はＪＲ各社が毎月の社員給与から天引きできるようシステム化していました。

「鉄道ファミリー」は旧動労時代に「勤労者印刷センター」だったものを社名変更した会社で「がん保険」を手がけました。

「国鉄ビル管理互助協会」はＪＲ各社のビル管理や清掃が業務です。

これらの会社は、革マル派の活動資金の集金装置と供給源になり、とりわけ清掃会社は革マル派非公然部隊の機密情報収集にも活用されました。

「さつき会」の二代目会長は福原でした。警視庁による「目黒さつき会館」ガサ入れ以降の動きについて、『小説　労働組合』は、次のように記載しています（小説の登場人物、団体名等を引用者が実名に変換した）。

佐藤が理事長をつとめている鉄福事業協会の臨時総会が開かれた。

二〇〇四年二月末の冷え冷えとした日である。

病気療養のため入院中の佐藤理事長に代わって、協会副理事長でJR総連委員長の小田裕司《おだゆうじ》が挨拶した。

「昨年来、わが協会に警察が捜索に入り、多くの帳簿類を持ち去った。以降、松崎に横領、脱税の疑惑がかけられている。（略）断じてやましい事はしていない。しっかり意志統一をはかりたい」

総会終了に引き続き（略）「さつき会」総会になった。

事務局長の報告に参列者全員が唖然《あぜん》とした。

「小田会長の指示でさつき会の資産状況を整理してきた。結論を一言でいえば破綻そのものである。なぜ破綻したのか。その原因は誰も分からない。帳簿類も不備で保管も運用もキチンとされていない。ただ支出金だけが必要の都度引き出されている。誰が何に使ったのかも分からない。資料もないので具体的に調べるのは不可能である。（略）」

旧動労時代から営々と蓄積されてきた「組合員の汗と涙の結晶」は、松崎による私的な流用と革マル派活動家の活動資金として使われ、消滅してしまいました。

消滅した全額は約四十億円です。

「癒着」の労使関係に区切りをつけるきっかけになった浦和事件

二〇〇二（平成十四）年十一月一日早朝、警視庁公安部は、「組合の指導に従わなかった組合員に脱退と退社を強要した」として、強要罪容疑でJR東労組大宮地本副委員長・梁次邦夫《やなじくにお》ら七人の自宅を家宅捜索し、七人全員を逮捕、連行しました。翌二日付『読売新聞』は、次のように報じています。

警視庁公安部は一日、JR東日本の運転士に嫌がらせして退社に追い込んだとして、同社労働組合「東日本旅客鉄道労働組合（JR東労組）」の大宮地方本部副執行委員長で過激派・革マル派幹部の梁次（やなじ）邦夫容疑者（53）ら同労組員と元組合員計七人を逮捕、JR東労組中央本部（東京都渋谷《しぶや》区）など三十数か所を捜索した。（略）

公安部の調べでは、梁次容疑者らは昨年一月から六月下旬にかけ、JR東日本浦和《うらわ》電車区の運転士で、同労組員だった男性（当時二十七歳）に対し、組合の指示に従わなかったことなどを理由に、少なくとも十五回にわたり、数人から三十人で取り囲み、「お前、組合をやめろ」「嫌になって会社をやめたくなるほどやるからな」などと執ように脅迫し続け、男性を退社に追い込んだ疑い。

十一月六日、衆議院内閣委員会でこの事件がさっそく取り上げられ、自由党（当時）の西村眞悟《にしむらしんご》議員が事件の真相を問いただしました。その際、奥村萬壽雄《おくむらますお》警察庁警備局長はこう答えています（国会会議録検索システム〈https://kokkai.ndl.go.jp/〉より）。

今回の事件の被疑者の中には、警察で革マル派活動家と見ている者が一人おりますし、またほかの一人も、被害者を脅迫する過程で、おれは革マルだというような発言を行っているところであります。（略）

警察といたしましては、平成八年以降、革マル派の非公然アジト十三カ所を摘発いたしまして、これらのアジトの一部から押収した資料の分析によりまして、革マル派が国労役員宅あるいはＪＲ連合傘下のＪＲ西労組役員宅に侵入した事件を検挙する一方で、ＪＲ総連・東労組内における革マル派組織の実態について解明を進めているところであります。

梁次ら七人は保釈後、ＪＲ東労組の全面支援を受けて勾留期間の「三四四日間」に語呂を合わせた「美世志会《みよしかい》」を結成し、徹底抗戦を始めます。

ＪＲ総連、ＪＲ東労組は、東京地裁で公判が開かれるたびに、千二百人前後の組合員を大量動員して九十枚限定の傍聴券を確保しました。また、七人の被告については、保釈後、梁次を大宮地本副委員長に復帰させたほか、すでに退職しているひとりを「中央本部組織担当書記」としてＪＲ東労組で雇用。そのほか全員を「本部執行委員」としてＪＲ東労組で丸抱えにしています。

裁判は延々と回を重ね、四年の歳月を経て二〇〇七（平成十九）年七月十七日に開かれた第六十回公判で、東京地裁は「浦和電車区事件」の第一審判決を下しました。

七人の被告全員が懲役一～二年の有罪判決でした。

労組側の全面的敗訴です。

これを受けて、八月三十日、ＪＲ東日本は有罪判決を受けた社員全員に対し、「懲戒解雇」を発表します。「懲戒解雇」は社内処分としては最も重い〝極刑〟です。清野《せいの》智《さとし》社長ら会社側は、かつて「癒着」とまでいわれた労使関係にはっきり区切りをつけ、〝是々非々〟の路線を歩き始めていました。

「松崎帝国」の内部崩壊

一方、ＪＲ総連、ＪＲ東労組を支配する革マル派の組織内でも異変が起こり始めます。

二〇〇六（平成十八）年八月三日、都内の「山《やま》の上《うえ》ホテル」で「ＪＲ東労組を良くする会」（以下「良くする会」）が記者会見を行い、資料を配布しました。同会は資料で、「時代錯誤的自己中心思想を振りかざし中央集権的労組運営を目指す、東労組中央執行部に疑問を抱いた労組一般会員により組織された、労組内組織改革派の団体です」とし、「現在東労組中央執行部が行動の支柱としている『革マル思想』を排除し（略）」と訴えています。

さらに同会は十月十日、ＪＲ東労組を相手取り、「情報公開請求訴訟」を東京地裁に起こしたことを明らかにするとともに、「革マル派の秘密組織によるＪＲ東労組支配の実態」を公表しました。そのおもな内容は次のとおりです。

①ＪＲ内の革マル派には「トラジャ」「マングローブ」と呼ばれるメンバーが存在する。「トラジ

ャ」は、旧国鉄時代に解雇された者などを中心にしてJR発足時にJR各単組に移行せず、「職業革命家」として革マル派中央に属し、各単組の指導や学習を行う者である。一方、JR総連や各単組には「マングローブ」と呼ばれる同盟員が数人から数十人規模で存在し、同盟員予備軍の「Aメンバー」を指導している。

②「マングローブ」は「目黒さつき会館」の四階に常駐している者がその頂点で、各地方には存在しているところと存在しないところがある。「マングローブ」は全体のメンバーを把握し、カンパを革マル派中央に集金、上納する。また「A会議」に出向いて指導し、「Aメンバー」のなかから同盟員をピックアップする。その方法は、Aメンバーの個別学習会や議論を行い、課題を設けてレポートを提出させ、それをめぐって議論することを通じて同盟員へと意識を高めていく。この方法がそれぞれのレベルで行われており、「マングローブ」は別名「ユニバーシティ」などとも呼称される。組織形態、組織実態も組織防衛上から秘匿性が高く、横のつながりはない。すべてが組織の縦＝ピラミッドの上下関係でつながっている。

③Aメンバーによる会議が「A会議」で各地方に計二十数個あり、ひとつの会議は十人から二十人で構成される。組織防衛上から横のつながりは秘密で、交流は基本的には禁止されている。そのため、その会議に所属している者にしかAメンバーはわからない。AメンバーはL会議と呼ばれるLメンバー（Lは革マル派機関誌『解放』のこと）の学習会をひとつ以上持って、革マル派の文献などを使って学習会を開き、「JR労働運動を真面目にやろうとしている者たちの集まり」である「労研」の指導や組合運動上の問題などを議論する。

④「労研」は全国組織で、単組ごとに中央労研、地方労研、支部労研がある。運転職場などでは

職場単位でも労研が存在する。労研メンバーは職場活動や組合役員としての活動などから総合的に判断され、入会の決意を促される。この組織から多くの組合役員が輩出され、中央会費、地方会費、分会会費などが定期的に集められる。革マル派のフラクション的な位置づけで、資本主義の矛盾、労働者階級の階級的立場などを、カール・マルクス、レーニンなどの文献や、松崎の文献などから学ぶ。

赤裸々につづられた「松崎と革マル派との関係」

これらの解説資料は、本間雄治ら「良くする会」のメンバー数人がみずからの体験にもとづいて作成したもので、JR総連およびJR東労組を革マル派が裏支配している実態を暴露したものでした。「良くする会」は、同時に「JR革マル派四十三人のリスト」も暴露しましたが、A4判六枚に、実名、現在の役職、経歴などがびっしり書き込まれていました。

「良くする会」の本間は、二〇〇九(平成二十一)年三月三日、浦和電車区事件に関連してJR東労組側が提訴した民事裁判に出廷し、「松崎と革マル派との関係」について赤裸々な陳述をしています。そのポイントを抜粋すると次のとおりです(前出『暴君』)。

「(略)JR東労組などJR各社の労働組合に革マル派の活動家が相当数いて、組合員の中から革マル派に理解を示す者を作り出し、同派に同調する者を育成し、最終的には革マル派の同盟員に育てる活動をしていたのは公然の秘密でした。(略)組合員のなかで意識が高いと認められた者たちに、革マル派の機関紙である『解放』を購入させ、その学習会を行うことによって革マル派の考え方を学んでいきました（略）」

「革マル派はJR東労組に所属する労働者から、毎月カンパを集めていました。教職員ら他産別組織では、給料に対するカンパの割合がキッチリ決まっていましたが、JRの場合、最低でも一人当たり月々三〇〇〇円をカンパしろということでした。Aメンバーでは上位の者は月に二五〇〇円、下位の者は五〇〇〇円のカンパをしていました。（略）私が書記長を務めていた横浜《よこはま》地本だけでも月々のカンパは約四〇万から五〇万円、ボーナス時で約二〇〇〜三〇〇万円に上りました。『解放』は年間購読で約一万七〇〇〇円の年払いでした。カンパは職場単位─支部単位─地本単位でそれぞれ集められ、地本単位の『財務担当者会議』が月一回、目黒さつき会館の地下で開かれていました」

「JR東労組内では松崎氏が絶対的権限を有していましたが、金銭的な側面でも絶対的でした。たとえば『さつき企画』という会社は、旧動労などで解雇された人たちの再就職先という目的で設立されたのですが、松崎の息子で、JRとは何の関係もない篤氏が同社の社長になったのです。同社の株主は松崎氏一人ですから公私混同の極みです。また鉄道福祉事業協会という関連団体があり、この組織が各所に保養所を持っていることは、JR東労組の役員をしていた私も知りませんでした。後になって同協会は「誰でも利用できる保養所」というパンフを作成しましたが、実際には松崎氏とその取り巻きだけが、そこを利用しており、私たちにはそのような保養所があることは、まったく知らされていませんでした」

そのほかにも「松崎が秘密の保養所を持つことは中枢部では当然のこと。（略）最高指導者である松崎を対立する党派や国家謀略部隊から守ることにあった。（略）革マル派に囚《とら》われていた組織にとって、それが当然であり、正しいことだと思っていた。松崎だけが使用する車（ボルボやベンツ）の費用は四〇〇〇万円にのぼり、ボディガードと言われる人たちの人件費は組合の総務経費で負担していた」といったことも証言しています（前掲書）。
「松崎帝国」は内部からも確実に崩壊の一歩が始まっていたのです。

住田正二の遺言

二〇一八（平成三十）年十一月、JR関係者のもとに「公益財団法人交通研究協会」から一冊の自費出版の書籍が届きました。住田正二著『私の歩いた道』です。理事長・住田親治《しんじ》の挨拶文にはこう書かれています。

95歳で亡くなった父・住田正二の遺言により、著書『私の歩いた道』を父の友人・知人である皆様にお配りさせて頂きました。（略）
この本は第1章から第4章で構成されておりました。（略）然《しか》しながら第2章の不運な道の内容は表現がストレートなうえ、個人のお名前が多く記述されており、父が亡くなった後であっても発表は控えた方がよい、との判断から、第2章をすべて削除することにしました。

住田理事長は立場上、JR関係者への影響も考え、第二章を削除して出版したのでしょうが、住田が〝遺言〟として残したかったのは第二章そのものだったのではないかと思われます。

削除された第二章で、住田は何を訴えたかったのでしょうか。ＪＲ関係者のあいだで話題になりました。

奔走して探した結果、関係者の協力を得て、その削除されたという部分を入手することができたので、ここで紹介します。

第二章のタイトルは「足をとられた凸凹な道」とつけられていました。そのなかから、住田の〝後継者〟だった松田昌士を住田がどのように評価していたのか探ってみます。

松田君には、自分の欲望が満たされなかったときに異常に反発するという性格に加えて、人の功績を横取りしたり、自分の犯した罪を人になすりつけるという悪癖がある。口の旨《ママ》さによって、それを他人に気づかれないように宣伝する術《すべ》は十分心得ている。山下さんも、私も、この特技に気づかず、彼を信用してしまった。（略）

二〇〇〇年の一月、社長の松田昌士君が来て、もう一期社長をやらせて欲しいと言う。というのは後述のように、一九九六年に、四年後の二〇〇〇年に大規模な人事異動をし、松田君が代表権のない会長に、後任の社長に大塚陸毅《おおつかむつたけ》君がなることを決めていたからである。それをもう一期延ばして欲しいと言う。

松田君はすでに七年社長をしており、続投する理由はないし、むしろ長期間社長をしていたことによる弊害が生じていた。私は、予定どおり人事異動を行うべきである、と拒否した。

それから数日経《た》って、中曾根元総理から呼ばれた。元総理からは、「今度の人事で大塚君が社長になると聞いているが、大塚君は、組合幹部とよくないようだ。松田君を留任させて、その間大塚君と組合との間をうまく調整させたらどうか」、という話があった。私は大変お世話になった元総理のお話ではあったが、「会社の人事は私に任せて戴《いただ》きたい。会社にとって最善の人事を責任を持ってやりますから」と答えた。

松田君は、中曾根元総理からの話であれば、住田さんは断れないと読んだのであろう。しかし民間会社の人事に政治の介入を求めることは、絶対にしてはならない禁じ手である。にもかかわらず松田君は禁じ手を使った。（略）

会社に帰り松田君を呼び、元総理の話をしたところ、松田君は、「私は知りません」と嘘《うそ》を言う。（略）

このように松田君は、社長の交代にも、会長に代表権をつけないことにも、強く抵抗した。しかしその抵抗が水泡に帰し、規定《ママ》方針どおり人事異動が行われたとき、驚いたことに松田君は、自分がこの人事の推進者であるかのような説明をしている。（略）異常な名誉欲である。

その嘘もなかなか巧妙で、（略）例えば松田君の奥さんの死亡原因についてである。奥さんは二〇数年前、門司《もじ》で奇病にかかり、永い闘病生活の末亡くなられた。松田君はその原因が、国労、共産党などの嫌がらせにあり、自分は絶対に彼らを許せない、と言っていた。しかし門司管理局に勤務したことのある国鉄ＯＢの話では、病気の原因は、幹部職員たちの官舎で、奥さんが他の職員の奥さんたちから村八分に遭ったからで、その原因を作ったのは松田君自身であると言っていた。それを国労などのせいにした。誰もが嘘と思わず納得する。（略）

松田君は（略）民営分割の具体案作りには、全くタッチしていない。にもかかわらず、タッチしていたかのような巧妙な嘘をいう。岩見隆夫《いわみたかお》さん（ジャーナリスト＝引用者注）は、近聞遠《きんぶんえん》見《けん》（〇六・七・八毎日新聞）の中で、松田君は、亡くなられた橋本《はしもと》（龍太郎《りゅうたろう》＝引用者注）運輸大臣から本州を二つに分けるか、三つに分けるかについて相談を受けたように発言をした、と書いているが、そんなことは百パーセントあり得ない。本州を三つに分けることについては、その二年前に国鉄再建監理委員会で決め、当時自民党の行財政調査会長であった橋本さんも賛成されていた。（略）

松田君は任期がきて、会長を退任する直前、実務については全く権限がないにもかかわらず、羽越《うえつ》線の脱線事故の総責任者は自分である、と現場で大見得を切った。既定の辞めることに格好をつけたのであって、社長以下の幹部役員を当惑させている。ゴルフのスコアについて平気で嘘の申告をすることなど、ほかの嘘からみると、他愛《たわい》のないものである。（略）

松田君は、ＪＲ東日本のトップ役員になってから、お母さんと奥さんを亡くしている。通常大会社のトップクラスの人は、香典は辞退する。私は運輸省の課長時代に父を、ＪＲ東日本時代に母を亡くしたが、ともに香典は辞退した。しかし松田君は、当たり前のように香典をもらっている。ＪＲ東日本の子会社は、打ち合わせをして、高めの香典を持ってゆく。人事でしっぺ返しをされることが怖いからである。（略）

女性についても、怪文書が出たりしている。松田君は、奥さんが病気で、二〇年以上病床にあったから、若い彼が女遊びをしたからと言って、それをあげつらう気はない。ただ女遊びを自分の金でするのであれば、問題はない。しかし怪文書では、取引のあった関連事業者の負担であるという。（略）

経営トップは、常に身辺を清潔にしなければならない。にもかかわらず松田君は、会社から余り遠くないところに高級住宅を建設している。

松田君が社長になってから、専用車をベンツにした。私のときにもその話があったが、膨大な債務を清算事業団に残してきたＪＲ東日本として、絶対に許されることではないと言って断った。（略）

私は今、自分の不明を恥じつつこの文章を綴《つづ》っている。松田昌士君の異常な性格を見抜けなかったからである。

松田君を社長にしたのは私である。その恩を平然として仇《あだ》で返すことができる男である。（略）私も長い人生でいろいろなことを経験してきたが、恩を仇で返されたのは、松田君だけである。

松田君は、自分の欲望が抑えられたり、自分の意見が通らなかったときには強く反発する。しかし私に対しては、たとえ松田君の異常に強い権力欲、自己顕示欲、名誉欲を抑えつけたとしても、社長にして貰《もら》った大きな恩義があり、また既定路線であるから、まさか恩を仇で返す行動に出ることはあるまいと思っていた。

しかし、思いもよらぬ仕返しに出てきた。一つには、私に対して当然とるべき礼儀を尽くさなくなったこと、二つには、私がＪＲ東日本の社長になってやってきた仕事を、自分がやったように横取りしたことである。


松田の人格を疑うような事実を列挙して終始批判しています。

同書にも記載されているとおり、松田の弱点は〝女性問題〟です。

かつてJR東日本の監査役をしていた人物が、筆者を池袋《いけぶくろ》の駅ビル内にあった「小料理屋」に案内してくれて、そこで会食したことがあります。監査役の説明によると、その店は松田が実質経営者で、女将《おかみ》が松田の〝彼女〟であるとのことでした。しかも、それは松崎も公認で、弱みを握ったうえで松田を操っているようだとつけ加えていたことを覚えています。それほど、松崎と松田はズブズブの関係だったと理解すべきでしょう。革マル派版ハニートラップといえるでしょうか。松田が松崎の言いなりだった理由は、そのへんにあったものと思われます。

常識的な対応をした会社に労組が「宣戦布告」

二〇一六（平成二十八）年十月から十二月にかけて、JR東労組は全組合員による投票を行い、八二・三％の賛成で「スト権」を確立しました。その狙いは「組合の指令により、いつでも闘える体制を構築するために、スト権を通年で確立する」ことにあります。

二十五年前の一九九一（平成三）年、JR各社の労組を統合し、全国組織となったJR総連の支配体制を確立した革マル派の首領・松崎明は、通年でのスト権を握るため、「JR総連へのスト権の委譲」を各単組に迫りました。これにJR西労組、JR東海労組が反発してJR総連を脱退したことは、すでに述べたとおりです。

その後、JR四国労組、JR九州労組も追随してJR総連から脱退。JR西労組、JR東海労組と合流し、国労から脱退した鉄産総連（旧国労右派）とも組織統合して、一九九二（平成四）年五月に「JR連合」（日本鉄道労働組合連合会＝現在組合員約八万人でJRグループ最大の産業別組合）が誕生しました。松崎率いるJR革マル派勢力にとっては苦い経験です。

この失敗を忘れたかのように、今度はJR東労組が「いつでも闘える体制づくり」のために「通年でのスト権」を確立したのです。

二〇一七（平成二十九）年三月の臨時大会では、「定額ベア」を要求する「代議員による直接無記名投票」を行い、「格差ベア反対」を目的としたスト権を確立しました。そして、すべての社員一律にベアを支給する「定額ベア」の実施を確約するよう求めました。

二〇一八（平成三十）年の春闘が始まると、JR東労組中央執行委員会は再び「格差ベア反対のスト権確立」を背景に「指名スト対象職場」を決め、指名スト対象者を選出する「闘争準備指令」を出しました。

こうしたJR東労組の動きに対し、会社側は同年三月十六日、冨田哲郎《とみたてつろう》社長名で全社員に以下のメッセージを出しました。会社経営者としてきわめて〝常識的〟な姿勢を示したのです（筆者が取材時に入手した文書による）。

　ベアは毎年度の経営状況を勘案して、労使の議論を経て決定するものです。（略）入社間もない若手と経験値の高いベテランのベアがつねに同額となれば、実質的に公平を欠く結果となり、会社はとうてい認めることはできません。

これを「要求拒否」と受けとったJR東労組は即座に反応し、「争議行為」を予告します。会社発足以来、「ストライキによらず平和的手段によって紛争を解決する」とうたった「労使共同宣言」を締結して労使関係を続けてきたJR東日本にとって、労組側からの「争議行為」の予告は、初めて経験する〝異常事態〟でした。

経営陣が見せた〝正常化〟への決意

冨田社長は官邸を訪れ、時の安倍晋三《あべしんぞう》内閣の菅義偉《すがよしひで》官房長官、杉田和博《すぎたかずひろ》官房副長官と会い、一連の経過を説明。「組合との全面対決もありうる」との会社側の〝決意〟を伝えました。一方、官邸サイドも懸案となっていた「JR総連、JR東労組の革マル派問題」に対する冨田社長の決意を支持し、了承します。

二〇一八（平成三十）年二月二十六日、冨田社長はJR東労組と結んできた「労使共同宣言」の失効を宣言しました。「社長最後の仕事」として長いあいだ続いてきた「労使の癒着」「組合支配」に完全に終止符を打ったのです。

二月中旬過ぎからストライキに走るJR東労組執行部に対する組合員の反発が広がり、脱退者が激増します。約四万七千人の組合員数を誇った同労組は三カ月半後の六月一日には一万四千人にまで落ち込みました。この間の脱退者はじつに三万三千人にものぼります。あの横暴をきわめたJR東労組が、あっという間に三分の一に激減し、崩壊の危機に追い込まれてしまったわけです。

革マル派の首領・松崎明が二〇一〇（平成二十二）年十二月に死去してから八年目のことでした。

新労組に〝温存〟された革マル派の精鋭部隊

JR東労組は十二の地本から成り立っています。

二〇一八（平成三十）年春の「ストライキ発動問題」をめぐっては、「ストライキ強硬派」の三地本（東京、八王子、水戸）と、それ以外の「ストライキ否定派」の七地本（大宮、高崎、秋田、千葉、盛岡、仙台、横浜）が対立。同問題にかかわらない「中立派」の二地本（長野、新潟）と三極化した分裂状態に陥りました。

しかも、「ストライキ否定派」「中立派」のなかも、①強硬派三地本の行動を批判し、組織分裂の原因をつくったとしてJR東労組役員の総退陣を求める五地本（秋田、盛岡、仙台、大宮、横浜）、②当初からストライキの発動そのものに批判的だった三地本（長野、新潟、千葉）、③全組合員が脱退し、別組織を目指す高崎地本という三つのグループに分かれ、いわば「四分五裂」の状態となったのです。

十二地本のなかで圧倒的組合員数を誇り、「戦闘的革マル派組合員」の多くを有する東京地本ら「ストライキ強硬派」は、次期定期大会で多数派を形成し、中央本部主流派への返り咲きを狙っていました。

一方、大宮地本ら中央本部の主流派を構成する七地本は、会社を味方に引き入れて〝恭順の意〟を示し、ストライキ強硬派地本に対する〝包囲網〟を構築。東京、八王子、水戸の強硬派三地本の役員に対する制裁処分を発令して、革マル派役員の追放を画策します。

二〇一九（令和元）年二月十日、強硬派三地本はJR東労組を脱退し、新労組「JR東日本輸送サービス労働組合」を結成しました。これはJR東労組における分裂では過去最大規模となり、有力拠点地本の脱退によってJR東労組の組合活動は低調化の流れが避けられなくなりました。

分裂した新労組の勢力は約二千人と推定されています。これに対して、JR東労組の現勢力は約六千人。一見すれば「少数派」に転落したかに見えます。

しかし、革マル派が主導する「過激派少数精鋭部隊」は、そっくりそのまま「JR東日本輸送サービス労組」に移行しているのです。組織体制がより〝強化〟され、革マル派は生き残ったと見るべきでしょう。革マル派イズムに従って、「少数勢力になることを恐れるな」「組織の温存はすべてに優先する」を確実に実践したわけです。

革マル派の脅威は今日も続いている

前述のとおり、JR東日本のE電区間を取り仕切る東京地本には十四の地域支部があり、そのすべての支部長が革マル派メンバーとそのシンパで固められていました。JR東労組の分裂騒ぎのなかで、この東京地本のメンバーがそっくりそのままJR東労組から「JR東日本輸送サービス労働組合」に移行しているのです。その事実は、山手線を中心とする首都圏のE電区間がいまだ「革マル派」の掌握下にあり、彼らがいつでも列車を完全に止める〝力〟を所持していることを物語っています。

つまり、新労組はJR東日本の〝心臓〟を完全に握っているのです。

政界もマスコミ界も四万六千人もの組織力を誇ったJR東労組が分裂して「少数組合」に転落したという表面的な事象に目を奪われています。

しかし、もともと少数勢力の革マル派が非合法活動も含めた諜報活動や政界工作によって大組織を裏から支配してきたのが分裂前のJR東労組の実態です。

革マル派の〝芯〟となる勢力は本来数千人にすぎず、それが名称だけを変えて生き残ったという事実を見落としてはなりません。

かつて過激な労働運動のかぎりをつくしたあの「鬼の動労」が、組織の温存を図るために一夜にして「偽装転向」し、JRへの〝潜り込み戦略〟を実行した過去を振り返れば、組織温存のために分裂して新労組を結成するなどたわいのないことです。

「ストライキ強硬派」だけが独立し、「闘う労組」として生き残りに成功したJR東日本輸送サービス労働組合は、今後の労使交渉でも妥協を許さない姿勢で臨むことになるでしょう。JR東労組に代わって首都圏の輸送網を完全に抑えている現状から、今後、実力闘争に打って出る可能性は低くありません。

しかも、見落としてはならないのは、JR東労組側にもJR革マル派勢力の残党が潜伏しているということです。

また、いまだにJR北海道では、社員七千人のうち八四%の組織力を誇る主力労組が革マル派に支配されているほか、全国の線路を自由自在に走る「JR貨物」の主力労組も革マル派に支配されているという現実があります。

JR総連は、二〇一六（平成二十八）年の定期大会で武井政治委員長が勇退し、新委員長に榎本一夫が就任しました。

榎本はJR北海道出身のバリバリの革マル派活動家です。JR革マル派の非公然組織「マングローブ」の有力メンバーでもあります。松崎亡きあと、JR東労組に代わってJR総連の主導権を握ってきたのが、このJR北海道労組の「マングローブ」でした。ちなみに、榎本の先輩格でJR北海道労組前委員長の佐々木《ささき》信正《のぶまさ》もJR総連の中心人物です。佐々木はJR北海道労組で絶対的な発言力を有しており、その力を背景に革マル派の再構築に動いているとの情報もあります。

革マル派や左翼のことをそれなりに知っている人ほど「革マル派なんてすでに過去の遺物だ。人数も少ないし、影響力もない」と思われているかもしれませんが、左翼の本当の恐ろしさは〝数〟ではありません。

たとえ少数でも「内なる敵」が組織の〝急所〟にいることで組織全体がいかに狂ってしまうか——その恐ろしさを、私たちは国鉄、JRの歴史に学ぶべきでしょう。

国鉄改革が日本経済に一定の貢献をした事実を否定するつもりはありません。しかし、その〝光〟の部分だけが脚光を浴び、〝影〟の部分があまりにも論じられず、意図的に避けられてきたように思えます。諜報活動の天才、革マル派の首領・松崎明の「手練手管」に、政治家はおろか、警察官僚もマスコミも、見事に手玉にとられてしまったことだけはたしかです。

第三章

「警察、マスコミ、統一教会」への革マル派の浸透工作

『週刊文春』と警察当局の〝裏取引〟から始まった

『週刊文春』一九八四（昭和五十九）年一月二十六日号に実業家の三浦和義《みうらかずよし》がロサンゼルスで遭遇した銃撃事件を追跡した特集記事「疑惑の銃弾」が掲載され、連載記事がスタートしました。ここからマスコミが大騒ぎして火がついたのが、いわゆる「ロス疑惑」です。

その三年前の一九八一（昭和五十六）年、三浦が妻とアメリカのロサンゼルス旅行中に二人組の男に銃撃され、妻が死亡、本人も大腿《だいたい》を負傷するという出来事がありました。特集記事の内容は、この銃撃事件に関して、「すべて〝悲劇の人〟三浦和義のしくんだ〝保険金殺人〟であった」とする告発仕立てのものでした。

この記事をきっかけとして、テレビ番組のワイドショーは連日、この事件を報道。ほかの週刊誌もあと追い記事を書きまくるなど未曽有の「疑惑の銃弾」フィーバーとなりました。マスコミの過熱ぶりは次第にエスカレートし、ついに三浦の逮捕でようやく幕を閉じることとなりました。

しかし、事件が世間から忘れ去られた二〇〇三（平成十五）年三月六日、約二十年という歳月を経て三浦の〝無罪〟が確定します。

じつは「ロス疑惑」第一弾が掲載された『週刊文春』一九八四（昭和五十九）年一月二十六日号には「大物警察官僚のスキャンダル」記事が掲載される予定になっていました。スキャンダル記事掲載の動きを察知した当時の警察幹部たちは、「警察の威信にかかわる問題」として事態を深刻に受け止め、文春側に対して〝記事つぶし〟をねじ込みました。これに対し、文春側は交渉に応じ、最終的に警察側の意向を受け入れ、「大物警察官僚のスキャンダル」記事を没にすることを了承します。

このとき、文春側の求めに応じて没記事に代わる穴埋め記事として警察側が提供したのが「三浦和義事件」でした。

当時、アメリカのロス警察から警視庁に三浦夫婦が遭遇した銃撃事件について捜査協力の依頼とともに膨大な捜査資料が届いていました。『週刊文春』は警察が提案したこの事件を採用します。こうして、鳴り物入りで「疑惑の銃弾」シリーズが連載されることになったのです。

しかし、その「ロス疑惑」がじつは警察大物幹部のスキャンダル記事つぶしと引き替えに警察上層部が提供した〝プライバシー無視の捜査情報〟であったという可能性が世間に知られたのは十数年後のことでした。

「ロス疑惑」の是非については、ここでは語りません。

ここで語るのは、本来、『週刊文春』一九八四（昭和五十九）年一月二十六日号に掲載される予定であった〝没〟記事――「大物警察官僚のスキャンダル」についてです。

警視庁副総監を名指しで攻撃した怪文書

「ロス疑惑」との〝交換取引〟によって握りつぶされたスキャンダルの主人公は、「将来の警察庁長官」と嘱望され、警察庁の第十四代警備局長まで上りつめていた柴田善憲《しばたよしのり》警視庁副総監（当時）です。当時の警察内部の勢力事情について、作家の神一行《じんいっこう》は著書『警察官僚』（勁文社《けいぶんしゃ》、一九九四〈平成六〉年）で、次のように解説しています。

三井《みつい》（脩《おさむ》＝引用者注）が長官となり下稲葉《しもいなば》（耕吉《こうきち》＝引用者注）が警視総監となって、露骨なまでの派閥抗争が演じられた（略）

第10代長官三井（故人）は一貫して警備畑を歩み、〝公安の鬼〟との異名をもつ人物だった。（略）

当時の警察幹部は二つのグループに分かれた。（略）

（三井派は＝引用者注）警備、公安のエリート官僚が中心だった。（略）

三井派を取り仕切っていたのは、三井の〝懐刀〟といわれた福田勝一《ふくだかついち》警務局長。これが下稲葉とは犬猿の仲だった。（略）このとき下稲葉派の動向を逐一監視して、三井・福田に報告していたのが柴田善憲副総監（30年組・当時副総監）。彼は〝柴田CIA（アメリカ中央情報局＝引用者注）〟といわれたほどの人物で、公安関係の部下を使って秘密警察のように下稲葉の動向を監視した。総監室に出入りする者はもちろん、新聞社の派閥争いまで熟知していた。

こうした警察内部の軋轢《あつれき》を反映して、個人名こそ挙げていないものの、警視庁副総監を名指しで攻撃した〝怪文書〟が、一九八三（昭和五十八）年九月初旬、新聞各社の社会部長宛に送られました。『特別情報　東京レポート』（東京通信社）は同年十月十五日号で怪文書について、こう伝えています。

この怪文書は（略）ワープロでうたれた〝大見出し〟「警視庁副総監が公金横領――バレた時は金を返す、これで罪は消えるのか」ではじまり、『諸君！』九月号に掲載された鈴木卓郎《すずきたくろう》

（元朝日新聞警察担当記者で評論家＝引用者注）の一文をイントロに用いながら、

「この現職の副総監は、都内に屋敷を構え、八ケ岳《やつがたけ》に別荘を持ち、奥さんに一千万円のミンクのコートを着せ、自分は英国屋《えいこくや》で服を作らせ、いつも一流レストランで食事をしばしば高級トルコ風呂（現在のソープランド＝引用者注）にかよい、多額の賭けマージャンをし、ゴルフを楽しみ、愛人まで囲っている。給料だけで暮している普通の役人に、こんな生活が出来る筈《はず》がない。これを支えているのは警察の公金である。（中略）財源は全部が税金で、警察の秘密のカーテンの裏で作り出された不正経理の裏金である（後略、原文のまま）」

とつづく。（略）

そして怪文書は最後に「警察が内部を浄化して正義の組織を作れないのであれば、誰を頼りにしたらいいのか。検察庁にメスを入れてもらわなければダメなのか。マスコミに取り上げてもらわなければダメなのか。警察は、もう救い難い程腐りきっているのだろうか。国民の信頼に応えるために、一生懸命働いている我々を、これ以上絶望させないでもらいたい」とむすんでいる。

この怪文書が名指しする「警視庁副総監」が柴田善憲です。柴田は、東大法学部卒業後、一九五五（昭和三十）年に警察庁に入り、警備局公安三課長、同一課長、警視庁公安部長と一貫して公安畑を歩き、当時は警視庁副総監の立場にありました。

一九八四（昭和五十九）年九月二十一日、三井脩警察庁長官と下稲葉耕吉警視総監が勇退することを決め、政府、国家公安委員会に辞意を伝えて承認を求めました。「警察界トップのダブル退任」

は第六代の後藤田正晴長官と本多丕道《ほんだひろみち》警視総監が辞めた一九七二（昭和四十七）年六月二十四日以来のことでした。後任の長官には鈴木貞敏《すずきさだとし》警察庁次長、警視総監には福田勝一警察庁警務局長がいずれも昇格しました。

そして、怪文書で名指しされた警視庁副総監「柴田善憲」も、事前情報どおり、九月二十六日、第十四代警察庁警備局長に就任。本格的に「長官コース」を歩み始めていました。

その一方で、『週刊文春』の記者たちが取材に動き出していました。警視庁副総監を名指しした怪文書を原稿の〝叩き台〟にして裏づけ取材にもとづく新事実を加えた完璧な「文春砲」を仕上げ、新年特別号の〝目玉記事〟に据えていたのです。追加された新事実とは、柴田が民間人から外車の提供を受けていたことや、柴田夫人が民間企業から高級毛皮の提供を受けていたことなど柴田の周辺で金品の贈与が日常的に行われていたという内容でした。

誰も予想していなかったスキャンダル記事つぶしの〝代償〟

警察内部で熾烈な派閥抗争が展開されるなか、「『週刊文春』がスキャンダル記事を掲載」という情報を察知した警察上層部は焦ります。「これが報道され、現職の警視庁副総監が辞職に追い込まれるという事態にでもなったら、警察の威信にかかわる」として、なんとしても記事を〝つぶす〟ことを決定。極秘裏に文春側と交渉に入ります。

このとき、警察上層部が交渉役として頼ったのが「恩田貢《おんだみつぐ》」という人物でした。恩田について、捜査関係者用のマスコミ人ファイルには、次のように記録されています。経歴の一部を抜粋します。

昭和四年東京生まれ。早大《そうだい》政経学部卒、防衛庁職員を経て、昭和三十二年文藝春秋《ぶんげいしゅんじゅう》社の専属ライターとなり、のち同社に入社、気鋭のジャーナリストとして注目された。昭和四十一年第二次FXの機種選定をめぐる利権商戦で日商岩井《にっしょういわい》（現・双日《そうじつ》＝引用者注）側につき、F15を推す海原治《かいはらおさむ》防衛庁官房長（当時）を誹謗する怪文書を作成したことから同社を退社。

警察上層部の期待を一身に受けて交渉役となった恩田は見事にその役を果たします。恩田の尽力によって文春側は警察の申し入れに同意し、「警察大物幹部のスキャンダル」記事を〝没〟にすることを決めました。そして、差し替え記事として取引された「疑惑の銃弾」がマスコミで大フィーバーしたこともあって、「警視庁副総監」をターゲットにした怪文書の存在は世間から忘れ去られたのです。

こうして、警察組織総力を挙げての〝火消し〟は成功し、『週刊文春』のスキャンダル記事も完全に封印されてしまったかに見えました。

しかし、一九八五（昭和六十）年に鈴木貞敏に代わって山田英雄《やまだひでお》警察庁次長が警察庁長官に就任すると、柴田のスキャンダルは新長官の知るところとなり、柴田は警備局長就任の一年後に突然、近畿管区警察局長に〝左遷〟されます。

その柴田が、一九八七（昭和六十二）年四月、国鉄分割民営化とJR発足を受けて就任したのがJR東日本の初代「監査役」でした。警察庁を追われるかたちで新設の「天下りポスト」についたというわけです。

ちなみに、当時、警察庁からJR東日本側に柴田の〝不祥事〟は伝えられていません。

まさか現職警視庁副総監の〝スキャンダル記事つぶし〟の事実がJR支配を狙う革マル派に握られ、その後の警察の革マル派捜査に決定的な〝支障〟を来すことになるとは誰も予想していなかったのです。

すでにお気づきのとおり、ここから先の話は、第二章で語った革マル派によるJR支配の〝裏〟で起きていた出来事です。

松崎明の「偽装転向」を否定した元革マル派捜査のプロ

革マル派に支配され、戦後の労働運動のなかでもとくに過激な闘争を繰り広げた「鬼の動労」——その動労が国鉄の分割民営化に際し、それまでの態度を豹変して民営化賛成に「転向」したことは前章で述べたとおりです。

動労のこの変わり身は当時、「コペルニクス的転換」(コペ転)と呼ばれていました。方向転換を主導したのは革マル派の首領・松崎明です。この「コペ転」に対する評価は、マスコミをはじめ、政界も官界も総じて〝甘い〟ものでした。

そのような情勢のなか、筆者は一貫して動労の「偽装転向」説を主張していました。月刊誌『改革者』二〇一九(令和元)年八月号でジャーナリストの牧久はこう書いています。


「松崎の〝コペ転〟は偽装だ」と最初から見抜いていた雑誌があった。当時、「民主社会主義研究会議」の名前で発行されていたこの「改革者」である。同誌はJR発足直後の昭和六十三年六月号で「過激派の研究」を特集する。私は当時、この雑誌を入手、背表紙の変色した同誌を今も大事に所持している。この特集で「JRの裏支配を狙う革マル派の野望」と題した論文を書いた評論家・福田博幸《ふくだひろゆき》氏はその前文にこう記している。

「(革マル派は)他の新左翼と異なり、大衆運動主義をとらず、『組織建設第一主義』をとる根拠があり、決定的な革命情勢が到来するまでは力量の蓄積を図るという待機主義を基調とする。この運動論から必然的に勢力温存の特質が生まれる。当局との対決から一転して協調へ。動労運動路線のこの大転換も、松崎明の行動も、実はマスコミの反応を計算しつくした革マル戦術なのである。JR経営陣は労使関係が安定していることを宣伝しているが、それは砂上の楼閣ではないか。相手は正真正銘の極左過激派、革命集団なのだ」

福田氏はこの中で鉄道労連(後のJR総連)加盟各単組への革マル派活動家の進出状況を実名で指摘しているのである。(略)

この特集が組まれて三十年以上が経つが、その後のJRの労使関係を振り返れば、福田氏の指摘がいかに正鵠《せいこく》を射ていたかがわかるだろう。

しかし、「偽装転向」説は当時、ある人物の発言によって完全に否定されたのです。

その「ある人物」というのが柴田善憲でした。

JR東日本の初代監査役に就任した柴田は、どういうわけかJR東労組を支配し続けた過激派「革マル派」との関係を深め、終始警察捜査の〝妨害行動〟に出るようになりました。左遷がみずからの行動による「身から出た錆《さび》」にもかかわらず、自分を退官に追い込んだ〝古巣〟の警察組織を逆恨みしていました。そして、現職時代に自身が専門家として捜査対象にしていた革マル派を擁護する発言を繰り返したのです。

前出の牧久はJR東労組に君臨した革マル派の首領・松崎明の横暴ぶりを暴いた前出の著書『暴君』でこう記しています。

「東日本の経営者が柴田氏を招いたのは、JR東労組の松崎明らの革マル派対策だった」という。柴田監査役にいちばん期待を寄せていたのが、発足と同時に人事課長となり、革マルと対峙していた内田重行（故人）だった。（略）内田は松崎によるJR東日本支配を憂慮し、経営側の筋を通そうとして住田社長（当時）や松田常務（同）に再三、諫言《かんげん》したが、松崎と〝癒着〟した経営トップに警戒され、人事課長を外され関連会社などを転々とした後、JR西日本の井《い》手正敬《でまさたか》が京都駅ビル開発の役員で引き取った。内田の柴田善憲に対する期待は大きかったが、「就任後、一年もしないうちに柴田の態度は一変し、その後は、革マル派の〝ガードマン〟になった」と内田は周囲にこぼしていたという。

また、牧は同書で当時の警察現場の声も紹介しています。

警視庁公安関係者によると、「松崎は偽装転向だ」という情報を入手し、柴田に届けても、「松崎の転向は本物だ。JR東日本に治安上の問題はない」と繰り返し、松崎を弁護したという。

かつては取り締まる側の責任部署である警察庁警備局長経験者であり、〝公安のエキスパート〟である柴田の発言は重いものがありました。警視庁の現場捜査員がこの発言をひっくり返すには、より確実な証拠が必要になります。

柴田はJR東日本のグループ会社「ジェイアール東日本企画」の会長に就任するまでの八年間、JR東日本の監査役を務めています。このような裏事情から、公安警察は十年間にわたって「革マル派捜査の空白時代」が創出し、その組織的な弱体化が叫ばれる事態にまで陥りました。

柴田発言を真に受けた警察庁上層部によって革マル派捜査員の〝縮小〟も行われました。それでも現場の捜査員たちは歯を食いしばってJR東労組を牛耳る革マル派捜査の機会をうかがいましたが、確証をつかめないまま、十年あまりの空白期間が生じてしまったのです。マスコミをはじめ、世間の関心もすっかり薄れてしまいました。

革マル派のアジト摘発で発覚した柴田善憲と革マル派の関係

再び事態が動き始めたのは一九九六（平成八）年のことです。

警視庁公安部は革マル派の非公然活動家アジトである荒川《あらかわ》区の「綾瀬《あやせ》アジト」を摘発。続いて一九九八（平成十）年には練馬《ねりま》区の「豊玉《とよたま》アジト」、千葉県の「浦安《うらやす》アジト」などを次々と摘発しました。

同年一月十三日付『朝日新聞』は、「かぎ1万4000本、印鑑400個　革マル派アジトから押収」との見出しで、次のように報じています。

警視庁公安部は十二日、東京都練馬区内の革マル派非公然アジトを家宅捜索し、印鑑約四百個、かぎ約一万四千本など計約一万五千点を押収したと発表した。公安部は革マル派がこれらの印鑑やかぎを情報収集活動に不正使用していた疑いが強いとみて、特別捜査本部を置いて本格的な捜査に乗り出した。（略）

七日の捜索ではカセットテープとビデオテープ計五千数百本が押収され、この一部を分析したところ、電話のやりとりや室内の様子が記録されていることがわかった。このため公安部は、革マル派が今回押収されたかぎを使い、対立組織などに対する不正な情報収集活動を組織的に続けていた疑いが強いとみている。

また、印鑑は警視庁警察官らの住民票などを取得する際に使っていたとみられるという。

これらの捜索から、革マル派が警察のデジタル無線を傍受していたことや、電話の盗聴、住居への不法侵入などを組織的に繰り返していた実態が判明しました。とくに、豊玉アジトからは、偽装された警察手帳のほか、警察官の自宅に侵入するための鍵一万四千個、警察官の住民票をとるための印鑑四百個が発見されました。また、押収されたカセットテープやビデオテープを解析したところ、「警視庁の幹部同士の電話での会話や、警察庁と警視庁のやりとり」などが録音されていたことがわかりました。

記事にあるとおり、練馬区内の非公然アジト（豊玉アジト）からは膨大な量の物品が押収されましたが、そのなかには偽の警察手帳二冊、公安調査官の身分証明書四通、両関係者の名刺十九枚の

摘発された革マル派の浦安アジトから押収された通信機器

ほか、警視庁公安担当警察官約百人の住所を調べた資料ファイルなどもありました。

また、無線機、電話のやりとりや、室内の様子を盗聴、盗撮したと見られるカセットテープ、ビデオテープ等も見つかっています。

警察手帳や公安調査官の身分証明書は本物と見分けがつかないほど精巧なものだったそうです。

また、押収物のなかには、JR総連、JR東労組と対立関係にあったJR西日本労組委員長宅にあてた文書資料の複写物、国労本部書記長の電子手帳の内容を記したメモ、国労幹部の会話盗聴録音テープのほか、柴田JR東日本監査役とJR東日本本社勤労課幹部との内密会話、柴田と革マル派担当の公安警察実務者との盗聴録音テープまでありました。

前出『暴君』のなかで、牧は捜査関係者の話として、次のように記しています。

その中の一本に「柴田が警視庁副総監時代、彼のスキャンダルを摑《つか》み、取材を申し込んできた週刊誌にどう対応するか、相談している会話が録音されていた」(公安関係者)。

こうした押収物の分析から、柴田善憲は革マル派から「コウノトリ」というコードネームで呼ばれ、彼のスキャンダルが握られていたことが判明する。革マルはこうした情報をもとに柴田を脅し、意のままに動かそうとしたのだろう。これをきっかけに、公安当局は徹底的に柴田の身辺を洗った。捜査関係者によると「革マル派に関する捜査情報は柴田を通じ、JR東日本当局やJR東労組に筒抜けになっていた」のである。

JRがスタートして十二年後の一九九八(平成十)年、革マル派アジトの摘発によって、ようやく柴田と革マル派との関係が裏づけられ、警察と文春側の〝裏取引〟が発覚したのです。

革マル派の恐るべき組織力と技術力

筆者は現職記者時代、警察庁幹部から、「警察無線が過激派などに盗聴され、捜査に支障を来している。デジタル無線に切り替えたいのだが、予算がなくて困っている」との相談を受けました。そこでH代議士にお願いして国会で質問してもらったところ、予算化が実現したということがありました。こうして、警察のデジタル無線導入が実現したのですが、盗聴テープの発見によって、革マル派の「非公然盗聴部隊」は警察のデジタル無線が導入された初期段階からデジタル無線を盗聴していたことになります。

じつに恐ろしい話ですが、彼らの組織力と技術力の高さには驚嘆せざるをえません。そして、この革マル派の〝盗聴網〟にまんまと引っかかったのが柴田のスキャンダル記事の存在だったというわけです。

革マル派の首領・松崎明は、革マル派の盗聴部隊の働きによって、①公安畑のエース「柴田善憲」の金銭および女性スキャンダルの存在、②『週刊文春』による取材攻勢と記事化、③警察上層部による記事つぶしの事実――をすべて掌握していたことになります。一九八四（昭和五十九）年十月から十一月にかけての時期と想定されます。

そもそも革マル派は機関紙『解放』一九九八（平成十）年一月二十六日付第百五十三号で、「国家権力の打倒を目指す革命党が、国家権力の動向、動態を分析し、把握することは、絶対不可欠のことなのだ」という趣旨のことを公言しています。

革マル派の徹底した非合法調査活動と暗躍が垣間見《かいまみ》られた特徴的なケースがあります。

一九九五（平成七）年十二月二十四日、三人の男女が群馬県高崎市内のビジネスホテルに宿泊したところ、偽名宿泊で逮捕。いずれも革マル派活動家であることがわかり、所持品のなかから「無線送受信器」が見つかりました。このうちのひとりは都内で盗聴を行っていたとして、ほかの二人も不法に無線機を所持していたとして再逮捕されています。オウム真理教による地下鉄サリン事件が勃発したのはこの年の三月末のことで、当時は、ちょうど警察がオウム信者を目の色を変えて追いかけていた時期でした。逮捕された革マル派の三人は、その捜索の網に引っかかったというわけです。

彼らの行っていた盗聴は、都内豊島《としま》区駒込《こまごめ》一丁目先の電話線にＦＭ波で送信する発信機を設置し、約八十メートル離れた路上に停車中の乗用車内で通話内容を受信していたというものでした。盗聴されていた電話の持ち主は旧鉄労の清算組織「鉄労友愛会議議長」の瀬藤功《せとういさお》です。

当時、JR東労組では革マル派支配に反発した旧鉄労組合員たちが脱退し、新労組「グリーンユニオン」を結成した時期で、その「グリーンユニオン」を支援していたのが鉄労友愛会議でした。瀬藤議長に対する盗聴は「革マル派が新労組結成の動きを探るため」とマスコミに報じられました。同年十月ごろから十二月中旬まで盗聴が続けられていたといいます。

また、一九九八（平成十）年の豊玉アジト摘発と同時期には北陸でもアジト二カ所が捜索を受けています。これらのアジトからは、フロッピーディスク、金銭出納帳、機関紙等のほか、現金一千万円、預金通帳が見つかり、活動家が逮捕されました。

革マル派の非公然組織が恒常的に非合法な調査活動を行っていたことが、革マル派アジトの摘発によって裏づけられたのです。

官邸にまでおよんでいた革マル派の潜入工作

一九九九（平成十一）年一月に公安調査庁が発表した『内外情勢の回顧と展望』（公安調査庁が毎年発表している国内外の治安情勢をまとめた報告書）は、「革マル派は（略）労働運動の分野では、最大の牙城といわれるJR東労組において、（略）浸透が一段と進んでいる」と指摘しています。

しかし、当時、革マル派が侵出していたのはJRだけにかぎった話ではありません。

じつはNTT（日本電信電話）にもその魔の手が広がっていたのです。

同年十二月二日、「NTT顧客データ流出事件」関連で革マル派本部に「業務上知りえた情報」を違法に提供したとして、NTT社員ら二人が逮捕されました。この二人は元国鉄職員で、一九八七（昭和六十二）年の分割民営化にともない国鉄を退職してNTTに再就職した「元動労青年部」の組合員です。二人が盗み出したデータはJRの経営幹部、組合幹部や革マル派と対立するセクトの幹部らの発信記録などでした。

このNTT社員逮捕事件は、国の重要施策であった「国鉄改革にともなう余剰人員の公的部門への受け入れ」を革マル派が巧みに利用して、革マル派活動家を基幹企業等に拡散潜入させていたことを証明しています。

同時に、それは松崎の先見性、戦略性を見事に物語っているともいえるでしょう。

公安調査庁の二〇〇〇（平成十二）年度版『内外情勢の回顧と展望』では、NTT社員逮捕事件について、「NTT内革マル派活動家の逮捕は、同派が重要基幹産業に活動家を送り込み、情報収集に当たらせていることを示した」と報告しています。

当時、政府は「国鉄余剰人員雇用対策本部」を設置し、国および地方公共団体などの公的機関で約三万人の受け入れを決めていました。

この政府の方針を踏まえて、国鉄当局は「余剰人員対策三本柱」を労組に提示。国労は真っ向から反対しましたが、松崎率いる動労は〝積極的に協力〟し、他企業への出向や政府および地方自治体に動労組合員を送り込みました。

動労革マル派は協力を装い、活動家を意図的に潜り込ませていたのです。当時、革マル派活動家の潜入は官邸にまでおよんだとの証言もあります。その実態が十年後に発覚したことになります。

今こそ「柴田善憲」問題にケジメを

前章で述べたとおり、国鉄からＪＲへの民営化移行後、ＪＲ東日本は三十年にわたって革マル派に裏で支配されることになりました。

とくに国鉄分割民営化以降の約十三年間は革マル派関連の議論をすることすらＪＲ東日本社内では厳禁となっていました。また、同時期には、革マル派を取り締まる警察当局も柴田善憲「ＪＲ東日本初代監査役」の存在により、革マル派捜査の「空白の十年」が続いていました。ＪＲ東日本経営陣にいたっては、なすすべなく、革マル派の非公然部隊の盗聴におびえる日々を送っていました。過激派組織が非合法な手段を駆使して大企業を裏で支配し、公権力でさえもそれを止められないという、きわめて異常な事態が長期間続いていたというわけです。

この革マル派支配を許してきた最大の要因こそ、「松崎の転向の正当化」です。

当時から「偽装転向」説が唱えられてきたなかで、それを否定する大きな根拠となったのが、柴田の「松崎の転向は本物で、革マル派の脅威はない」という発言でした。

柴田が革マル派にみずからのスキャンダルを握られ、脅迫されてきたという事実に照らしてみれば、松崎は「転向声明」を出した時点ですでに「偽装転向」説への対策を完了していたのかもしれません。つまり、「松崎の転向は本物だ」と強弁しても説得力のある「元公安のエキスパート・柴田善憲」というカードをしっかり握ったうえで、「偽装転向」をしかけたのではないかというわけです。

それにしても、松崎に脅されていたとはいえ、柴田の行動と発言は、警察ＯＢとして明らかな裏切り行為であり、犯罪的行為です。このまま柴田が断罪されないとなれば、警察キャリア組に対する国民の信頼が失墜するのは明らかでしょう。

加えて、警察幹部同士がいかに無防備なやり方で連絡を取り合っていたのかも、革マル派の盗聴によって実態が明らかになりました。

キャリアOBに対するチェック機能の脆弱性《ぜいじゃくせい》と、彼らが問題を起こしたときのことなかれ主義は危機的ですらあります。

とくに柴田の行動に疑問も持たず、「革マル派の用心棒」になりはてたかつての指揮官のもとに監査スタッフの名目で次々と昔の部下だった公安畑のOBを送り込み、今や百人に迫る大軍団を構築して現職捜査員の脅威になっている現実を放置してきた歴代警察庁幹部の責任は重大です。しかも、革マル派の脅威は当時から、なんら変わることなく今日も続いています。

警察官僚のインテリジェンス感覚の欠如は目を覆うばかりです。「組織あっても国家なし」と世間でいわれている警察官僚に対する批判を真摯に受け止めるべきでしょう。

また、「お金あっても正義なし」というキャリア組に対する現場警察官からの批判に対しても、その批判を象徴する「柴田善憲」問題にケジメをつけることによって現場警察官のやる気の回復を図れるものと推察します。警察庁長官の勇断を望みます。

最悪の言論封殺、『週刊文春』キヨスク販売拒否事件

柴田をスキャンダル報道から救った『週刊文春』は十年後、JR支配を強める革マル派の実態を暴く記事を特集しました。しかし、松崎の意向を受けたJR東日本会社によって「キヨスクでの販売拒否」という〝言論封殺〟の被害にあいます。

中心となって実行したのは当時の総務部長でしたが、それを黙認し、援護したのが「監査役」の柴田でした。『週刊文春』はかつて記事差し替えによって救った人物によって「販売拒否」という手痛い報復を受けることになったのです。

ここからは、その言論封殺事件の顚末《てんまつ》について語っていきます。

『週刊文春』一九九四（平成六）年六月二十三日号（六月十六日発売）で「JR東日本に巣くう妖怪」と題する連載記事が始まると、JR東日本管内にある駅のキヨスクに同誌が一冊も並ばないという異常事態が起こりました。記事の内容にJR東労組が強く反発し、「キヨスクでの販売拒否」という信じられない行動に出たのです。

『週刊文春』の当時の実売部数は約七十五万部。そのうち約十一万部がJR東日本管内のキヨスクでの売上でした。当然、『週刊文春』にとっては大きなダメージです。この異常事態は三カ月も続きました。

記事の筆者はルポライターの小林《こばやし》峻一《しゅんいち》で、『週刊文春』の取材班とともに約半年間の取材を続け、連載にいたりました。

第一回の記事は、「松崎＝革マル派」疑惑に触れ、「JR東労組委員長・松崎明」のもうひとつの顔である「革マル派の首領」としての一面をくわしく記したものです。

第二回は、「松崎明東労組委員長への重大疑惑」の特集でした。「あるスキャンダルにからんで右翼団体による攻撃に手を焼いたJR東日本は、その解決に現金を渡す工作をした。その工作を行ったのが当時の総務部長・花崎淑夫で、現金を捻出したのが松崎明労組委員長だった」という内容で、「この一件は警視庁捜査四課が知るところとなり、関係者の事情聴取が行われた。しかし花崎総務部長もN代議士秘書もかたくなに口を閉ざしたため、立件されることなく、事件は闇から闇へ葬り去られたのである」としています。

小林ら取材班は、連載開始前にJR東日本の住田会長や松田社長にインタビューを申し込みましたが、「応じられない」と拒否されました。それどころか、六月に入るとJR東日本側から「掲載中止」を要請されてしまいます。文春側がこれを拒否すると、JR東日本側は六月十三日、文春側に対して、「車内の中吊《なかづ》り広告の掲載拒否」や「JR東日本管内キヨスクでの『週刊文春』販売拒否」「鉄道弘済会《こうさいかい》と文藝春秋との取引破棄」を一方的に通告してきたのです。鉄道弘済会は、おもに社会福祉事業を手がけている公益財団法人ですが、当時はJR駅構内の売店への新聞、雑誌の取次（卸売り）も独占的に行っていました（現在は撤退）。

この措置に対し、文春側は六月十七日、JR東日本と鉄道弘済会を相手取り、「販売妨害の禁止」と「契約破棄の無効」などを求める仮処分を東京地裁に申請します。七月二十二日、東京地裁は文春側の主張を認め、販売再開を求める仮処分が決定しました。

ところが、JR東日本側は東京地裁の決定を事実上、無効にする挙に出ます。

キヨスクは『週刊文春』が配送されても荷ほどきをせず、店頭に並べなかったり、並べたとしても読者の目に触れないよう故意に奥のほうに配置したりするなどの「販売のサボタージュ」を行ったのです。

さらに、JR東日本は七月四日、文藝春秋や小林を相手取り、一億円の損害賠償と謝罪広告を求める民事訴訟を東京地裁に起こします。

小林が第一回連載で、松崎の動向について「JR東労組の定期大会で委員長辞任の見通し」と書いた記事に対し、松崎はそれを逆手にとり、群馬県の水上《みなかみ》温泉で開催された定期大会で代議員たちに周到に根回しをして、突然辞任をとりやめ、委員長のポストに居座りました。そのうえで、「虚偽の記事で名誉を傷つけられた」として、文藝春秋と小林に五億一千万円の損害賠償と謝罪文掲載を求める訴えを東京地裁に起こしたのです。

内容が意に沿わないからといって流通を規制し、販売拒否をするのは「重大な言論封殺」だといえます。JR東日本という公共交通機関が、労使一体となって販売を拒否して言論封殺を行ったうえ、巨額な損害賠償を請求して圧力をかけるという暴挙に出たのです。

言論封殺のしかけ人・花崎淑夫

花崎淑夫

一九九四（平成六）年九月十四日、文藝春秋の専務・安藤満《あんどうみつる》とJR東日本の取締役総務部長・花崎淑夫とのあいだで最初の話し合いが持たれ、会談は計五回におよびました。そして、記事掲載が終わってから三カ月後の十一月十日、文春側は突然、JR東日本労使に白旗を揚げます。

文春側の〝全面降伏〟でした。

翌十一日には「和解」が成立します。JR東日本管内の全駅での「販売拒否」は青森から神奈川までの東日本全域のキヨスクから『週刊文春』だけが毎号消えることを意味しました。その期間が長引けば長引くほど文藝春秋の経営には致命傷となります。

そして、この「キヨスク販売拒否事件」以後、JR東日本の革マル派支配による労使関係の〝異常さ〟に触れることはマスコミ界でタブー視されることになります。

「JR東日本の労使関係についての批判は絶対に許さない」とばかりにJR東日本管内のキヨスクから『週刊文春』を三カ月にわたって〝全面排除〟するという「平成最大の言論封殺」をしかけたのは誰だったのでしょうか。

ジャーナリストの牧久は著書『暴君』で、次のように記しています。

鉄道弘済会やキヨスクを管轄する「JR東日本キヨスク」に対して強力な圧力をかけられる立場にいたのが、この年の六月に取締役総務部長に就任したばかりの花崎淑夫という人物である。彼がJR東日本社内で「もっとも強硬にキヨスクでの週刊文春の販売拒否を主張した」と言われ、文春側との〝交渉役〟を務めた。

花崎は連載第二回「松崎明東労組委員長への重大疑惑」の登場人物のひとりでもありました。『週刊文春』の記事に過剰反応をしたとしても不思議はありません。記事には、JR東日本をめぐるスキャンダルをネタにある右翼団体が同社と松崎に対して攻撃を始めたとき、花崎はN代議士を通じて、ある警察OBの紹介を受け、この男の仲介によって右翼団体に現金を渡して攻撃を中止させたと記されています。

『週刊文春』は、この記述を〝全面降伏〟後も「訂正」していません。記事に裏づけがあったのでしょう。

松崎明のJR東日本支配を完成させた「内なる総会屋」

革マル派の首領にしてJR東労組委員長の松崎明みずからが「どうしてもJR東日本の社長にしたかった」といってはばからなかった人物――それが花崎淑夫でした。

花崎は、一九四六（昭和二十一）年、静岡県富士《ふじ》市生まれ。県立清水東《しみずひがし》高校を経て東大法学部に入学。一九六八（昭和四十三）年、国鉄に採用され、名古屋鉄道管理局などを経て、一九七八（昭和五十三）年に本社職員局職員課の総括補佐となりました。国労、動労など労組との交渉窓口です。このポストについていた四年のあいだに当時、動労の東京地本委員長だった松崎と深い関係になりました。花崎が総括補佐四年目に入ったころ、のちにJR西日本社長となる井手正敬が職員の人事を統括する秘書課長に就任し、花崎の上司となりました。以下、前出『暴君』にある井手の回想談です。

ある日、秘書課長の井手を警視庁公安部の捜査員が訪ねてきた。

「松崎明と花崎淑夫のふたりは毎晩のように銀座《ぎんざ》で飲み歩いている。ふたりは銀座で有名人だ。そういう金をあなた方国鉄は勝手に使わせていてよいのか」

警視庁は〝革マル派の松崎〟を監視するなかで、国鉄幹部である花崎との深い関わりに疑問を感じ、井手に事情を聴きにきたのである。

「そんなことはない。ちゃんと理由があるものしか認めていない」

警察当局は「あのふたりはあまりに派手なので、銀座ではちょっとした有名人になっている。われわれはどういう金がどこから出ているのか追っているのだ」と事情を説明した。「それは私のほうで調べてキチンと対応しますから」井手はそう言って、捜査員に引き取ってもらった。

職員課のあとは国鉄パリ事務所への異動を希望していた花崎でしたが、国鉄当局もさすがに警察にマークされている人物を海外に出すわけにはいきませんでした。その後、花崎は海外技術協会という外郭団体に出向。二年後には大阪・天王寺《てんのうじ》の駅ビル開発会社へと出向先が変わりました。花崎にとって屈辱的な左遷時代が続いたのです。

花崎は井手に深い恨みを抱くとともに、その一方で本気で松崎を頼りました。再び井手の回想談です。

国鉄分割・民営化後のJR新会社への配属について、当初の秘書課の人事案では、花崎の行先は「JR東海自動車部」となっていた。それを「松崎が聞きつけたのか、花崎が頼み込んだのかはわからない」が、松崎が井手にこう頭を下げてきた。「とにかくいろいろの不祥事があったと思うが、今後、迷惑をかけないから、会社の本流でなくてもいいけど、JR東日本に置いてやってくれ」。国鉄分割・民営化は最終段階を迎えていた時期である。動労を当局側の手の内に取り込んでおく必要もあった。井手は一緒に国鉄改革を進めてきた松田昌士に相談する。

（略）

松田は「彼の行状の悪いのはわかっているが、この程度の松崎の言い分には付き合いましょうや」。（略）花崎はJR東日本の自動車部総務課長となった。「その後、花崎は松崎のエージエントとなり、花崎を通さない限り、松崎の意向が伝わらないようになってしまい、JR東日本ではどうしたって花崎を重用しなければならなくなった」と井手は述べている。

ＪＲ東日本発足の二年後、花崎は「関連事業部」の事業開発担当部長となります。このころ、新宿駅東口の駅ビル「新宿マイシティ」（現・ルミネエスト新宿）をセゾングループの堤清二《つつみせいじ》が買収しようとしていました。事業開発担当部長の花崎は、先頭に立って堤グループと対峙し、買収計画を阻止。その功績をＪＲ東日本の住田社長から高く評価され、ＪＲ東日本本社の取締役総務部長という重要ポストに抜擢されます。

じつは、この買収計画はセゾングループの派閥争いに乗じて花崎が持ちかけたもので、それをみずから阻止するという〝マッチポンプ〟だったことが後日、判明しています。

こうして、松崎は住田の手を借り、「革マル派のエージェント」である花崎を会社の中核となる総務部長ポストに就任させることに成功しました。いわば総会屋の手先が企業の総務部長に就任したわけですから、松崎のＪＲ東日本支配は完璧なものとなりました。「内なる総会屋」が役員の動きをチェックし、逐一松崎に報告するというシステムが確立したのです。

『週刊文春』のキヨスク販売拒否事件は、こうした「外なる総会屋」（革マル派）と「内なる総会屋」（花崎）の合作によって「革マル派隠し」を徹底し、会社そのものが前面に出て「労使関係」に触れる者に対する〝抹殺作業〟を推し進めることになります。

「言論の自由の危機」というＪＲ東日本への批判に対し、松崎のエージェント・花崎は「キヨスクで何を売ろうが、売るまいが自由だ」といい放ち、「キヨスクには公共性はないと思っている」とまでいい切っていました。

「JRの妖怪」が中止に追い込んだ「リーダー研修」

『週刊文春』キヨスク販売拒否事件には後日談があります。

一九九七（平成九）年、JR東日本は「将来の職場のリーダーとなる社員の育成を目的」として「リーダー研修」をスタートさせました。毎年二回に分けて一回百人、二年間で四百人が受講する計画でした。

この研修にJR東労組・松崎会長（当時）がかみつきます。「リーダー研修そのものに問題がある」とし、「即時中止」を求めたのです。

その原因となったのが、前年に出版された小林峻一の著書『JRの妖怪　かくて男は巨大組織に君臨した』（イースト・プレス）でした。いうまでもなくキヨスク販売拒否事件の原因となった『週刊文春』の連載をもとにした本であり、JR東労組松崎会長の革マル派からの転向に疑問を投げかけ、労組運営の非民主性を批判したものです。

研修受講者だった大卒のひとりが「『JRの妖怪』という本を読んでみろよ」とほかの受講者に渡し、それが受講者のあいだで回し読みされました。さらに、リーダー研修受講者と大卒社員の飲み会の席で、「松崎のいっていることは革マルのいっていることと同じだ」などの発言もあったといいます。

JR東労組はこれらの研修参加者に対して「組織破壊者」として厳しい追及を行いました。会社との団交で、労組側は「リーダー研修はJR東日本会社トップの意向に背く結果を確実に生み出している。国鉄改革の功労者、住田会長、松田社長、松崎委員長の偉業を傷つけるような者を放置しておくべきではない」と抗議したのです。筆者が当時、取材で入手した団交の交渉記録にはそれらのやりとりが記されているのですが、そこからは団交当事者である清野智人事部長や部下の教育担当幹部は「リーダー研修」関係者をかばい続けており、悪戦苦闘した様子が読みとれます。

そうしたなか、松崎会長は「私は絶対に許さない。断固として闘い抜く」と吠《ほ》え、松田社長も「これまでの労使関係にひびを入れようとする者と闘う」とこれに応じました。そして、松崎が吠えた一カ月後の十月二十三日、「将来の幹部育成」という重要な目的を持つ「リーダー研修」は、組合の要求によって「中止」となってしまったのです。

松崎の真の〝標的〟は特定の幹部にありました。

それはリーダー研修を推進していた当時の労務、教育責任者であった大塚陸毅副社長（のちの社長）と清野人事部長です。先の松崎発言は、〝思うとおりにならない二人〟に対する揺さぶりであり、あわよくば二人の失脚を狙ったものでした。

このリーダー研修中止以降、「すべての職場で無法がまかり通るようになった」と関係者たちは証言しています。具体的には、職場の事務室で組合の檄布《げきふ》、寄せ書きが貼られ、署名活動などが公然と行われるようになってしまったというのです。

余談ながら、小林は『ＪＲの妖怪』執筆中の一九九六（平成八）年二月、鎌倉《かまくら》の自宅に賊が入り、取材メモや取材協力者等の名刺、フロッピーディスクなどを盗まれる被害にあっています。捜査関係者によれば、ほとんど外出しない小林がたまたま電話で約束した場所に出かけた隙を狙われたそうです。奇妙なことに、金目のものにはまったく手がつけられておらず、事件後、盗品に関連する怪文書が関係者に郵送されたといいます。被害者である小林は「犯人は（略）高度の組織性が窺《うかが》われる。（略）ＪＲとなんらかの関連性を有する組織であることは疑いようがないだろう」（『世界』一九九六〈平成八〉年十二月号）と述べています。

会社の〝恥部〟を握る松崎明と〝用心棒〟柴田善憲の最凶コンビ

国鉄時代は規制され、民営ＪＲになって大きく変わったものが四つあります。

一つ目は運賃値上げが自由にできること。二つ目は役員報酬を自由に決められること。三つ目は宣伝が自由にできること。そして四つ目は政治献金が自由にできることです。

この政治家への献金を担当し、采配するのが「総務部長」の仕事のひとつでした。花崎は総務部長ポストを最大限利用して松崎のための政治工作を活発に展開していきます。

松崎がＪＲ東日本における自身のポジションと革マル派組織の〝温存〟のために最も期待した人物が花崎でした。松崎に期待され、〝影武者〟の役割をも担った花崎がまず手がけたのは「東日本ときわ会」の私物化です。

「ときわ会」は自民党の職域支部です。にもかかわらず、花崎は当時、小沢一郎《おざわいちろう》らが自民党を離れて新生党《しんせいとう》、新進党《しんしんとう》を結成していった「反自民党」の動きに肩入れし、小沢を中心に側近の藤井裕久《ふじいひろひさ》、杉山憲夫《すぎやまのりお》らに積極的に資金支援を行いました。のちにＪＲ東労組は小沢との関係を深めることになりますが、そのきっかけをつくったのが花崎だったというわけです。

自民党職域支部（特定の職業によって組織される自民党の支援団体）である「ときわ会」の金を他党に資金流用するのは明らかに違反行為であり、背信です。特定政治家のパーティー券の大量引き受けもあり、当時、推定六億円前後の「目的外使途」が行われたと関係者はいいます。

革マル派がＪＲ東日本の経営支配を狙った目的には活動資金としての〝裏金づくり〟がありまし

た。その資金調達に総務部長を中心とする経営幹部が加担していたのがJR東日本の最大の特徴です。政治家のパーティー券の割り当て購入、新聞購読、書籍、雑誌の割り当て、果ては関連企業に割り当てた裏資金の捻出まで総務部長の指揮のもとに実行されていました。これらの活動は、表面的には「経営陣の指示」によって行われていましたが、JR東日本を裏で支配する松崎と花崎の合議のもとに行われていたというのがその実態でした。

したがって、松崎のもとにはJR東日本経営陣のさまざまな〝後ろめたい情報〟も筒抜けとなり、JR東日本の〝恥部〟として掌握されることになったのです。かつての企業総会屋まがいの手法だといえます。

金、女性、酒にまつわる〝弱み〟などとにかく相手の弱点を探す。それにつけ込んで相手をさんざん恫喝したあと、「革マル派の意向」を「JR東労組会長・松崎明の意向」として表示する。相手が従わなければ「松崎の意思、意向を否定するのか!」と相手を脅迫して従属させる——こうした手口によってJR東日本の関連会社の役員、グループ企業の経営トップクラスが革マル派の〝餌食〟にされ、不当かつ過大な裏金造出を強いられていました。

それに歯向かおうにも、JR東日本社内では柴田善憲「監査役」ら警察官僚OBが松崎らJR革マル派勢力の〝用心棒〟としての役割を果たしていたのです。「当時はただただ泣き寝入りするしかなかった」と嘆く声が筆者のもとにも多く聞こえてきました。

公明党にも食い込んでいた革マル派の政界工作

二〇一〇(平成二十二)年十一月十三日、東京・霞《かすみ》が関《せき》の「霧山《かざん》会館」において「JR東労組推薦議員等懇談会第五回総会」が開催されました。代表世話人は民主党国対委員長の山岡賢次《やまおかけんじ》。山岡は挨拶で「政権交代実現への支援協力に感謝し、相互提携を図る」と述べ、小沢派とJR東労組との相互連携を内外にアピールしました（同総会に参加した国会議員は三十人、地方議員は五十人）。

また、同年十一月二十一日には革マル派組織のひとつである「国際労働総研」主催のJR総連、JR東労組の役員活動家を対象としたセミナーで小沢の指南役といわれる平野貞夫《ひらのさだお》が講演を行っています。このことは革マル派が支配するJR東労組が民主党、とりわけ小沢グループに集票、集金支援する協力団体として多大な貢献をしている事実を内外に示したものとして注目されました。

JR総連が支援する国会議員は二〇一五（平成二十七）年九月三日時点で四十六人。そのうちの大多数は民進党三十四人と生活の党四人の三十八人だが、そのほかに公明党の四人も加わっています。JR総連は公明党の支援労組としても名を連ねているからです。

創価学会《そうかがっかい》を母体とする宗教政党である公明党は、世間から「学会政党」といわれるのを嫌い、大衆政党を装うために、労働組合の支援も受けているというかたちにこだわりました。その公明党の〝弱点〟に食い込んだのが「革マル派」だったというわけです。

松崎は与党でもある公明党に食い込むために当時、委員長（党代表）でありながら選挙に弱かった東京十二区選出の太田昭宏《おおたあきひろ》に狙いを定め、JR総連、JR東労組、革マル派票で太田を支援して、当選をたしかなものにしました。

安倍政権下で国土交通大臣も歴任した太田の〝使い道〟は大きいものがありました。

旧全施労（全国鉄道施設労働組合＝国労から脱退した施設関係組合員らが一九七一〈昭和四十六〉年に結成した組合。のちにJR総連に合流）から動労に移籍し、二〇一五（平成二十七）年に退任した元

ＪＲ総連通信

レールウェイはヒューマンウェイ

田城 郁

2013年3月4日 №1076

全日本鉄道労働組合総連合会（ＪＲ総連） http://www.jr-souren.com

太田国土交通大臣と会談！

東日本大震災 ３．１１の教訓

「ＪＲ東日本の奇跡を生んだ組合員の声」手渡す！

これに対して太田国土交通大臣は、

すべて組合員の声ですね、これは貴重な資料ですね。災害時の経験を活かし、さらには拡大するための実践と努力に感心しました。ＪＲ総連・ＪＲ東労組は震災復興ボランティアにも、いち早く取り組んでいたことも知っています。私たちも「経験者の声」を参考にして、今後の対策に活かしていきたい。　との、激励の言葉をいただきました。

3月2日、ＪＲ総連武井委員長　荻原副委員長　ＪＲ東労組石井副委員長３名で、太田国土交通大臣を表敬訪問した。その主旨は、災害に強い鉄道を目指して政策提起を行っているＪＲ総連・ＪＲ東労組への今まで以上の理解と、ＪＲ東労組が作成した「ＪＲ東日本の奇跡を生んだ組合員の声」の本・ＤＶＤを手渡し「安全確立」のための協力を求めた。

革マル派の政界工作は
公明党・太田昭宏議員に狙いを定めていた

ＪＲ総連委員長・武井政治は公明党にとくに深いパイプがあり、大臣室にたびたび太田を訪ねています。

革マル派の政界工作は、政党、勢力に区別なく、あらゆる方面にしかけられていたのです。

革マル派が重視したマスコミとのつながり

革マル派は、永田町《ながたちょう》、霞が関、桜田門《さくらだもん》、マスコミを含む内外の情報媒介者を育成し、大切に扱ってきました。なかでもマスコミ関係者とのつながりはとくに重要視しています。
TBSの報道番組「NEWS23（ツースリー）」のメインキャスターを務めていた岸井成格《きしいしげただ》も、じつは革マル派とつながりのあった人物のひとりです。

ウィキペディアによると、岸井は一九四四（昭和十九）年八月生まれで、慶應義塾《けいおうぎじゅく》大学卒業と同時に毎日新聞に入社し、おもに政治畑を担当してきました。特別編集委員、主筆などを務めた経歴があります。慶大の卒論ではレフ・トロツキー（レーニンとともにソ連共産党を指導したロシアの革命家。世界革命論などの思想で新左翼運動に影響を与えた）について論じ、左派評論家の佐高信《さたかまこと》とは大学時代のゼミ同期で親しい間柄だったそうです。毎日新聞では政治部のボス・岩見隆夫の門下生扱いで、岩見とともに保守系政治家の御意見番を自認していました。ちなみに、岸井の「師匠」岩見の長男は早稲田《わせだ》大学革マル派全学連の委員長を務めた経歴を持っています。

岸井成格

岸井が革マル派との関係を深めたのは一九九五（平成七）年ごろからで、松崎のシンパとなってJR総連が進める環境活動に協力しました。また、松崎ら革マル派が設立したNPO（非営利団体）法人「森びとプロジェクト委員会」の代表にも就任しています。「森びとプロジェクト委員会」は、JR革マル派の資金によって設立した「革マル派の別動隊組織」で、同法人を実質的に取り仕切っている副理事長・高橋佳夫は歴然とした革マル派活動家です。事務局もJR革マル派の影響下にあるスタッフで占められています。

ところで、岸井といえば、二〇一五（平成二十七）年九月十六日放送の「NEWS23」で、メインキャスターという立場にありながら、「メディアとしても（安保法案の）廃案に向けて声をずっと上げ続けるべきだ」と発言し、物議をかもしたことで知られています。この岸井発言が放送法第四条違反であるとして、同年十一月十五日付の全国紙に「私たちは違法な報道を見逃しません」と題する意見広告が掲載されたのをご記憶の方も多いことでしょう。放送法第四条は、放送事業者に対し、放送番組の編集にあたって「政治的に公平であること」や「意見が対立している問題については、できるだけ多くの角度から論点を明らかにすること」などを求めています。抗議の意見広告の呼びかけ人には、作曲家のすぎやまこういちをはじめ、渡部《わたなべ》昇一《しょういち》、渡辺利夫《わたなべとしお》、ケント・ギルバート、上念司《じょうねんつかさ》、小川榮太郎《おがわえいたろう》らが名を連ねました。

ようするに、政治的に中立的であるべき報道番組において安保法制廃案を一方的に訴えた岸井発言は〝偏りすぎ〟だと糾弾されたというわけです。しかし、この岸井発言も、彼と革マル派のつながりを踏まえれば、背景にあるものが見えてくる気がします。

松崎とマスコミとのつながりについても少し触れておきましょう。

二〇〇一（平成十三）年十二月、松崎は著書『鬼の咆哮《ほうこう》　暴走ニッポン』（毎日新聞社）を出版していますが、その直後にJR東日本の本社から「一月から毎日新聞をとれ（購読）」との秘密指示が出たそうです。その「秘密指示」はJR東日本の関連会社も含め、全現場長に対して発せられ、グループ全社で五千部購読協力したといわれています。

五千部×年間約五万円で、じつに二億五千万円の〝資金協力〟です。

著書が出版される二カ月前の同年十月四日には、大手新聞の記者やOBが集まり、マスコミ関係者による松崎の応援集会「松崎さんを囲む会・勇気と元気を出そう会」が催されました。会場になったJR東日本本社には関係者およそ五十人が集まり、毎日新聞や読売新聞の幹部が次々と挨拶に立ったといいます。

その光景に象徴されるように、松崎を「革マル派の首領」と承知のうえで松崎に手を貸してきたマスコミ関係者のインテリジェンス欠如の罪は重いといわざるをえません。

保守勢力と統一教会を利用して「偽装転向」を既成事実化

JR支配を企てた革マル派の潜り込み戦略が「偽装転向」によってなされたことは、何度も繰り返し述べてきたとおりですが、それに関連して、革マル派の「保守勢力を利用した工作」の巧妙さについても触れておく必要があります。これもまた、インテリジェンス感覚の欠如した政界とマスコミが左翼勢力に手玉にとられた実例として、その手法を記録しておかなければなりません。

動労本部の委員長となり、国鉄当局と「労使共同宣言」を締結した松崎は、一九八六（昭和六十一）年春ごろから、みずからのイメージを変えるために自民党の機関誌『自由新報』に登場し、「転向」を印象づけるために国労批判や日本共産党批判を繰り返しました。

同年四月二十九日付『自由新報』は、「かつて〝鬼の動労〟と呼ばれ、戦闘的労働組合の象徴ともいわれてきた動労。いま、その動労は、はっきりと方向転換し、労使共同宣言を締結、国鉄改革へ積極的に取り組んでいる。なぜ動労は変わったのか、そしていま、なにをめざしているのか。『過激派の大立者』などといわれたことさえある松崎委員長に聞く」というリードで始まる松崎のインタビュー記事を掲載しています。明らかに読者である自民党の政治家や党員、支持者たちを意識しての誌面登場でした。

松崎はさらに行動をエスカレートさせ、『世界日報』にも登場します。『世界日報』は商業新聞を装っているものの、反共団体「国際勝共《しょうきょう》連合」（母体は統一教会）の機関誌です（関連会社の世界日報社が発行）。右派系学者たちをはじめ、保守系の人々に幅広く購読されてきました。

国際勝共連合は、自民党有力議員に多くのボランティアの秘書を送り込み、大きな影響力を持っています。『世界日報』誌面への登場は、世間に「松崎の転向」を強烈に印象づけ、マスコミ対策上、決定的に成果を挙げました。『世界日報』記者のインタビューに際して、松崎は同社の記者を動労本部の三役室に迎え入れていますが、その部屋の机の上には日章旗が置かれていたといいます。

松崎のイメージチェンジ戦略は見事に成功しました。

『文藝春秋』同年四月号は、「鬼の動労はなぜ仏になったか」とのタイトルで、国鉄改革に取り組んだ政治評論家・屋山太郎との対談記事を掲載。産経新聞社の雑誌『正論』は同年十月号で「昨日の友は今日の敵　国労を潰し、総評を解体する」との松崎論文を掲載しました。こうして、松崎と動労の「偽装転向」は既成事実化し、本当に転向したものとして世間にまかり通り始めたのです。

松崎のイメージチェンジに貢献した二人のキーマン

松崎のイメージチェンジに決定的な役割を果たした『自由新報』『世界日報』への〝橋渡し役〟をしたのは元警視総監で、中曽根内閣で法務大臣を務めた参議院議員・秦野章だといわれています。松崎は、マスコミ関係者に秦野との関係を聞かれると、「カラオケ仲間」と称し、けむに巻いていました。

秦野に松崎を紹介したのは、東京・赤坂《あかさか》で広告代理店「映広企画」を経営していた小松重治です。

小松は一九七一（昭和四十六）年に秦野が東京都知事選に出馬したときの選挙参謀でした。小松の会社役員には小池百合子《こいけゆりこ》も名を連ね、顧問には歴代総理の相談相手になっていたと豪語する占い師が就任しています。

小松の映広企画が松崎の「対外工作拠点」になっていたのは明らかであり、同社で松崎が秦野と定期的に密会していたことが確認されています。二人は相当親しい関係にあったようです。

秦野は松崎が主催するJR東労組の労働セミナーにも講師としてたびたび登場しています。松崎に俳優の勝新太郎や金丸信《かねまるしん》自民党副総裁などを紹介したのも秦野です。

国労解体後のJR労働運動で主導権を握ろうとしていた松崎にとって、その野望実現のための戦略、戦術を練るうえで、警察官僚OBである秦野の利用価値はきわめて大きかったものと推察されます。とりわけ『世界日報』を発行する勝共連合との仲介役をしてくれたのは〝最大の贈りもの〟だったに違いありません。

前章で述べたとおり、旧動労時代に残した豊富な資金を握った松崎は、その資産を有効に活用すべく、〝お金〟に弱い秦野を見事に籠絡しました。そして、秦野を保守系政治家たちの取り込みに巧みに利用していったのです。

革マル派によって統一教会から北朝鮮に流れた組合資金

松崎が『世界日報』に登場してイメージチェンジ戦略を進めていた当時、勝共連合の母体である統一教会にも大きな変化がありました。

文鮮明《ムンソンミョン》を教祖とする統一教会は、一九六〇年代以降、「反共」を掲げる別動隊として勝共連合を立ち上げました。同会は活動のなかで韓国の朴正熙《パクチョンヒ》政権をはじめ、日韓米の保守勢力と結びつくことで勢力拡大を図ってきました。日本政界でも青嵐会《せいらんかい》のメンバーを中心に自民党右派系国会議員に無報酬のボランティア政治秘書を派遣し、運動を拡大させています。

教祖・文鮮明は当時、KCIAと呼ばれた韓国の諜報機関「大韓民国中央情報部」との関係を深めながら勝共運動を指導し、一九七〇年代に拠点をアメリカに移しました。ところが、一九八〇年代半ば、アメリカでの不正蓄財が発覚。脱税で一年六カ月の実刑判決を受け、事実上、アメリカを追放されてしまいます。当然、日本にも自由に入国できませんでした。

このころから、文鮮明は、北朝鮮を「サタン」と呼んで「打倒」を唱えていた運動を転換し、北朝鮮との〝宥和《ゆうわ》〟に傾斜していきます。

文鮮明はもともと北朝鮮の定州《チョンジュ》生まれで、家族は金日成《キムイルソン》と同じ教会に通っていたといわれています。一九九一（平成三）年末に文鮮明が金日成主席と会談したのを機に、北朝鮮と韓国の統一平和運動に衣替えし、それにともなって、勝共連合も北朝鮮側の〝別動隊〟へと変質して、今にいたります。

松崎はこの勝共連合の〝転換期〟を革マル派が支配する動労の「偽装転向」に巧みに利用したわけです。

『世界日報』での「松崎転向」報道は効果てきめんで、松崎は次第に自民党右派議員に食い込み、抱き込み工作を活発化させていきました。

松崎は、その後も「勝共連合＝統一教会」との関係を深め、一九九一（平成三）年二月二十二日にJR九州労組鹿児島地方本部で行った講演会では、勝共連合が推進していた「日韓海底トンネル構想」に触れ、「日韓トンネルについて話をしましょう。（略）金、技術、ノウハウが必要ですが、やったほうがいいですよ」とまで発言しています（筆者が取材時に入手した講演会議事録より）。

一九九二（平成四）年、松崎は、JR東海の葛西敬之副社長を攻撃するために、『JR東海新聞』を発行しました。タブロイド判、八ページのカラー四色刷りの市販の夕刊紙をそっくりまねたこの〝怪文書〟は、きわめて精巧につくられていましたが、印刷に使われていた〝インク〟が韓国で使われているものと判明します。韓国にある統一教会系印刷工場で印刷されたとの捜査情報もありました。

松崎は、統一教会との関係もあってか、北朝鮮との関係を強化していきました。前章でも述べたとおり、革マル派の資金源となった「さつき会」の事業として「JR東日本」の社員制服に使うネクタイ等の付属品の納入権を獲得し、北朝鮮に製造を発注し始めたのです。また、使い捨て簡易カメラを修復する仕事を北朝鮮に発注し、キヨスクで販売していたとの情報もあります。革マル派の資金源確保に北朝鮮との貿易を活発化させるとともに、JR東労組の幹部研修を「北朝鮮」で行うことも繰り返しました。表面的には「中国研修」を装い、実際には、前述したように、瀋陽で「北朝鮮」への直行便に乗り換えて「北朝鮮」入りしていたといいます。関係者の情報によると、ビザは飛行機に乗ってから発給されたそうです。

「組合員の汗と涙の結晶」であるJR東労組の活動資金が、松崎という存在を通じて大量に北朝鮮に運ばれたことだけは間違いありません。

ました。

日本の〝宝〟を流出させた革マル派の「日中外交」

JR総連を裏で支配した革マル派は、労組を隠れ蓑にして、独自の「日中外交」も繰り広げてきました。

松崎は中国との交流を重視し、中国の地方自治体に小学校の校舎を寄贈したり、JR東日本から払い下げた鉄道車両を寄贈したりして、中国共産党との関係を深めています。JR東日本がそれまで蓄積した技術などソフト面の多くを中国側に提供した事実もあるのです。

これは、わが国の安全保障上、由々しき問題でしたが、革マル派労組との歩調を合わせた当時の住田、松田体制は積極的に「新幹線技術の移転」に協力しました。

とくに山之内副社長からの要請もあり、車両を製造し、新幹線技術を蓄積していた川崎《かわさき》重工にも協力させています。衆議院議員の鹿野道彦《かのみちひこ》を通じ、川崎重工の役員だった鹿野の実兄にも働きかけが行われました。日本の新幹線技術が安全保障上の問題を飛び越えて容易に中国に移転されてしまったのも、それらの結果なのでしょう。

いずれにせよ、そこには革マル派が深く関与していたのです。

ちなみに、中国国有企業のなかでいち早く黒字企業になったのは鉄道でした。金も技術も人材育成も日本の協力なくしては実現しなかったことは疑う余地がありません。

革マル派の巣窟だったJR東労組は、一九九六(平成八)年から「中国平和研修」を実施し、約三年間で労組員千人が研修に参加しました。これらの参加者は労組が進める中国各地への小学校建設を支援するなどJR東労組とJR総連が主導する独自の「日中外交」が推進されていました。

革マル派の例を見ても明らかなように、非合法組織が合法的に活動しているかのように装う舞台装置として最も安全なのが「労働組合」なのです。

悪意ある目的を持って「労働組合」に潜り込んだ「確信犯」の行動を封じる手段は「健全な思考」を持った労組リーダーを育てる以外に方法はありません。健全に企業が存続するためには「健全な労組」の育成も不可欠だということです。心ある企業経営者はこの現実問題を直視しなければなりません。特定の過激思想に毒されていない名もなき人々の組織力による〝防波堤〟が必要であることを、あらためて自覚する必要があります。

民間企業のみならず、政府機関に関しても同様のことがいえます。官公庁の労働組合は軒並み日本共産党指導の全労連に所属しています。日本共産党が官公庁に張りめぐらせたスパイ網でもあります。結局のところ、今日の日本に求められているのは、「外なる敵」だけでなく、「内なる敵」に立ち向かうための「インテリジェンス」なのです。

これまで見てきた革マル派の例のように、悪意のある「確信犯」がマスコミをはじめ、捜査、情報機関にまで入り込んでいる事態に慄然とするのではないでしょうか。

恐るべき〝革命集団〟をこれだけ世にのさばらせた原因は、政、官、財およびマスコミのインテリジェンス感覚のなさにあります。これ以上、巨悪を蔓延させないためにも、国を挙げて国民のインテリジェンス感覚を養うことが、これからの日本を守るための重要課題なのです。

第四章

日航機墜落事故の闇と『沈まぬ太陽』

航空史上最悪の事故

一九八五（昭和六十）年八月十二日、日本航空123便が群馬県多野《たの》郡上野《うえの》村の御巣鷹山《おすたかやま》の尾根に墜落するという事故が発生しました。

いわゆる「日航ジャンボ機墜落事故」です。

単独機の事故としては航空史上最悪の大事故であり、乗員、乗客計五百二十人という多くの尊い人命が奪われました。そして、当時、報道された事故現場の悲惨さは日本国民に大きな衝撃を与えました。

事故原因は、後部与圧隔壁の修理ミス部分に金属疲労による亀裂が生じ、飛行中に裂けて噴出した与圧空気が垂直尾翼を吹き飛ばしたものと見られました。機械関係のメカニックのトラブルによる飛行機事故は初めてのことでした。

あのような大惨事を繰り返してはならないという思いは、立場や思想を超えて、人間として等しく感じるところです。

ところが、事故発生以来、あの悲惨な事故を巧みに利用して、自分たちの利益誘導に走った者たちがいます。

彼らは、事故原因の究明が科学的に、しかも冷静に進められなければならないときに、みずからの利益のために、あたかも労使関係や日航内の労組間の対立によって事故が発生したかのごとく誤った宣伝を繰り返し、虚偽の世論工作を行っていたのです。

「空の動労」と呼ばれた日航乗員組合

事故発生の翌十三日、日航内の労組のひとつである「日航乗員組合」が「執行委員会見解」を発表し、日本共産党をはじめとする野党各党やマスコミに対して、「事故の背景を説明したい」とアポイントの電話攻勢をかけました。

見解の全文は同十六日付『赤旗』に掲載されました。「会社側の労務対策の結果が今回の事故を招いたもので、合理化が安全を置き去りにした」と日航経営陣および政府を批判する内容でした。

これらのコメントは各マスコミに送られ、その狙いの真意が検証されないまま新聞、週刊誌に引用され、その後の世論の下地にされました。

『赤旗』は連日のように「日航の管理体質に問題がある」として執拗にキャンペーンを張り、国会では日本共産党議員が次々と日航経営陣や運輸省当局を追及しました。

ちなみに、当時、日航には日航職員の七割（地上勤務員のほとんどとパーサー、キャビンアテンダントの六割）を組織する「同盟」傘下の「全労」（全日本航空労働組合。約一万二千人）のほか、日本共産党主導の「日航労組」（日本航空労働組合。地上勤務のみ、約三百四十人）、職能組合である「日航乗員組合」（副操縦士と機関士を組織、約千四百人）、「日航客室乗員組合」（パーサーとキャビンアテンダント、約二千三百人）の四組合がありました。

乗員組合と客室乗員組合は、もともと上部組織に加盟せず、中立的立場にありましたが、一九八三（昭和五十八）年ごろから「民航労連」（日本民間航空労働組合連合会）という日本共産党支配下にある産別組織の工作によって、次第に左傾化の一途をたどりました。なかでも、乗員組合は、一九八四（昭和五十九）年三月、会社の副操縦士の地上業務任用発令に反対して三日間連続ストライキを打つなど、「空の動労」の異名をほしいままにしていました。

その「空の動労」が「事故の背景を説明したい」とマスコミ、野党に働きかけたのです。彼らが何を狙っていたのかは、いわずもがなでしょう。

墜落事故の処理にあたって、日航では職員約千二百人を動員して、労使の立場を超えて一丸となり、総出で不眠不休の活動をしたことは世間周知の事実です。

ところが、そのなかにあって乗員組合だけは、会社側の非常招集に従わず、ストライキを行い、墜落事故の処理に対して非協力の姿勢を貫きました。「安全」という何人《なんぴと》も否定することのできない〝大義〟を掲げてマスコミをあおりながら、その一方では人道的問題さえも無視して、みずからの発言とは正反対の行動をとっていたのです。目的のためには手段を選ばない利己主義丸出しで、左翼組織の正体を現したのでした。

一九八五（昭和六十）年八月二十五日付『産経新聞』は、「惨事よそに指名スト　非常招集にもそっぽ」と、次のように報じています。

日航機墜落事故で、ほとんどの日航職員が遺族らの応対に追われる中、副操縦士や航空機関士で組織する日航乗員組合（山口宏弥《やまぐちひろや》委員長、組合員千三百五十人）だけが、会社側の非常招集に従わず、事故後、ひそかに指名スト（一日平均三人）を打っていたことが二十四日、分かった。ストの名目は「労働条件の改善」だが、実際の目的は、事故の情報収集や、ビラ作り要員の確保。しかも大半の組合員は事故後も、休日と、三日間の夏休みを消化するなど、不眠不休で働く他の職員らの間で、ひんしゅくを買っている。

乗員組合は副操縦士、航空機関士のほぼ全員が加入している。整備士など地上職に比べて、勤務ダイヤに恵まれ、月に十日間の休日のほか、勤務が割り当てられない事実上のブラ勤日（ブランクデー）が五日間もあるため、一カ月の平均勤務時間は四十時間にも満たない。

このため、会社側は二年前から「せめてブランクデーだけでも地上職の業務を手伝ってほしい」と要求しているが、「飛行機に乗る人間が地上勤務などに就けない」と地上勤務を拒み続けている。

その日航乗員組合が事故後、まず行ったことは、団体交渉の申し入れ。（略）

会社側は団交に応じている余裕などなく、翌十三日午後、次のように組合幹部を説得した。「五百人以上の犠牲者が出た事故は世界でも初めてのことだから、今は何をおいても労使一体となって協力して対処してほしい」

ところが、この説得に対して組合側は「この際、副操縦士の地上業務をタナ上げするつもりはないか」などと交換条件を出し、協力を拒んだ、という。

一方、整備▽検査▽営業▽管理など地上業務を担当する日航職員には十三日、次々と非常招集がかかり、約千二百人が遺体確認場所となった藤岡市へ向かった。

地上職員らは、一遺族に対し必ず一人が世話役として就くという「マンツーマン方式」で旅館、タクシーの手配、事故現場への案内など、遺族の応対にあたり、今も休日、夏休みを返上して通夜や葬儀の手助けに追われている。

また非常招集はさらに、OBのパイロットにも及んだ。

ところが、乗員組合は地上職の留守業務にも協力しないばかりか、十三日から「副操縦士の地上勤務反対」などを名目にした指名ストに入った。
指名された労組員は少ない日で二人、多い日で五人、一日平均三人ずつが、事故の情報収集やビラづくりに専念している、という。（略）
しかも、乗員組合のメンバーは、事故後も休日やブランクデーを事故前と変わりなく消化し、三日間の夏休みを含めて、長期休暇に入った組合員の数は事故後だけで百人にのぼっている、という。

日航乗員組合が日本共産党勢力の〝尖兵〟となった理由

従来、日航における左翼勢力の動向は、一九六二（昭和三十七）年から一九七五（昭和五十）年までは「日本共産党本部→日本共産党員の牙城となっていた日航労組」という図式で舞台回しが行われてきました。

ところが、墜落事故に際しては「日本共産党本部→乗員組合」という図式で舞台回しが行われ、中立を装った「乗員組合」がマスコミの前面に出てきたのです。

日航の左翼勢力の中心となってきた「日航労組」は、わずか三百四十人の組合員で、地上職勤務を主とした労組です。このうち約百三十人は日本共産党員で、そのほかの組合員もほとんどがシンパという、れっきとした日本共産党系労働組合です。当時の委員長・土井幸也、書記長・仲本政良ともに日本共産党員といわれています。日航職員二万人のうちのわずか三百四十人にすぎない労組ながら、「男女差別調査申し立て」を行って話題になったり、「傷だらけの翼」という内部告発のパンフレットをばらまいたりと、背後にいる上部産別組織「民航労連」と一体になった活動を活発に行い、組織実態より過大な〝評価〟を受けてきました。

その日航労組をさしおいて、墜落事故で「乗員組合」が日本共産党の〝尖兵役〟を果たしたのには、それなりの理由がありました。

第一は、日航労組が一九六七（昭和四十二）年以来、都労委（東京都労働委員会）で争ってきた「賃金差別撤回闘争」が、一九八四（昭和五十九）年十月に会社側と和解し、労使関係改善を中身とした労働協約を締結したからです。つまり、「日航労組」には前面に出て過激な闘争を組みにくい事情があったということです。

第二は、一九七六（昭和五十一）年以降、乗員組合が日本共産党の工作によってコントロールが容易な組織状況下にあったということです。

乗員組合の執行委員会は委員長以下二十五人からなっていました。そして、書記局は書記長総括のもとに各専門部から構成され、教宣部三十八人、賃対部十七人、勤対部二十八人、厚生部十一人、安全部十七人、組織部七十人、法対部二十六人からなっているというのが〝表向き〟の組織体制でした。

ところが、乗員組合の〝事実上の執行部〟は七十人からなる「組織部」に握られていました。ここで「下部討議」と称する職場闘議を行い、それを集約するかたちで闘争方針や闘争スケジュールを決定するしくみになっていたのです。執行部は組織部にコントロールされ、いわばダミー的存在になっていたのが「日航乗員組合」の実態でした。

しかも、この「組織部」が問題で、七十人の組織部専門部員のうち過半数の四十人以上が日本共産党員およびその積極同調者で占められていました。歴代の書記長をはじめ、労働争議でクビを切られたあと、和解で復帰した、いわば「争議プロ」たちがゴロゴロしていたのです。

そして、組織部は、同じく日本共産党の支配下にある上部組織「民航労連」や、日本共産党系の「日航労組」と連携しているほか、機長会会長・丸山巖（日本共産党員で元乗員組合役員）とも歩調を合わせながら、日本共産党型労働運動の拠点として活動していました。

事故を利用してコックピットを支配しようとした日本共産党

日航は日本共産党が目指す革命闘争の最大拠点のひとつで、総数約四百人以上の日本共産党員が、千代田《ちよだ》区内の本社に日本共産党日本航空支部を置き、羽田《はねだ》空港内の党員三百人を組織している日本共産党羽田空港党委員会、成田《なりた》空港内の党員百人をまとめている日本共産党成田空港委員会に組織されていました。

日航内の党組織に対する日本共産党の〝テコ入れ〟はじつに強力です。それを裏づける事例をいくつか挙げてみましょう。

①三年ごとに開かれる日本共産党の全国党大会は、全国の党組織のなかでも拠点組織の党員や有力党員を集めて開かれるが、一九七七（昭和五十二）年の十四回大会から日航の党組織を代表して一〜二人の党員が参加しており、一九八五（昭和六十）年十一月の十七回大会では、日航での党活動について特別報告をさせて、日航内での党活動にハッパをかけた。
②墜落事故の翌日（八月十三日）に日本共産党国会議員団事故対策本部を設置。十四日には日航乗員組合と客乗組合から社内状況について報告させ、意見を聞き出した。また、八月十三日に乗員

組合が「執行委員会声明」を発表すると、その全文を八月十六日付『赤旗』に全文掲載した。

③一九八五（昭和六十）年九月の中央委員会総会で、日本共産党の目指す革命達成の基本戦略をまとめた党綱領のなかに、日航の経営体質糾弾が新たにつけ加えられた。一企業の問題を日本共産党の綱領のなかで取り上げるのはきわめてまれなことで、墜落事故をきっかけに、日航内の党組織を動員して政府および経営陣に対する揺さぶり工作に力を入れる方針が明快に示された。

乗員組合のコントロールに成功した日本共産党は、次に「機長会の労組化」に着手し、機長会に楔《くさび》を打ち込むため、「機長管理職組合」の結成を目指しました。

日本共産党の狙いは、なんだったのでしょうか。

機長の組合化を達成したあと、機長組合と乗員組合を統合させ、機長以下すべての乗員を日本共産党の指令下に置く、つまり、「コックピットを党の支配下に置く」というのが彼らの狙いでした。

コックピットの支配が乗客（の安全なフライト）を〝人質〟にとれる確実な手段であることは論をまちません。

陸、海、空の交通機関労組に浸透してきた日本共産党勢力

日航機墜落事故当時、民間航空会社労組の大多数が加盟していた産別組織「民航労連」は、四十四組合、一万八千七百二十六人を擁し、日本共産党の指導下にありました。

当時の議長・久米《くめ》昭《あきら》（全日空《ぜんにっくう》）、副議長・菊池《きくち》富士夫《ふじお》（全日空）は、ともに日本共産党員です。議長、副議長、事務局長など重要ポストはすべて日本共産党員が掌握し、日本共産党の方針を傘下単

組に指令する役割を果たしていました。

民航労連が結成されたのは一九六三（昭和三十八）年三月のことです。この年、日航では労組執行部を日本共産党員が握り、先鋭的過激闘争に突入しています。

当時、日本共産党は一九七〇（昭和四十五）年までに党員を百万人にするという構想をぶちあげていました。その第一段階として重視したのが、鉄鋼、電力、運輸、通信などの重要産業の経営中枢に巨大な党組織を建設し、その労組の指導権を握ることでした。「敵の経済的心臓部であり、労働者階級の精鋭が働いている職場や企業でこそ、その労働者階級を組織的に政治的に、そして可能なかぎり思想的にも握ることによって、革命的な力、統一戦線の基礎部隊を固め、党と統一戦線にとって牙城となるようにしなければ綱領の観点に立つとはいえない」というのが彼らの主張の趣旨です。

当時、日本共産党の革命闘争は「拠点経営企業」を舞台に展開していました。しかし、日本共産党が「拠点経営企業」として狙った民間基幹産業では経営側の的確な労務政策に阻まれて党勢拡大が思うように進みませんでした。その結果、今日においては組織の長期停滞と党員の高年齢化が急速に進んでいます。

こうしたなかにあって、陸、海、空のゼネスト体制をもくろんだ交通機関労組を狙った工作だけは一定の成果を上げることに成功していました。

一九八五（昭和六十）年ごろ、「陸」では国鉄最大の労組「国労」内に温存してある日本共産党員、革同グループによって国労全体をコントロールできる勢力を確立。「海」では反共の牙城であった「海員組合」のなかに共産党勢力を侵出させ、執行部の意向を左右するまでになっていました。そして、全体の八割の制圧に成功したのが航空産業界、つまり「空」であり、青年層を中心に着実に日本共産党勢力が浸透していたのです。

墜落事故を最大限利用しようとした日本共産党系労組と伊藤淳二

事故当時、日本共産党の支配下にあった民航労連の左翼的活動方針を強力に推進していた中核労組は「全日空労組」（ANA労働組合）でした。

日本最大の航空会社である日航は昭和四十年代に日本共産党員指導による日航労組の階級闘争至上主義路線に組合員が反発して分裂。一九八五（昭和六十）年には産業民主主義、生産性運動を基調とした同盟傘下の全労（全日本航空労組）が日航職員の七割を組織し、日本共産党系「日航労組」はわずか三百四十人の弱小組織に転落していました。

日航内で影響力を保持しようとした日本共産党は分裂後、ただちに中立系だった乗員組合および客室乗員組合の工作に着手します。その結果、両労組は次第に左傾化を鮮明にし始めました。

日本共産党は同時に産別の上部組織である民航労連の支配力を保持するため、中核活動をなす拠点労組を「日航労組」から「全日空労組」に移し、航空界全体への影響力低下に備えました。日本共産党直系の産別組織「民航労連」の特徴は中核となる労組を各企業の労務対策状況を見定めながら〝攻めやすい会社〟に移動させる「拠点方式」をとっている点です。

余談ですが、のちに全日空労組内で階級闘争至上主義路線に対する組合員の批判の声が大きくなってくると、今度は中核労組を「全日空労組」から「JAS労組」（日本エアシステム労働組合）に移して拠点化しています。

悲惨な日航機墜落事故を利用して組織拡大という私的な利益誘導を優先させた主役の一角は〝目的のためには、手段を選ばない〟日本共産党系労組です。

それにしても、この事故で自衛隊の手によって奇跡の生還をとげた川上慶子《かわかみけいこ》さん（当時、十二歳。生存者四人のうちのひとり）の両親（ともに事故時に死亡）が自衛隊批判の急先鋒《きゅうせんぽう》である日本共産党の党員であったことはなんとも皮肉なものです。

伊藤淳二

日航をダメにしたもうひとりの主役は、事故をきっかけに「労務問題のベテラン」という触れ込みで日航副会長に就任し、日航経営の支配をもくろんだ「鐘《かね》紡《ぼう》（二〇〇一〈平成十三〉年にカネボウに改称）の伊藤淳二《いとうじゅんじ》」です。

恩人の寝首をかいてでも成り上がってきた伊藤淳二の野心

鐘紡の会長だった伊藤が日航副会長に就任した経緯について触れておきたいと思います。

もともと鐘紡は武藤《むとう》家のオーナー会社でした。その二代目・武藤絲治《いとじ》の温情（慶大時代の友人関係）で伊藤は鐘紡に入社しています。しかし、やがて武藤と対立すると、恩を仇で返すかたちでクーデターを起こし、武藤の寝首をかいてみずからが社長の椅子に座りました。当時、伊藤は四十五歳。このクーデターは関西財界では誰もが知っている事実です。

古い価値観を重んじる関西財界からすると、伊藤がオーナーの武藤の寝首をかいたことは、とうてい許せるものではありません。そのため、伊藤は六十歳を過ぎても関西財界の要職にはつけなかったのです。

一方で伊藤は、いずれは中央財界に打って出たいという野心を抱いていました。「念願」といってもいいでしょう。

そこに降って湧いたのが御巣鷹山の日航機墜落事故です。

進んで火中の栗《くり》を拾う者はなく、社長候補者が浮かんでは消えるなかで、伊藤の野心がうずきました。伊藤は三井《みつい》銀行（現・三井住友《すみとも》銀行）の首領・小山五郎《こやまごろう》に懇願し、「労務に明るい経営者」として〝売り込み〟に走ったのです。

伊藤は有名な〝ジジイ殺し〟として知られています。三井銀行の内規では融資先の企業から顧問料をもらうことを禁じていましたが、小山はこの内規を破って鐘紡から顧問料を受けとっていました。伊藤の采配によるものであることはいうまでもありません。伊藤からの頼みは断れない事情があったのです。

こうして小山は中曽根総理に「労務の専門家として、伊藤淳二がいる」ことを進言したようです。くわしくは第七章で解説しますが、日航の社長人事を決める中曽根総理側にも、小山をはじめとする当時の日商、東商役員メンバーに対しては、「東京UHFテレビ」認可をめぐる政治献金がらみで〝忖度〟すべき事情がありました。こうして複数の政治的思惑が重なり合って、日航の任命会長人事が決まったのです。

伊藤淳二に期待していた中曽根康弘総理

日本最大の紡績会社の社長交代劇を描いた作家・城山三郎《しろやまさぶろう》の小説『役員室午後三時』（新潮社《しんちょうしゃ》、

一九七一〈昭和四十六〉年）の主人公のモデルは伊藤だといわれています。
日航機墜落事故から二十五年が経過した二〇一〇（平成二十二）年、『カネボウの興亡　日本近代経営史の光と影』（新風書房《しんぷうしょぼう》）という本が発行されました。著者の松田尚士《まつだなおひと》は、同書の第四章「カネボウの衰退から崩壊へ」のなかで、「伊藤淳二社長の登場で破滅の道へ」という項目を設け、次のように記載しています。

武藤絲治の後任として伊藤淳二氏が社長に就任したのは昭和四十三年。当時、伊藤は四十五歳の若さ。武藤絲治を代表権のない会長へ棚上げし、その後、自分の思うままに会社を牛耳った。社長の在任期間は十六年、会長の期間が八年、通算二十四年の長きにわたりトップとして権力の座を占めた。さらにその後もカネボウの解体に至るまで長期にわたり陰の権力者として影響力を行使し、隠然たる勢力を保ち続けたことは周知の事実である。（略）

従業員から見た伊藤は特注の真っ黒なベンツのリムジンに乗りサングラスを掛け、社内を巡回するときには、多くの取り巻きを従え、まわりを睥睨《へいげい》するような態度であったという。（略）

昭和五十二年、鐘紡は遂に無配へ転落した。（略）

昭和五十九年、（略）伊藤は社長の座を常務の岡本進《おかもとすすむ》に譲り、会長に就任した。

伊藤社長の十年間について、日経新聞社刊行の『経営不在』の中で「カネボウが企業解体にまで追い込まれた遠因は、すべて伊藤の時代に生じていた」と論断している。

伊藤は会長になっても最高会議の議長に止《とど》まり実権を握っていた。

伊藤が鐘紡会長になった翌一九八五（昭和六十）年、当時の中曽根総理から伊藤に日航の副会長になるよう要請がありました。

当時の日航は御巣鷹山の大惨事後の安全対策、分裂した労働組合の対立などの問題を抱えており、関西繊維業界で「労働問題のベテラン」と噂されていた伊藤にその処理を期待しました。しかし、伊藤は鐘紡会長と兼務なら引き受けるという条件を出してゴネます。「平日の週二日出社。しかし、土日の休日にはできるだけ出る」という中途半端な勤務条件まで出しました。

ある新聞社の取材に対し、政府関係者のひとりは、「日航というナショナルブランドのトップになるのに、民間企業に片足を残すとはあきれたものだ。〝あとはない〟という覚悟で引き受けなければダメだよ」と伊藤の二股の態度を厳しく批判していました。

それでも、伊藤に期待をかけた中曽根は「王道」と墨痕鮮やかに書かれた自筆の額を伊藤に届けました。

就任早々、日本共産党に異例の〝お参り〟

一九八五（昭和六十）年十二月十八日、臨時株主総会で正式に日航副会長に就任した伊藤は、約一カ月後の翌年一月二十一日、日本共産党本部を訪れました。翌二十二日付『赤旗』は「日航新首脳三氏が日本共産党を訪問」というタイトルで、次のように報じています。

日航の伊藤淳二副会長、山地進《やまじすすむ》社長、利光松男《としみつまつお》副社長が一月二十一日就任挨拶のため日本共産党を訪れました。日本共産党側は、不破哲三《ふわてつぞう》中央幹部会委員長と辻《つじ》（一彦《かずひこ》＝引用者注）衆議院議員（運輸委員）が応対。席上、不破委員長は「共産党は昨年の第十七回党大会でも航空機事故の問題を重視して綱領に取り入れました。これまで、日航は安全問題を軽く見て利潤第一であったことを懸念しています。今後、そのようなことがないようにしてもらいたい」と要望しました。

この日本共産党訪問を報じた一九八六（昭和六十一）年一月二十三日付『日本経済新聞』は、「日航最大のガンと言われる労務問題を解決するための布石とみられる」と解説しています。

副会長に就任した伊藤にとって、「労務問題のベテラン」という触れ込みで日航に乗り込んだ手前、ストライキの主役である日航乗員組合を押さえ込まなければ面目が立ちません。そのためには乗員組合を裏で操る日本共産党との〝パイプ〟をつくっておくことが早道と計算したであろうことは容易に想像がつきます。

そもそも、伊藤が就任した「日航副会長」というポストが、基幹産業経営者とはいいがたい「鐘紡」の社長経験者が座れるポストでないことは、本人がいちばんわかっていたはずです。であればこそ、せっかく手に入れたそのポストを確保するためには、なんとしても日本共産党系労組を取り込まなければなりません。そのためには、あたかも「日本共産党本部と話をつけられる」がごとく振る舞い、カムフラージュする必要がありました。そうした背景から、伊藤は就任早々、日本共産党本部を訪問する挙に出たものと推察されます。筆者の耳には、後日、「伊藤淳二が不破委員長にサインをもらいたいと懇願したが、さすがに不破も、それは断った」という話が警察サイドから漏れ伝わっています。

自分の部屋に任命者である「中曽根総理の書」を飾って役員たちを威嚇したように、「不破委員長の書」を飾って日本共産党系労組を手なずけようとしたのでしょうか。権力をかさに着て相手を従わせようとする姑息な手法が見てとれます。

しかし、それがやがて裏目に出ます。

そもそも日航首脳が日本共産党本部を訪れるのはきわめて異例のことでした。そのため、治安関係者が、党本部で何が話し合われたのか、〝疑惑の目〟で伊藤の動向を監視し始めたのです。

日航新人事が発表されて以来、三首脳（伊藤副会長、山地社長、利光副社長）は国会内の各党控え室に就任の挨拶回りをしていますが、なぜか日本共産党だけは予定から外されていました。この時点で、すでに党本部に出向くことが予定されていたものと見られます。その〝意図〟については当時、多くの憶測が流れ、治安当局の警戒に拍車がかかりました。

そして、〝疑惑〟はさらに拡大します。

◎一九八六（昭和六十一）年二月、伊藤副会長が日本共産党系乗員組合執行部と会談し、「機長管理職制度」を改める方針を表明。

◎三月六日、伊藤副会長が機長会との会談。機長の組合活動を認める方針と『赤旗』が報道。

◎四月十五日、日航史上最大の人事異動発表。日本共産党員が会長室部長などに抜擢。

◎四月十七日、機長会が伊藤副会長の同意を得て組合化を決め、会社に通告。

◎六月二十七日、株主総会で伊藤が会長に昇格。

伊藤の動きが日本共産党の計画していたスケジュール闘争（あらかじめストライキの時点を設定し、それを目標に行動スケジュールを組んで行う闘争）の〝前倒し〟として現実化したのです。

問題が問題を生んだ伊藤体制

一九八六（昭和六十二）年八月十二日、事故一周忌にあたるこの日、日航の全責任者である伊藤会長は、御巣鷹山にのぼり、被災者に礼をつくすべきでした。現地では慰霊祭が行われていたからです。しかし、伊藤はこの日ばかりか在任中一度も御巣鷹山を訪れていません。当然、遺族と対面した事実もありません。

一周忌当日、伊藤は東京のパレスホテル八三九号室で日本経済新聞の高尾《たかお》建博《たつひろ》記者と会談していました。伊藤は鐘紡の秘書室長・白井章善を通じ、高尾記者との会談の日をわざわざ一周忌のこの日に指定してきたのです。伊藤の頭のなかには一年前の大惨事のことなど入っていなかったのでしょう。

筆者の手元には高尾記者本人からいただいた当時の回想記録が残っています。少し長くなりますが、内容には誤りがないので、そのまま引用しておきます。

7月の中旬、白井氏から「伊藤が日航改革について、航空業界に最も詳しい高尾さんから意見を伺いたいといっている。鐘紡の株主総会が7月末ですので、追って日程は連絡を差し上げたいと思います」との電話があった。記者は二つ返事でOKしたが、二回目の連絡は会談の前日の8月11日だった。場所はパレスホテル、時間は11時半。「明日は一周忌なのに大丈夫なのかな」と思いながら、「取材が入っていますが、日程を調整してそちらを優先させます」と答えた。

会談は昼食を挟んで約二時間に及んだ。伊藤の悩みは労務問題、特に客室乗務員の昇格問題で、地上職最大組合の全日本航空労組（全労、12000人）が反対している事だった。（略）

この案（伊藤氏の案＝引用者注）に対し、全労は「現場で客乗組合の時間外就労拒否闘争などであおりをくっている全労の組合員は必死に頑張っている。

仕事を熱心にしないものをなぜ優遇するのだ」というのが全労の言い分だった。全労は6月末には「我々の進むべき道」と題する伊藤労政反対の声明を出し、サンケイ新聞が一面アタマで報じており、両者の関係はかなり険悪化していた。（略）

いろんな問題で意見を交わした後、「会長、6月末に出た吉原公一郎《よしはらこういちろう》氏の「日本航空会長室」という本はまずかったんではないですか」と記者は直言した。吉原氏の本は利光副社長を民族派の頭目としてやり玉に挙げ、「伊藤会長は利光を粛正《ママ》すべし」と書いてあった。それも巻末のあとがきで「この本の原稿は伊藤会長に目を通してもらった」とわざわざ断っていたからだ。

当然、役員や幹部社員は伊藤の意向を受けて吉原氏が書いたものと思い、「これから利光派への粛清が始まる」との憶測を呼び、社内に動揺が走っていたからだ。記者は「これから三人で改革を進めなければならないという時にあういう本が出て、しかも社員らは会長の意向を受けて書かれたと思っている」と説明すると、伊藤氏は「私が目を通したのは私へのインタビューの部分だけです。あの人（吉原氏）は組織の人（共産党員）で、私の言いなりになるような人ではありませんよ」と答えた。

実は「日本航空会長室」には記者のことを書いたくだりがあった。記者が執拗に乗員組合などに攻撃を加え、そのニュースの出所が日航広報部だというのだ。「高尾記者は毎晩広報部員と銀座で飲み明かしているといった噂もある」といった悪意に満ちた記事である。

記者は伊藤会長に「あの本には参りましたよ。僕のことも書いているんですからね」と感想を言うと、「いやー、有名になると人は何をかかれるか分かりません。私も近く私を隠れ共産党員と批判する本が出ようとしているんですよ」と意外な返事が返ってきた。「へー、それでどうされるんですか」と尋ねると、伊藤氏は「今事実関係を調査中です。間違いがあれば断固法的措置を取ります」とキッパリ答えた。

記者が伊藤会長と会った事は日航社内に直ちに伝わった。当時、絶対権力者であった伊藤氏が何を言ったかはみな一番知りたいところであり、逆取材を受けるはめになった。言っていい事と言ってはいけない事を峻別《しゅんべつ》しながら、逆取材に対応したが、関連会社の役員との取材中、記者は本の事を思い出し、「そう言えば伊藤さん、変なことを言ってましたよ。隠れ共産党員だと批判する本が出るそうですよ」と言うと、「その本なんですが、実は鐘紡が買い占め、そのコピーが社内に出回っているんですよ」とその役員は打ち明けた。「そのコピーはあなたも持っているんですか」と尋ねると、「持っています。しかし、今手渡すわけにはいきません。二日後渡します」と答えた。

コピーを手に入れた記者は数部コピーし、大阪社会部時代に可愛《かわい》がっていた記者を呼びだし、取材の協力をお願いした。本の著者は当時ラジオ日本の報道課長、福田博幸氏で、出版元は青山書房《せいざんしょぼう》。タイトルは「日航機事故を利用したのは誰か」で、内容は鐘紡の伊藤淳二会長のペンタゴン経営を「資産を切り売りする蜘蛛《くも》の巣《す》経営」と酷評し、日航での伊藤の左翼優遇の労政を厳しく批判したものだった。

鐘紡はいち早くこの情報をキャッチし、永田正夫《ながたまさお》専務が出版社社長と買い取りの交渉に入り、15000部を1000万円で購入するということにした。本はすべて鐘紡の物流子会社で溶解処分された。ところがこの直前、何も知らない社員（出版社の社員＝引用者注）が十数部の見本を福田氏に届け、福田氏は取材でお世話になった人に「謹呈本」として送っていた。これがコピーとして出回ったのである。「天網恢々《てんもうかいかい》疎にして漏らさず」である。このことは警視庁の公安筋もつかんでいた。

著者、出版社の取材を終えた社会部記者は伊藤氏を追いかけたが、当時の伊藤氏は自宅へはめったに帰らず、都内の一流ホテルを転々としており、なかなか捕まらなかった。記者はその数日後の9月1日利光宅へ夜回りをかけた。

記者は「ところで、伊藤さんはいかがですか」と聞くと、利光氏は「淳ちゃんは頑張っているよ。家内と二人で8月の夏休みに彼の故郷である長野県の牟岐（茅野《ちの》の誤り＝引用者注）というところにいったが、あそこは野麦峠《のむぎとうげ》（麦草峠《むぎくさとうげ》と混同していると思われる＝引用者注）、そう女工哀史の世界だね。彼のヒューマニズムの原点は女工哀史だね」とにこやかに答えた。「しかし、利光さん、そのヒューマニストの伊藤氏が何故《なぜ》、本なんか買い占めるのですか」と畳み掛けると、利光氏の表情が一変し、「高尾さん、それ知っているのか。書くのか」と眼光鋭く迫ってきた。

「今詰めているところです。一両日中には出せるでしょう」と答えると、「書くのであれば致命的に書いてくれ。これこそ批判は絶対に許さないという暴君のやる事だ。まさに焚書坑儒《ふんしょこうじゅ》だ。あんなひどいやつはいない。労務の専門家とか言ってるが何も分かってない。客室乗務員の昇格問題も俺と山ちゃん（山地社長）が全労と7人、30人でまとめたものを、いったんはあいつも承諾した。人事も発令したんだが、それを白紙撤回したんだよ。いったん発令した人事を白紙撤回するとは前代未聞で聞いたことがない。それに、あいつは佐藤正忠《さとうせいちゅう》（雑誌経済界主幹）を使ってこんなものを書かせやがった」と興奮しながら一枚の紙を見せた。

記者は我が目を疑った。そこには次のようなことが書かれていた。

「誓約書」

「私は伊藤淳二会長を人生の師と仰ぎ、いったんことがあればともに殉死する事を誓います」

8月16日　日本航空副社長　　利光松男

立会人　経済界主幹　佐藤正忠

日本航空会長　伊藤淳二殿

記者は「なぜこんなヤクザみたいなことを誓ったのですか」と聞いた。利光氏は「うちの連中が利光さん、今ことを構えれば犬死にします。我慢してください。というもんで、恥を忍んで書いたんだよ」とポツリと答えた。

記者は帰りの車の中で誓約書を一字一句漏らすまいと思ってメモをとり、社へ戻った。まだ部長がいたので報告すると、「それは異常だ。正気の沙汰とは思えない。まず、本の買い占め事件から書け」と指示があった。

まだ社会部記者は伊藤を捕まえていない。翌2日夕方、社会部記者から「伊藤を捕まえました。伊藤は最近、永田から報告があったと言ってます」との連絡があった。「今日組みの紙面でいこう」。こういう出版妨害事件を一面で扱えないのが経済新聞の辛《つら》さである。しかし、社会面の半分を割き、伊藤氏も含めた関係者の談話もきちんと載せた立派な紙面作りとなった。

鐘紡の一役員の臨時的に使える金は内規で五百万円が上限だった。永田専務の行為は明らかに役員の忠実義務違反にあたる。本の買い占め事件が発覚した直後の9月25日、鐘紡は取締役会でこの上限を一千万円に引き上げた。（略）

60年10月に副会長就任が決まった直後から、各新聞社とも事実上の会長としてインタビューを日航広報部に申し入れた。しかし、日航広報部は何の権限もなかった。むしろ鐘紡の白井秘書室長に実権があった。伊藤氏が「神話」を作り上げるために活用したのが雑誌、経済界の佐藤正忠氏である。経済界は歯の浮くようなちょうちん記事を臆面もなくよく掲載した。（略）

61年9月末の伊藤会見は最初からトゲトゲしかった。人事の白紙撤回事件、本の買い占め事件が明らかになっていたからだ。まず、先陣は記者が切った。「客室乗務員の昇格問題で、会長はいったん発令した人事を白紙撤回されたが、異常な事態だと思う。狙いはどこにあるのか」。「掛け違えたボタンは早めに直すべきだと思い、撤回した。これから全労、客乗組合と精力的に話し合い、まとめていきたい」と押し殺すような声で答えた。

別の記者が「鐘紡によって日航を批判する本が買い占められたが、出版妨害事件ではないのか」と核心に迫った。伊藤氏は「鐘紡は本の内容に事実関係に間違いがありますよ、と出版社の社長に説明、出版会社の社長も、それは困った、どうすればいいんですかというので鐘紡が出版社が損をしないようにと相手側と話をまとめた。航空会社でも食中毒などが発生した場合、臨時の支出がある。今回もそういう臨時の支出と考えて欲しい」と筋違いの弁明を繰り返した。

次に別の記者が「会長は買い占めをいつ知ったんですか」と聞いた。「日経の取材を受け始めて知った」とぬけぬけと答えた。記者は「会長、あなたは私と8月12日にパレスホテルで会いましたね。その時あなたは事実関係を調べている。間違いがあれば断固法的措置を取るとおっしゃいましたね。ということは既にその時知っていたという事ではないですか」。伊藤氏の顔が紅潮し、「私はそんなことは言っていない。高尾さん、あなたが会いたいというから私は会ったんだ」と声を荒げた。「それは逆ですよ。あなたの方から会いたいという申し出があったから、会ったんですよ。それを逆に言うようだったらあなたは信用できない」。記者も相当興奮していた。一触即発の雰囲気に須藤広報部長（須藤元《すどうはじめ》広報副部長＝引用者注）が「色々質問がおありのようですが、会長には次の予定もございますのでこの辺で」と水を入れた。

この後、鐘紡の白井彰善《ママ》秘書室長が広報部へ飛んできて「君たちはどんな広報をやっているのだ。あんな失礼な質問を許していいと思っているのか。広報部長、次長、課長、君らは全員クビだ」と怒鳴り散らした。広報部員たちはこの一言で切れた。「本の買い占め事件は鐘紡が勝手にやった事。それを何故我々が責任を負わなければならないんだ」。この時以来、広報部は反伊藤の先兵となっていく。

殉死誓約書事件は伊藤会長の人格を決定的に傷つけるものだが、ヤクザまがいの珍事を新聞が書くわけにはいかない。しかし、伊藤会長、佐藤氏はみずから墓穴を掘っていく。

まず、伊藤氏だが、加藤六月《かとうむつき》代議士の事務所で、「トロイカ体制がうまく行っていないとの情報があるが、大丈夫か」と問われたのに対し、「大丈夫です。利光副社長は私に忠誠を誓っています」と殉死誓約書を見せている。これを見ていた秘書が週刊新潮に通報した。

また佐藤氏は誌面で経営者同士をけんかさせ、自分が間に入って念書を取り、それを誌面に掲載して自分の力を誇示するという変な癖があった。殉死誓約書も数人の経営者に見せ、これがライバル誌、雑誌財界の知るところとなった。時を前後して殉死誓約書事件は週刊新潮、財界の記事となり、伊藤氏への信頼は音を立てて崩れていく。


鐘紡が買い占めて溶解処分した本の著者は筆者です。鐘紡の動向を警察関係者から聞いて唖然《あぜん》としました。

伊藤が会長に就任したことに対する政府関係者の関心はナショナルセキュリティ（国家安全保障）にありました。

伊藤は日航を制圧するための政策の目玉として、一九八六（昭和六十一）年四月十五日付で日本共産党員・小倉寛太郎《おぐらひろたろう》を会長室部長に、日航労組小倉執行部時代の書記長だった相馬朝生（同じく日本共産党員）を運航本部業務部長に抜擢します。後述しますが、小倉は日航機墜落事故のもうひとりのキーマンであり、山崎豊子《やまさきとよこ》の小説『沈まぬ太陽』（新潮社、一九九九〈平成十一〉年）の主人公のモデルになった人物です。

治安関係者は、伊藤の進めるこうした日本共産党宥和策には懐疑的で、先行きを危惧していましたが、その心配は的中しました。その年のサミット（第十二回先進国首脳会議＝東京サミット）に出席する中曽根総理の総理フライトの乗客リストや運航スケジュールなどが自民党本部より先に日本共産党本部に流れるという異常事態が発生したのです。

また、六月には、取締役空港本部長に就任した村田芳彦が、自衛隊基地と併用している旧千歳《ちとせ》空港に挨拶に行ったところ、自衛隊幹部から「日本共産党員が経営の中枢に入っているおたくとは、これからは距離を置いてつきあいます」と警告されています（村田談）。日航の新交通システム「HSST」（当時、日航が開発を計画していたリニアモーターカー）の電導技術がソビエトに漏れた事実があったからです。

当時の官房長官・後藤田正晴は、内閣情報調査室に指示し、実態掌握に動きました。伊藤が更迭されるのは時間の問題でした。

日本共産党にすり寄るという〝悪手〟

評判をとった山崎豊子の小説『沈まぬ太陽』は日航の再生を題材にしたものですが、そのなかで、伊藤は「国見正之《くにみまさゆき》会長」として好意的に描かれています。しかし、現実に伊藤が行った急進的な日本共産党系労組との宥和策は鐘紡の単一組合のようにうまくいくはずはありませんでした。

小説の「国見会長」は「急進的組合の委員長で反会社的活動家」のレッテルを貼られた主人公「恩地元《おんちはじめ》」（小倉寛太郎）をスタッフとして活用します。しかし、現実世界では小倉を利用して組合間の紛争を解決しようとする伊藤の作戦は思いどおりにはいかず、それどころか、急進組合の背後にいる日本共産党本部に挨拶に出かけるなど伊藤の行動が内外の批判を招きました。そのため、当初は伊藤に期待していた中曽根総理も結局、愛想《あいそ》をつかしてしまいます。後ろ盾を失った伊藤は、「政府の支援が十分ではない」といって任期途中で辞表を提出してしまいました。

前出『カネボウの興亡』の共著者・武藤治太《はるた》（鐘紡創業者・武藤山治《さんじ》の孫）は伊藤について、次のように述べています（傍点は引用者）。

物事には、かならず功と罪、光と影があるものであるが、伊藤の場合、罪と影の部分が余りにも多すぎると思うのは、私だけではなく世間一般の言うところである。

二十四年間の社長会長とそれに続く長期間にわたる事実上の院政による独裁は鐘紡をすっかり風通しの悪い会社にしてしまった。

城山三郎の『役員室午後三時』、山崎豊子の『沈まぬ太陽』とも、私に言わせればたとえ小説にしても、あまりにも伊藤を美化し過ぎている。

彼が社長就任に定めた方針

一、愛と正義の人道主義

二、科学的合理主義

三、社会国家への奉仕

これらは、松田論文（同書掲載の共著者・松田尚士の原稿＝引用者注）にあるとおり武藤山治が大鐘紡を率いて実行した基本理念で、実行済みのものである。そして彼の経営はこの理念と全く相反するものであった。（略）

いずれにしても彼の経営は三つの理念とはあまりにも懸け離れたものであった。ペンタゴン経営の挫折、労働組合との誤った運命共同体制、無謀な三大合繊の進出、財務体質の脆弱化など経営上の失敗は松田論文で指摘のとおりである。またおだてに乗り、かつ自分の野心を満たすため日本航空会長に就任し、短期間で辞職したことは鐘紡のイメージを大きく落としてしまった。（略）

伊藤氏と直接お目にかかったことはそう多くないがお話していても黒メガネの奥の瞳が笑わないことが本当に印象的であった。

余談ですが、伊藤は地方の工場視察に際しては、工場入り口から社長車両まで赤い絨毯《じゅうたん》を敷かせ、その上を歩いて工場入りするのが常態化していたといいます。「日産の天皇」と呼ばれた塩路一郎《しおじいちろう》労組委員長の振る舞いに似ています。

日航の歴史を全否定する日本共産党との宥和政策

伊藤は副会長就任以来、みずからが中心となって従来の日航の従業員管理や組合対策を百八十度転換させる手法を実行してきました。その手法は、日本共産党員や日本共産党系労組と「共存共栄を図る」というもので、日航が歩んできた歴史を全否定する日本共産党との〝宥和政策〟でした。

その第一は、日航創業以来最大規模の百二十九人におよぶ部長クラスの人事異動です。一九六二（昭和三十七）年から翌年にかけて、「ストの日航」と呼ばれる過激な組合活動の土台をつくった当時の労組委員長と書記長（いずれも日本共産党員）を二階級特進という異例の抜擢で業務運営の中枢に入れました。

第二は、日本共産党主導の組合活動の中心となっている日航乗員組合と日航客室乗務員組合が会社に要求してきたもののなかで、それまで日航経営陣が企業防衛上どうしても譲れないと拒否してきた要求を組合の要求どおり認めたことです。日航企業の発展や防衛に真剣に努力してきた良識派職員から強い批判が出たのも当然です。

さらに、伊藤は日本共産党がかねて狙っていた機長管理職制度の見直しと機長組合の結成まで承認するという節度なき迎合ぶりを示しました。

そもそも日航乗員組合には、一九六五（昭和四十）年五月までは、機長、副操縦士、機関士の全員が加入していました。しかし、前々年の一九六三（昭和三十八）年後半から、日本共産党員とそのシンパが執行部を握り始め、過激な争議行動を繰り返しました。こうした過激な闘争に対し、機長会が組合執行部に自重を促したものの、まったく聞き入れないことから、一九六五（昭和四十）年五月には機長全員が組合を脱退しています。こうした事実を踏まえ、会社側は一九七〇（昭和四十五）年に機長をすべて管理職にすることに踏み切っていたのです。

飛行機の運航において、機長が空中での「最高指揮官」として業務を最優先することは当然です。運航業務に労働組合の問題を持ち込むことなど許されません。こうしたわかりきったことを無視して、労組側は「機長にも労働組合レベルで仕事をさせろ」と強硬に主張してきたわけです。その背景には、日航乗員組合とその背後にいる日本共産党が、操縦室内を組合管理化し、乗客を〝人質〟にして企業を揺さぶっていこうという狙いがあったからです。

伊藤がとった日本共産党との宥和政策は、日本共産党側だけを利し、企業経営を危うくする以外の何ものでもありませんでした。企業の発展と防衛を阻害する日本共産党および左翼労組には毅然《きぜん》として対応していくことが〝最善の道〟なのだということを銘記しなければなりません。その意味で、伊藤は労務のことなど何もわかっていない「素人のボンボン経営者」だったということになります。こんな人物を推薦した者たちの無責任さこそ、犯罪行為といわざるをえません。

当時のミニコミ誌が暴いていた伊藤淳二の本性

手元に『世界タイムス』というミニコミ誌が当時の伊藤を糾弾した記録があります。今日では『世界タイムス』が手に入りにくいことと、「時代の証言」としての資料性の高さを踏まえ、長文の引用になりますが、できるだけ要点を抜粋して記事を紹介したいと思います。


昨年（昭和六十年＝引用者注）十二月十八日（略）新体制人事が発足した。

最高経営会議の職務分担が発表されたが、内容は、世間を驚ろかせるに十分なものだった。

つまり実権は、すべて伊藤氏が掌握し、山地社長は人事権も取上げられ、その代わり最も責任の重い安全体制の統括が義務づけられた。また困難な仕事である事故補償や被災者への対応が義務づけられた。

伊藤氏は、日航の最高権限を掌握しながら、最も大事な安全運航体制の統括は自己の責任から外している。またわずらわしいのか事故補償の統括も社長、副社長の担当にして逃げている。

（略）

こうした伊藤氏の見え見えの我田引水的な経営態度は、伊藤氏が外部からきた人だけに余計

に、社員の平常心を失わせる原因となり、士気の低下を招き、（略）
応召する武人の気持などと、格好いいことを言いながら、鐘紡会長をやめて、日航会長に専念できないのは、日航会長の地位や名誉も欲しいが、いままで培った鐘紡会長も捨てられないというのが、むしろ本音ではないのか。（略）
伊藤氏は、ご自分がトップとなっている日航の社員を（略）機会ある毎《ごと》に、無常識と、躍起になって宣伝しているが、無常識なのは伊藤氏自身ではないかと思う。
わが国にも大企業も随分あるが、会長や社長が躍起になって、我が社の社員は無常識だと宣伝して廻《まわ》っているのを見たことがない。恐れ入って開いた口が塞さがらない。（一九八六〈昭和六十一〉年六月二十三日号）

こんどの伊藤日航会長任用の失敗（略）は、率直にいって紹介者が、タドンをダイヤと買い被《かぶ》ったか、乃至《ないし》は仲人口《なこうどぐち》でオーバーに吹聴し過ぎたかしたため、それを政府が国事多端に紛れ、極めて杜撰《ずさん》な手続きで任用した結果、天下周知のこの遺憾な事態を招来したのだと思っている。（略）
「お国のためにといわれればお断りはできない。」「召集令状をうけて、戦場に向う武人の気持ですよ」とか等々、知らぬ人が聞いたら、日本一の忠義一途の人かと思うような言葉を吐いているが、いうこととやることとでは大違い、戦地という日航には一週間に一日か、せいぜい二日、あとは土曜か日曜の夜の九時頃から夜中まで、どこかのホテルで「最高経営会議」とかをやる。厚かましいというか、世にも珍しい応召軍人の勤務風景である。

伊藤氏の誤謬《ごびゅう》はこの当然の常識を認識しない処《ところ》にある。（略）
伊藤氏がやったような批判の書買占め裁断をやる権限とか、政府から依頼されて就任した同僚の代表取締役を脅して、義務のない行為である「殉死誓約書」に署名を強いる権限などという超法規的権限が与えられるわけはないのである。（略）
伊藤氏が日航会長に就任して以来、日航でやった社員いじめは、まことに悪質で到底許されることではない。（略）
伊藤氏は大阪の鐘紡に帰える時に乗る飛行機では、操縦席に乗りパイロットと親しくコミュニケーションを交わすことを慣習にしており、これで急速にコックピットの中が明るくなったと、自画自賛しているが、私はこれは危険なよう思うのだが、どうだろうか。（略）
伊藤氏はいうまでもなく日航会長で、最高の権力者である。従業員であるパイロットは最高に気を使わねばならぬ相手、もし機嫌でもとり損ねたら、昇給にも生活にも影響する。（略）大変な精神的負担の加重と思う。（略）新幹線でも国電でも操縦室に人が這入《はい》って話しかけることは禁止されている筈。（略）会長と談話しながらの操縦は、私は危険この上もないことのように思うのである。伊藤氏はスタンドプレーの上手《じょうず》な演出家で、素人だましの人気とりに、このコックピット飛行を自慢げにPRしているが、敢《あ》えて監督官庁の注意を喚起しておきたい。
（一九八六〈昭和六十一〉年十一月二十五日号）
物凄《ものすご》い気負いで華々しく始まった伊藤氏の日航経営は、一昨年十二月十八日に正式発足して僅か一年そこそこで完全に挫折してしまった。遊技場のダルマが、客の狙った玉が命中しころころと床の上に転げ落ちるように、鮮やかな挫折であった。

「伊藤さんは勝手に自分で転ばれたので、誰がやったわけでもありません。」と日航のある幹部が洩《も》らしていたが、私も同感である。（略）

政府が伊藤氏に期待した日航に必要な改革というのは、土光臨調が判断を下したように、親方日の丸の悪弊に終止符を打ち、堅実な経営に戻すことである。

処が伊藤会長は日航の財政負担力など少しも顧慮しないで、反対に組合懐柔を急ぐためのバラマキ政策を打出した。

会社の財政も収支も一切考えの外にしての組合への安請合をやるのだから、今まで会社当局と仲の悪かった左翼系の組合は大喜びで、伊藤会長支持の態度を強く表わしたのは当然である。

（略）

伊藤会長は「業界第一の待遇を保証する」といい、大げさにいえば何から何まで、とくに左翼系の組合の要求に応じた。まるで放蕩児《ほうとうじ》が遊び場で札びらを切るようにである。

しかし、今の日航の臨んでいる状況で、そんな約束を実行したら、忽《たちま》ち破産、倒産へ一路邁《まい》進《しん》ということになるのは、少しでも経営を知るほどの人なら誰でも判《わか》ることである。（略）

日航社内で最も伊藤氏を支持するグループがこの機長組合（組合員六八〇名）である。伊藤日航会長が管理職の特典を持たせたまま組合を結成することを特別に許したり、管理職は月間五十時間しか乗らなくても八十時間分の給料を支払われるが、組合員は六十五時間分しか支払われない従来の取決めであったのを、伊藤氏は組合員になってでも待遇は下げないことにした。

採算もコストも考えない伊藤会長からの大盤振舞いを受けた機長組合が伊藤を支持するのは

当然で、（略）

「私はそもそも鐘紡でさんざん経営者としてやってきて」云々《うんぬん》と。伊藤氏は四十三年六月鐘紡の社長になり五十九年七月会長になる迄《まで》十六年間社長として経営に当ったが、その間、昭和五十一年四月期百八十二億円の大巾《おおはば》経常欠損を出し、五十二年四月期から爾後《じご》七年間無配をつづけ、その翌年株配、やっと三円配当をやったのが六十年だった。

これに関連して雑誌「ぜんぼう」昭和六十一年十二月号には（略）次のような興味あるエピソードが載っている。（略）

『昭和五十九年六月十三日、伊藤は現代表取締役副社長の小川倭一等を連れて、主力銀行の三井銀行を訪れた。その日三井銀行には関正彦《せきまさひこ》会長、草場敏郎《くさばとしろう》社長、そして神谷健一《かみやけんいち》副社長の三人が顔をそろえた。口火を切ったのは関正彦会長だった。

「伊藤さん、私は今度相談役になるから言わしてもらうが、鐘紡は今復配などできる状態ではないでしょう。なんで復配なんか考えたんですか」と言葉あらく、伊藤に詰問した。

伊藤は「お言葉ですが、三井銀行だけが銀行というわけじゃありません。他の銀行はこれで諒承《りょうしょう》して貰っております。私なりに考えての結論です。」と答えた。すると関は「ほう、そうですか。それならうちの銀行の貸金を全部返して下さいませんか。そういうことは返してから言って下さいよ。」と詰めよった――という。

伊藤が社長をやめ、会長になったのはその翌日のことである。社長の座を、常務取締役の岡本進に譲った。』（後略）

伊藤氏は社長を辞めたが、その日に鐘紡の会長の職にすわり、今日に至っている。もちろん

岡本氏は名のみの社長で実権は伊藤氏が握っており、百にも及ぶ子会社の実権会長まで兼ねている。（略）

伊藤会長は、遺家族に対しても氷のように冷淡と思う。昨年六月株主総会に関西から遺家族の代表が出席し、発言を求めたが、発言は許されなかった。取締役会後伊藤会長の記者会見のテレビで伊藤氏は「遺族に対しては公平の原則と社会通念で処理する」意味のことを述べたが、三百代言の言葉のように冷淡な響きがした。（一九八七〈昭和六十二〉年二月一日号）

日本航空の操縦士などは総理大臣級のお給金をもらっているとか、そんなのが何百人もいるという。伊藤氏は、それにまだ錦上更に花を添える処遇改善を次々と打出して、高い処の土持ち（原文ママ＝引用者注）に余念のない、逆行革経営、逆噴射経営をやり、政、官、財、マスコミ各界から指弾を受け、ついに運輸大臣の行政指導、そして挫折となった（略）

日本航空に週に二回ぐらいしか出て来ない会長が、二百万円近くも月給を貰って、気狂《きちが》いじみた背任的経営で、会社の信用を日毎《ひごと》低下させているのに、それが天下周知の事実になっても、依願退職にも未だにならないというのは、一体どうしたことだろう。

一日も早くこれからの国際競争に生き残れる態勢づくりを急がねばならない時、赤い労働組合を懐柔するために財政無視の待遇改善の空手形を濫発し、それを武器にして自己の地位の保全を図ろうとしている伊藤氏の退陣なしには絶対に日航の民営化に移行すべきでない（略）。（一九八七〈昭和六十二〉年三月十五日号）

『世界タイムス』の主幹・小田俊与《おだとしよ》の指摘は的確であり、庶民の素直な気持ちを見事に代弁しています。

もうひとりのキーマン「小倉寛太郎」

一九八六（昭和六十一）年十月二十八日、銀座東急《とうきゅう》ホテルで「小倉寛太郎君の歓迎と激励の会」が催されました。伊藤が会長となり、大人事異動の目玉として新設された会長室部長に抜擢されたのが小倉でした。前述のとおり、この「小倉寛太郎」こそ、「伊藤淳二」と並ぶ日航機墜落事故後の騒動のもうひとりのキーマンです。

小倉はもともと日本共産党の「細胞」として日航に入社し、会社創設当初の日航労組（日本共産党系）の委員長も務めていました。この小倉寛太郎という「確信犯」の創作虚言にだまされて利用され、翻弄されたのが、「日航会長」という名誉に飛びついた伊藤と、日本共産党のプロパガンダどおりに小倉を「悲劇のヒーロー」に仕立てあげた小説家の山崎豊子です。

ジャーナリストの高山正之《たかやままさゆき》は月刊誌『テーミス』二〇二一（令和三）年六月号で「小倉寛太郎」についてこう述べています。

小倉は東大出の格好いい男だが、「松尾静磨《まつおしずま》の日航」を潰すために日共が送り込んだ刺客という裏の顔を持っていた。

旧逓信省（郵政省を経て、現総務省＝引用者注）出身の松尾は、GHQに潰された航空日本の再建に命を懸け、戦前の操縦士を航空保安庁職員として確保。

さらに米国家安全保障会議（NSC）と直取引して日本航空を発足させた。

日航を基軸に日本の空を取り戻し、ゆくゆくは世界に冠たる航空機産業の復活も視野に入れていた。

しかし、人の不幸を糧にする日共は戦前の元気な日本を取り戻そうとする松尾の夢を絶対に許す気はなかった。それで小倉寛太郎が選ばれた。

彼は東大駒場《こまば》で学園紛争を演出して名を売り、昭和26年の三越《みつこし》争議には学生服姿で乗り込んで、三越の女店員をたらしこんで過激にピケ（ピケッティング。ストライキを維持、強化して労働争議の実効性を確保するための行動。一般市民にボイコットを呼びかけたり、従業員が就労しないよう出入り口等で見張ったり、説得したりする行為＝引用者注）を張らせた。

彼はそんな活動歴をひた隠して日航に入ると、組合委員長に就いた。三越と同じでまずスチュワーデスを籠絡して「ストッキングをよこせ」とか低次元の要求でストを打たせ飛行機を止めた。

日航はたった一人の男に引っ掻《か》き回されて経営まで危うくなっていった。

小倉が仕上げに入ったとき松尾の愛娘《まなむすめ》が白血病で倒れた。小倉は急ぎ松尾に団体交渉を要求し、夜を徹して団交が続けられた。松尾は一歩も譲らなかった。

団交が決裂したとき、松尾のもとに愛娘の訃報が届いた。事情を知ったスチュワーデスは泣いた。それが冷酷な小倉の仕掛けと知って、みな離れていった。

見放された小倉は国外転勤を要求した。ナイロビでは好きに象を撃ち、象牙を支那人《しなじん》に売って儲けた。どこまでも根性の汚い男だった。

一人の確信犯でも企業は危うくなる。

「小説」を言い訳に事実をねじ曲げた『沈まぬ太陽』の罪

日航機墜落事故をきっかけとして巻き起こった日航の経営をめぐる混乱は、まったく誤ったかたちでミスリードされ、ついには日航の倒産にまで追い込まれました。その大きな要因のひとつに、作家・山崎豊子が書いた小説『沈まぬ太陽』があります。

同書は、小説というかたちをとっているものの、舞台が日航であることは一目瞭然です。

この本は著しく真実がねじ曲げられています。

作者・山崎の思い込みによって主人公贔屓《びいき》が過ぎ、贔屓の引き倒しによって、もはや「ペンの暴力」になってしまっているという悪書です。「悪意ある確信犯」を「正義の人」と位置づけ、「真面目に仕事に取り組む人たち」が「悪人」として一刀両断に片づけられました。

山崎の記述と真実との相違点を検証してみましょう。

まず山崎のネタ元であり、主人公のモデル「小倉寛太郎」の人物像について検証します。

山崎豊子の小説『沈まぬ太陽』

主人公・恩地元（小倉寛太郎）は、一九五三（昭和二十八）年に東都大学（東京大学）を卒業後、ただちに大手航空会社「国民航空」（日航）に入社。「学生時代、学生運動をしてきたので入社後、十年間は組合活動に参加せず、仕事に専念したい」と思い、予算室で熱心に仕事に邁進していたが、同社の労働組合の委員長・八馬《はちうま》忠次に無断で次期組合委員長に立候補させられ、委員長を引き受けざるをえなかった。

事実はどうだったか

小倉が一九五三（昭和二十八）年に東大を卒業したのは事実です。しかし、小倉が日航に入社したのは一九五七（昭和三十二）年十月一日のことであり、大学卒業後から日航入社まで四年半の空白があります。

東大在学中には、日本共産党の「細胞」としてオルグ活動に専念し、当時、ポポロ事件に連座しました。ポポロ事件とは、公安の刑事が大学構内に潜入し、情報収集していたところを学生が見つけ、吊るし上げたうえ警察手帳を奪ったという一九五二（昭和二十七）年の事件です。

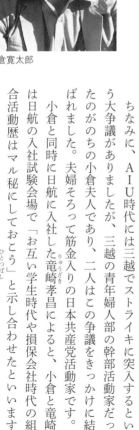

小倉は東大卒業と同時にアメリカの保険会社「ＡＩＵ」に入社しました。当時、損保業界は労働争議が頻発しており、小倉はＡＩＵ労組の青年婦人部長として華々しく活動し、争議指導に明け暮れていたのです。しかし、会社側の強い姿勢に争議も沈静化したため、小倉は〝活動家〟としてＡＩＵに見切りをつけ、〝次の活動舞台〟として採用を公募していた日航に入社しました。

小倉寛太郎

ちなみに、ＡＩＵ時代には三越でストライキに突入するという大争議がありましたが、三越の青年婦人部の幹部活動家だったのがのちの小倉夫人であり、二人はこの争議をきっかけに結ばれました。夫婦そろって筋金入りの日本共産党活動家です。

小倉と同時に日航に入社した竜崎《りゅうざき》孝昌によると、小倉と竜崎は日航の入社試験会場で「お互い学生時代や損保会社時代の組合活動歴はマル秘にしておこう」と示し合わせたといいます（前出高尾建博記者談）。竜崎は一橋《ひとつばし》大学から東京海上火災に入社し、同社労組の青年婦人部長を務め、小倉とは活動仲間の間柄でした。小倉が日本共産党の「細胞」として、日本共産党指令のもとに日航でのオルグ活動を目的に「潜入入社」したことは明らかです。

総理や皇室のフライトを狙ったストライキ

小倉が入社直後に所属したのは比較的活動時間のとれる東京支店の営業でした。小倉は計画どおり、入社三年後には組合の中央執行委員となり、組織部長という要職を得ました。当時、小倉のもとで組織副部長を務めた塩月光男は、「小倉は弁舌が長《た》け、毎日が政治学習だった。当時、われわれは専従ではなく、昼間の仕事の疲れを引きずりながら組合活動をしていたが、小倉の提起する〝朝鮮戦争について〟とか〝破防法について〟とかの政治テーマについては辟易《へきえき》した。それを毎日、徹夜同然にやるのだから、本当に疲れた」と当時を振り返っています。また、このころ、日航労組委員長だった萩原《はぎわら》雄二郎は東大の学生時代、活動家だったこともあり、「心情的に小倉氏の活動を容認していたが、それが小倉氏の活動を増長させた」と語っています（高尾記者談）。

萩原のあとを継いだ吉高《きったか》諄委員長は、温厚な性格で、組合活動にもそれが表れていました。吉高は後任を中町《なかまち》という人物に決めていました。中町もいったんは内諾したものの、立候補締め切り直前になって断ってきました。

困った吉高が幹部と相談したところ、「小倉寛太郎」の名前が浮上。吉高は小倉に会い、「じつは後任の人選で困っている。引き受けてくれないだろうか」と談判しました。

小倉は、「近いうちに私は予算室に異動になる。異動になれば引き受けるが、ダメだったら引き受けられない、吉高さんに任せます」といい、吉高に印鑑を預けて帰宅したそうです。

吉高は、その足で予算室長の平田元《ひらた》に会い、小倉の異動について相談しました。平田室長の協力で、小倉の予算室異動が本決まりとなり、吉高は預かった印鑑で小倉の立候補の手続きをとったといいます。後日、吉高は「あとになって思ったが、小倉は委員長立候補というチャンスを生かして予算室配属をも担保したのでは。予算室は現在の経営企画室で日本共産党の細胞としては狙いどころだ、企業秘密がたくさんあるところだから」と語っています（高尾記者談）。

委員長になった小倉はストライキを背景にした過激な闘争で組合を指導していきました。日本共産党の「細胞」として潜入した小倉がその目的達成のために本領を発揮し始めたのです。当時の労務課長は組合の過激な闘争で胃潰瘍になり、倒れました。

ストライキを会社に通告しない「ヤマネコスト」が頻発するなか、会社が最も危機感を抱いたのは、池田勇人《いけだはやと》総理の訪欧と、皇太子殿下（現在の上皇さま）のフィリピン訪問のフライトをターゲットに絞った一九六二（昭和三十七）年十一月のストライキでした。

当時の日本は高度経済成長の波に乗ろうとした時期であり、ご存じのとおり、池田総理はその立て役者です。池田総理の訪欧には日本をＯＥＣＤ（経済協力開発機構）に仲間入りさせたいという日本政府の悲願が根底にありました。池田総理は日本の工業技術の水準の高さをＰＲするためにトランジスターラジオを持参していました。

一方、東南アジア諸国との関係改善も急務でした。一九六二（昭和三十七）年ごろといえば、日本はまだ戦後の傷痕を引きずっていました。とくに反日感情が強い東南アジア諸国にあって、フィリピンはまだ対日感情がいいほうでした。そこで政府は、まず皇太子殿下をフィリピンに訪問させ、東南アジア諸国と順次関係改善を図ろうとの外交政策が基本にありました。その日本政府の外交の基本政策に、小倉執行部はストライキをかけてきたのです。

当時の日航は大蔵省（現・財務省）が筆頭株主の国策会社であり、代表権を持つ役員の人事権は運輸省にありました。戦後、日本の制空権が米軍に奪われているなか、日本人による健全な航空会社を育成したいとの願いから、一九五二（昭和二十七）年十月一日に設立されたのが日航です。当然、国際線は日航一社しか運航していませんでした。

その日航が日本の外交の基本にかかわる総理フライトおよび皇室フライトをストライキで止めたらどうなるでしょうか。

たんに日航の存立基盤が問われるだけでなく、外交問題にまで発展します。経営者の責任が問われるのは当然です。

血も涙もない小倉寛太郎の人間性

政府からの圧力もあり、松尾社長は団交の席上で、小倉委員長以下執行部に、「外交問題に発展しかねない。どうかストライキを解除してくれ」と土下座をしたといいます。このような闘争に対しては会社側は譲歩を重ねるしかありません。しかし、「資本家は敵であり、その敵が困っているときこそ、ことを有利に進めるチャンス」という考えを信条とする日本共産党活動家に松尾の意は通じません。

当時、小倉委員長のこうした「闘争至上主義」に対して組合内部から賛否両論が噴出していました。すなわち、「小倉委員長はわれわれの要求を満たしてくれる」という支持の声と、「国策会社である日航が総理フライト、皇室フライトを〝人質〟にとって待遇の条件闘争をするのは禁じ手である。その禁じ手を使った小倉委員長は会社をつぶすつもりか」といった批判の声です。

日航は一九六二（昭和三十七）年と、その翌一九六三（昭和三十八）年に大幅な赤字を出していたこともあり、日航労組内の批判勢力は日に日に増大し、とうとう組合の分裂という事態にまで発展します。組合分裂の引き金になったのは小倉委員長の（日本共産党、左翼思想に染まりきった）人間性に対する反発でした。

当時、松尾社長の長女は長らく白血病で入院していました。先述したように、団交中「長女の危篤」の知らせが入ったので、労務課長の吉高は書記長・相馬朝生に事情を説明し、団交を先延ばしにするよう要請します。相馬は「わかりました。中執に持ち帰り、検討しましょう」と中央執行委員会に図りました。ところが、小倉委員長は「相手の弱みにつけ込んで要求を獲得するのが組合の闘争。こういうときがチャンスだ」といって団交継続を指示したそうです。中央執行委員のなかには、「委員長、こんな残酷な団交には出席できません」といって泣きながら訴える者もいたといいます。

小倉は日本共産党のプロの活動家としては優秀な人物かもしれません。しかし、労働者の生活と権利を守る労組の指導者として、彼の「人間性」そのものに疑問が残ります。

労働組合の運営は指導者の人間性に大きく左右されます。一般組合員が「指導者の人間性についていけない」という心情を抱いたなら、労組分裂の要因として決定的でしょう。日本共産党労組の活動家たちには、そのことが理解できないようです。

日航の荒れた労使関係に、政府のみならず、経済界も無関心でいられませんでした。

日経連（日本経営者団体連盟）は、「日航に労務のプロがいない」と判断し、一九五七（昭和三十二）年のILO総会に使用者代表顧問として出席した経験がある伍堂輝雄《ごどうてるお》（日経連専務理事）を日航に派遣。一九六三（昭和三十八）年に日航の専務に就任した伍堂はピケを排除するなど強硬策を進めました。「原則論」に固執する小倉執行部に対し、「譲歩なしの原則論」で対抗したのです。

総理および皇室フライトに対してストライキを構えるという明らかな政治闘争がどういう結果をもたらすかについて、小倉委員長には現実把握能力や分析力が致命的に不足していました。それはつまり、小倉が指導者としての資質に欠けていたという結論につきます。

そもそも、総理および皇室フライトに対するストライキを構えて要求を貫徹するという発想自体、「プロの活動家」からしか生まれてきません。解雇できない以上、経営者サイドとしては労組活動ができないように封じ込めるしか手段はなかったでしょう。

左翼の「確信犯」に〝温情〟は通じない

山崎豊子の小説『沈まぬ太陽』

恩地（小倉）は、労組の委員長を辞めたのち、パキスタンのカラチへの転勤辞令を受ける。組合は不当配転のビラを配って抗議し、恩地はいったん会社を辞めようかとまで苦悩するが、自分を辞めさせるという会社の陰謀に乗らないために、カラチ行きをしぶしぶ承諾する。そのときに、恩地は社長の桧山衛《ひやままもる》（松尾）から「二年間で帰す」との約束をとりつけた。しかし、その約束は守られることなく、カラチ勤務後には、テヘラン、ナイロビへとたらい回しにされ、恩地が「現代の流刑の徒」として描かれている。

事実はどうだったか

小倉が皇室フライトのストライキを決行後、約十年間にわたり、カラチ、テヘラン、ナイロビの海外転勤を経験したことは事実です。しかし、小説とは経緯がまったく異なります。

小倉が委員長を辞めたあと、社内役員の大半は「小倉を解雇すべし」という意見でしたが、それに温情をかけたのが松尾でした。松尾は「一芸に秀でる者は、どこか取り柄があるものだ。小倉君にもう一回チャンスを与えよう。外国にでも赴任させて、見聞を広めれば、彼の人生観も変わるだろう」と提案し、小倉のカラチ赴任が決まったそうです。

松尾は、不当配転のビラを配っていた小倉を社長室に呼び、「君は大変なことをやったんだ。外地で見聞を広め、これまでの人生を見つめ直し、今後の人生を考えてこい」と諄々《じゅんじゅん》と諭し、小倉も納得したといいます。一社員に対しては異例ともいえる「社長主催の送別会」までやり、小倉が赴任するときには羽田空港まで見送りに行ったと松尾の社長、会長時代を通して秘書を務めた川野光《かわのこう》齊《さい》が語っています。

しかし、左翼思想に染まった「確信犯」の小倉に松尾の〝温情〟は通じませんでした。ここが日本共産党員に共通する人間性が不足している点でしょう。

ちなみに、松尾社長の人間性については前出の川野が「葉隠れ武士道の人だった」と証言しています（松尾は佐賀県出身）。

山崎豊子の小説『沈まぬ太陽』

恩地（小倉）は、日本に帰国するたびに桧山（松尾）社長と会い、二年間の約束を守らなかった桧山に約束を履行するように迫った。桧山が死にいたる病床で、「面会謝絶」という状況のなか、病室から出てきた奥さんの手招きで、恩地は桧山と面会する。桧山は「すまん、すまん」と両手を握って恩地に謝った。

事実はどうだったか

すべて山崎の創作です。そもそも、小倉の海外左遷に「二年間」という約束などありませんでした。転勤中の小倉が松尾に会ったという事実もありません。

松尾が亡くなったのは会長に退いて間もない一九七二（昭和四十七）年十二月三十一日の大晦日《おおみそか》で、病名は胆嚢《たんのう》機能不全でした。胆石と肝臓が癒着して死にいたりましたが、面会謝絶で小倉と話せるはずがありません。医師の厳命で、日航機墜落事故のことさえ知らされませんでした。

小説ではたまたま秘書がいない隙に奥さんが病室に招き入れたことになっていますが、関係者は「松尾さんの温情を仇で返した小倉を（松尾の温情行為を知っていた）奥さんが病室に入れるはずはない」と前出の川野がいい切っています。

悪意に満ちた小説を書いた山崎豊子も「確信犯」

『沈まぬ太陽』全五巻のなかで、最も読者を引きつけ、感動させたのは第三巻「御巣鷹山編」です。航空機史上最悪の事故となった日航ジャンボ機墜落事故をめぐる被災者の人生ドラマとそれに対応する日航社員の献身的努力は多くの読者の胸を打ちます。この小説がベストセラーとなった最大の要因でもあります。

しかし、「小説」とはいえ、山崎はモデル企業を明らかにわかるようにしながら、小説の設定を事実と正反対のかたちで伝えています。事実関係を関係者に取材していながら、そのようなまねをしているわけですから、山崎豊子もまた企業攻撃の「確信犯」です。

小説で描かれている「献身的な人々」は、実際には被災者を顧みず、ストライキを指令し、救援活動を拒否した人々でした。最大級に美化してある主人公・小倉寛太郎にいたっては救援活動をいっさい行っていません。

逆に主人公や労組を苦しめる「悪役」に設定された人々は、実際には事故当初からすべてをなげうって現地に入り、数日間にわたって徹夜で作業にあたったり、山籠もりをしたりして、献身的に救援活動につくした人たちです。

とすれば、この小説は〝悪意〟を持って〝ウソ〟を伝える詐欺まがいの悪書ではないでしょうか。

山崎豊子
（『週刊公論』1960年7月号）

そして、この小説は、多くの事故被災者やその家族を冒瀆《ぼうとく》するばかりか、献身的に被災者の家族を世話した多くの日航社員や地元の人々など「善意ある人々」に対する裏切り行為ではないでしょうか。

山崎の〝創作〟は悪質としかいいようがありません。

小説で主人公の恩地は、事故当初から先遣隊として御巣鷹山に乗り込み、献身的に被災者の面倒を見たと記載されています。しかし、日航の人事記録には、小倉が御巣鷹山に登った記録もなければ、一日でも被災者や家族の面倒を見たという記録もありません。カラチ、テヘラン、ナイロビ勤務のあと、小倉は一九七三（昭和四十八）年七月一日付で営業本部長付調査役として本社に転勤になりましたが、本人の希望で、なぜか再びナイロビの支店長に戻っています。ナイロビから急遽《きゅうきょ》飛んできたとしても無理があります。

山崎の創作小説は「真実の告発」を装いながら、まったくデタラメなのです。

「日航には黒い背広を着て登山する社員がいる」

山崎が主人公に設定するほど惚《ほ》れ込んだ「小倉寛太郎」の人間性を物語る御巣鷹山でのエピソードがいくつかあるので紹介します。当時、筆者が高尾記者とともに日航の関係者から直接聞いた話です。

小説のなかで貨物部長として登場する「岡部《おかべ》」という人物のモデルは事故当時に日航の貨物部門に勤務していた岡崎彬《おかざき》（父は全日空社長・岡崎嘉平太《かへいた》）だといわれています。岡崎は事故直後から定年退職する一九八九（平成元）年までの四年間、御巣鷹山の山中で山籠もりをして遺体の収容や遺族の対応にあたったことで知られています。事故後に最も苦労したのは岡崎をリーダーとする山岳会「山行会」だといわれており、御巣鷹山には山行会のメンバーが常時三十〜四十人山籠もりしていました。なかでも、岡崎の献身的な働きぶりは〝伝説〟として語られています。

事故から一年たったゴールデンウィーク前、小倉がナイロビ支店長から伊藤の会長室部長に転勤になったというので、岡崎は小倉を御巣鷹山に呼びました。もともと山行会は組合活動のひとつとして小倉が設立したという経緯があったので、かつて仲間だったメンバーを小倉に慰労してもらおうと思い立ったからです。

　小倉が到着して会議を開いたところ、山行会のメンバーたちが妙によそよそしいので、岡崎は、「小倉はお前たちの仲間だろう。昔のボスだったろう」と尋ねました。すると、彼らは、「岡崎さんは何も知らないんです。あの人は僕らのはしごを外した人なんですよ」と答えたといいます。メンバーたちが昔、小倉にあおられて過激な闘争に突っ走り、蒲田《かまた》署に身柄を拘束されたとき、小倉は責任を果たさず、逃げてしまったことがあったそうです。昔の山男仲間からも信用されていない人物でした。

　とにかく、岡崎の気づかいで、生涯このときの二日間だけ、小倉は御巣鷹山で過ごすことになりました。

　当時、御巣鷹山で救援活動の指揮をとっていたひとりに伊藤武《いとうたけし》という人がいました。貫禄《かんろく》のある伊藤は、救援活動をしていたメンバーたちから「伊藤会長」というあだ名で呼ばれていました。小倉が御巣鷹山にいた日、下の山小屋から上の山小屋に「伊藤会長が山に登ります」という無線が入りました。実際に山に登ってくるのは「伊藤武」でしたが、無線を聴いた小倉はてっきり「伊藤淳二」会長の視察だと思い込みます。すぐさまボーイスカウトの服を脱ぎ、サッと黒いスーツに着替えて待機しました。すると、慰霊登山に来ていた遺族から「日航には黒い背広を着て登山する社員がいる」といやみをいわれたため、岡崎は「小倉は役に立たない。ここに置いていたら、遺族との関係でまずいことになる」と判断し、すぐに小倉を下山させたといいます。この二日間以外に小倉が御巣鷹山に姿を見せたことはありません。

「小倉寛太郎」の正体を知りながら「恩地元」を描いた山崎豊子

小倉を日航委員長に後継指名した吉高諄は山崎の取材を約三時間にわたって受けています。日航広報部の須藤元副部長と新潮社の編集者も同席していました。

山崎が「小倉さんって、どういう人ですか」と聞いたので、吉高は「連合赤軍の永田洋子《ながたひろこ》を男にしたような人物です」と答えました。山崎が「それはどういうことですか」とさらに聞いてきたので、吉高は「頭は切れて人を取り込むのはうまいが、目的のためには手段を選ばず、冷酷非情な人物です」ときっぱり答えたといいます。

そのとき、吉高は小倉の人間性を表すエピソードのひとつとして、松尾社長の長女の話をしたそうです。

前述のとおり、松尾の長女は長らく白血病で入院していました。団交中に「長女の危篤」の知らせが入ったので、当時、労務課長だった吉高は、書記長だった相馬朝生に事情を説明し、団交を先延ばしするよう要請します。相馬は持ち帰り、中央執行委員会にかけましたが、小倉委員長は、「相手の弱みにつけ込んで要求を獲得するのが組合の闘争。こういうときがチャンスだ」と団交継続を指示しました。結局、松尾社長は長女の死に目に会えませんでした。

このエピソードを聞いた山崎は、「どうしよう。これじゃ、小説が成り立たない。もうやめましょう」と動揺を隠せなかったそうです。吉高は、「これで理解してくれた」と思っていたら、小説は本当のことと百八十度異なる展開になっていたのであきれ果て、「彼女の小説家としての良心を疑う」と憤慨していました。

関係者からの抗議は「小説ですので」で一蹴

前出の岡崎彬も、同じく山籠もりをしていた天野英晴とともに、山崎から三〜四回取材を受けました。いずれも新潮社の加藤新という編集者と山崎の秘書の野上孝子《のがみたかこ》が同席しています。

二人とも山崎に聞かれるまま、御巣鷹山の生活ぶりを詳細に説明しました。その際、山崎があまりに日航の悪口をいうので、岡崎は「あなたは小倉に相当吹き込まれているみたいですね」と切り返したそうです。すると、山崎が「小倉さんは、どんな人ですか」と聞くので、岡崎は「あなたみたいな有名人を取り込むのは天才的にうまいが極悪人です。会社をメチャクチャにしたうえ、仲間をあおるだけあおっといて、最後は責任を持たないやつ」と説明したといいます。

『沈まぬ太陽』が『週刊新潮』で連載中、岡崎や天野は、みずから体験したことや、岩田正次というご遺族相談室の世話役の苦労話を山崎にしました。しかし、それらはすべて小説では「恩地元＝小倉寛太郎」が行った美談としてすり替えられ、つづられていました。

岡崎は何度も抗議の電話をかけましたが、新潮社側からは「小説ですので」という返事しか返ってきません。それに対しても、岡崎は「小説の体裁はとっているが、御巣鷹山やご遺族の名前は実名だ。誰だって日航と思うじゃないか。何よりご遺族の世話をしたことのない小倉の美談になっているのは、ご遺族や被災者相談室社員への冒瀆だ。これも一種の盗作ではないのか。われわれは詐欺にあったようなものだ」と強く抗議したそうです。

小倉寛太郎にとって実際は「天国」だった「流刑地」

岡崎はテヘラン駐在中の小倉についても語っています。岡崎が出張でテヘランに行ったとき、小倉邸に行ってみると、小倉は当時、すでに狩猟が趣味だったらしく、庭で実際に猟銃を撃ってみせました。岡崎は「小倉は庭で猟銃が撃てるぐらいの豪邸に住んでいた。それが〝現代の流刑の徒〟とは聞いてあきれる」と笑っていました。

真実は日本共産党が宣伝する「流刑の徒」とは正反対で、小倉寛太郎に悲劇性などまったくありません。

小倉はナイロビ駐在中、「王侯貴族の生活」をしていたと複数の日航社員が証言しています。邸宅は豪華なたたずまいで、部屋には象牙、シマウマの敷物などがところ狭しと飾ってあり、その象牙も二〜三メートルはあったそうです。

小倉は一九七六（昭和五十一）年に「アフリカ大好き日本人」を集めて「サバンナクラブ」を組織しています。メンバーには映画監督の羽仁進《はにすすむ》や俳優の渥美清《あつみきよし》など日本共産党関係者も多くおり、山崎も世話になったようです。さらに、小倉は「ナイロビ・ツアーズ」という旅行会社も経営し、サバンナの動物視察ツアーを主催するなど商魂もたくましいものがありました（就業規則違反だが、日航は黙認していたという）。

実際のところ、小倉にとってナイロビは「流刑地」どころか「天国」だったようです。伊藤会長辞任後、利光副社長が「いろいろあったが、もう小倉君も定年までそう長くはないのだから、日本でのんびり暮らしたらどうか」と本人の思いをたしかめたところ、小倉は即座に「ナイロビに行かせてください」と訴えたといいます。

創作物による社会のミスリードにはインテリジェンスで対抗せよ

山崎は『沈まぬ太陽』巻末の「あとがき」で、次のように書いています（傍点引用者）。

　事実を取材して小説的に再構築した人間ドラマであるが、ニュース、ドキュメント、公文書、内部資料などを駆使し、それが小説の重要な核心にもなっている。作家生活四十年にして、はじめて手がけた技法であるが、その小説的技法の評価は第三者に委《ゆだ》ねる。

筆者なりの結論をいえば、この『沈まぬ太陽』という作品は作家・山崎豊子の晩年を汚したきわめて悪質な駄作です。

なぜなら、この小説は、「事実を取材」しておきながら、特定の人物の独善と偏見を鵜呑《うの》みにし、特定の人物を美化するあまり、あまりにも事実とかけ離れた創作部分が多すぎるからです。そのうえ、「フィクション」を装っているため、直接名指しではないものの、明らかに登場人物、団体のモデルが特定できるようにしくまれています。関係者を冒瀆した「ペンの暴力」の典型です。

小説の舞台が特定企業と、そこで発生した事故であることを一目瞭然にしておきながら、フィクションであると逃げたり、史実をねじ曲げておきながら、本当の史実のように書いたりするのが「山崎豊子の新技法」だというのなら、その「新技法」は人権を無視した社会問題となる要素を含んでいます。事実、山崎の取材を受けたり関係者として登場させられたりした多くの人たちが名誉毀損で告訴する準備を進めていた事実に照らしてみても、「第三者の評価」はきわめて厳しいものになるでしょう。

そんな技法が許されることになれば、「ストーリーさえおもしろければ、企業や関係者の名誉は毀損されてもいい」という風潮が醸成され、特定思想の集団による「テロ行為」として利用されかねません。

それこそ、まさに文学の危機です。

作家活動に従事する人々や出版に携わる人たちには「何より史実を基本に」という姿勢が必要です。その視点でいえば、山崎の取材段階で「あまりにも史実をねじ曲げている」という抗議を受けながら、それを無視し続けた新潮社の姿勢も問われるべきです。

事故を利用して再び日本共産党による労組支配を狙った小倉寛太郎。事故をきっかけに日航の経営支配をもくろんだ伊藤淳二。事故をネタに悪意ある小説を書いた山崎豊子——三人に共通するのは目的のためには手段を選ばない「確信犯」だということです。そして、三人とも現実把握能力に欠けているのです。つまり、被害妄想、誇大妄想の癖があるということです。

組織の中枢や社会的影響力のある立場に虚言癖のある「確信犯」がいると、これほど世の中を混乱させることになるという事実を、彼らは見事に証明しました。

日本共産党員には公然党員と非公然党員がいます。

日本共産党は日航のジャンボ機墜落事故によって生じた経営陣の混乱に乗じて公然党員「小倉寛太郎」の復活と伊藤淳二を利用しての間接的経営支配をもくろみ、そのシナリオを練り上げました。山崎豊子が日本共産党員かどうかは不明です。しかし、結果的に日本共産党のシナリオに沿うかたちで、「日本共産党のプロパガンダ小説」となる『沈まぬ太陽』を書き上げました。いわば、本来は非公然党員が果たすべき役割を「作家・山崎豊子」が代わりに果たしたともいえます。

『沈まぬ太陽』とその創作手法がはらんでいる問題は、決して過去のものではありません。今後も外国勢力や左翼組織の手による同様の「史実をねじ曲げる」手法の小説、ドラマ、映画等は増えてくることが予想されます。

そうした創作物の影響で社会を誤った方向にミスリードさせないためには、個人個人がもっとインテリジェンス感覚を磨き、社会の事象を冷静にとらえて分析するという、地道な努力によって克服するしか方法はありません。

余談ですが、小倉は日本共産党の党幹部の活動をサポートするため、党員が日本の治安当局に察知されず極秘裏に海外活動するための中継拠点や海外輸送機の手配などで重要な役割を果たしていたという情報もあります。それが本当なら、日本共産党の志位和夫《しいかずお》委員長が海外での移動に際し、中東の個室つき航空機を利用しているとの情報も納得できる気がします。

小倉は二〇〇二（平成十四）年十月九日に死去しました。

そして二〇一〇（平成二十二）年、日航は経営破綻し、倒産しました。日本共産党は労働者を幸せにはしてくれませんでした。

第五章

「革新自治体」に巣食うソビエトの影

日本に旋風を巻き起こした「革新自治体」ブーム

「革新自治体」という言葉をご存じでしょうか。もしかすると、若い方は聞いたことすらないかもしれません。文字どおり、日本共産党や社会党など「革新」勢力の支持を受けて当選した首長（「革新首長」と呼ばれた）が治める地方自治体のことです。一九六〇年代から一九七〇年代にかけて次々と誕生し、一種のブームを巻き起こしていました。

一九九〇（平成二）年に出版された『資料・革新自治体』（日本評論社、全国革新市長会・地方自治センター編）という本の「まえがき」は、当時の革新自治体の躍進ぶりとその政治的意義について、次のように述べ、自画自賛しています。

大都市圏をはじめ、全国の数多くの革新自治体が、地域だけでなく国民的な課題をとりあげて国政をリードしたことは、戦後地方自治の歴史のなかで、特筆されなければならない。

1960年代後半から約20年間にわたって、わが国の政治のうえに、いわば「政権交代なき政策転換」と呼ぶべき状況を出現させた（略）

1963年の統一自治体選挙は、（略）横浜、京都、大阪、北九州《きたきゅうしゅう》の4つの政令指定都市と、その他78の都市で「革新市長」が当選した。（略）1964年に全国革新市長会が結成された。（略）1973年には革新市長会に加盟する都市は、全都市の約3割の131の多きに達した。（略）

「革新」という言葉が持てはやされた時代でした。

京都では日本共産党が推す蜷川虎三《にながわとらぞう》知事が一九五〇年代から府政を治めていました。また、一九六七（昭和四十二）年には東京都知事選挙で社共推薦の美濃部亮吉《みのべりょうきち》が勝利。そして、一九七一（昭和四十六）年には大阪でもやはり社共推薦の黒田了一《くろだりょういち》が府知事に選ばれています。

一九七〇年代の半ばには、じつに日本の人口の四〇％以上が「革新自治体」のもとで暮らしていたのです。

一九六〇年代後半から七〇年代前半にかけては、高度経済成長にともなう急速な都市化、工業化の〝負の側面〟として、公害や住宅問題、交通問題などが注目されるようになりました。これら地域住民の生活に密接に関連する問題の解決を期待されて誕生したのが革新自治体です。ようするに、都市問題に対する不満の高まりとともに、「保守勢力に政治を任せるからこんな問題が出てきたんだ。これからは革新勢力の政治が必要だ」という機運が各地域の住民たちのあいだで高まっていたわけです。

では、いざ「革新自治体」が誕生すると、どうなったか。

その実態は人々の期待をことごとく裏切るものでした。

それもそのはず。「革新勢力」、つまり「左翼勢力」にとっては地域の人々の生活より自分たちの勢力を拡大して「革命」をなしとげることのほうがはるかに重要だからです。住民生活を向上させるための行政など二の次であり、彼らは地方政治の支配を通じて中央を〝包囲〟し、親米、保守政権を転覆させる「政権交代なき革命」を目指していました。いうなれば、当時、「革新自治体」という舞台で繰り広げられていたのは六〇年安保闘争で〝挫折〟した左翼勢力の「新たな革命闘争」にすぎなかったのです。

本章で語るのは、そんな革新自治体の〝正体〟です。

「革新の星」飛鳥田一雄

一九六四（昭和三十九）年に結成された全国革新市長会の会長を長期にわたって務め、「革新の星」「革新自治体の指導者」と崇《あが》められた革新自治体のリーダーが、当時の横浜市長・飛鳥田一雄《あすかたいちお》です。飛鳥田は、社会党の国会議員経験者であり、のちに社会党委員長にも就任した超大物市長でした。

「革新自治体」の意義について、飛鳥田は月刊『現代』一九七四（昭和四十九）年十二月号の対談で、こう語っています。

空洞化した議会制民主主義に生気を吹き込むためにも、一度は原点である直接民主主義へ帰ってくるはずである。その直接民主主義を盛る器が、ほかでもない地方自治体なのだ。そこから、〝地方が中央を包囲する〟という具体的プログラムも出てくるのである。（略）〝労働組合は社会主義の学校〟だとすれば、〝地方自治体は革新権力の学校だ〟というのが、私の信念である。

また、飛鳥田は、革新自治体の役割について、『教育評論』一九七三（昭和四十八）年三月号、『週刊ポスト』一九七六（昭和五十一）年二月二十七日号で、こうも語っていました。

「文部省（現・文部科学省＝引用者注）の権力に抗争するための防波堤として教育に対しての中立性を叫ぶ」

「（略）内心は中立を社会主義体制に移行する一つのとりでとして、今後の教育をやってもらいたい」

「（略）（教員の＝引用者注）尊敬度、信頼度を利用して裏面において大衆の中へもぐって裏工作をし、社会変革の先兵としてこれをやる」（教育評論）

日教組がストライキやっても賃金カットはしないとか、処罰もしないとか、そういう政府の指導を妨げるような消極的な手段ならとれる。（週刊ポスト）

飛鳥田の唱える「革新自治体」の意義からは労組や左翼政党が国を支配するために自治体を〝隠れ蓑〟にしている「確信犯」の肉声しか聞こえてきません。

事実、当時はどの革新自治体においても例外なく「労組」や「社会党」「日本共産党」の〝エゴむき出し〟の姿がそこにありました。くわしくは後述しますが、その運営実態からは自分たちのエゴを守るためには「無知な市民の犠牲は当然」という思い上がりが透けて見えていたのです。

中学時代からマルクス、エンゲルスに傾倒

ここで飛鳥田一雄の生い立ちに触れておきましょう。

飛鳥田は、一九一五（大正四）年、横浜市花咲町《はなさきちょう》で弁護士の父・喜一《きいち》と教師の母・さとの長男と

筆者が1977年に出版した
『飛鳥田一雄研究』

して生まれました。父・喜一は、弁護士を開業する傍ら横浜市議会議長を務め、戦後は高松《たかまつ》、広島、名古屋の各高検検事長を歴任。横浜弁護士会会長にも就任するなど横浜の実力者でした。

飛鳥田は五歳のとき、小児麻痺にかかり、足が不自由になります。思想的にはかなり老成していたようで、中学時代からマルクス、エンゲルスの文献を読み出して傾倒し、両親を困らせていたようです。中学時代の同級生・松信総次郎（書店「有隣堂《ゆうりんどう》」社長）は、「マルクス・レーニン全集、非合法の赤旗も読んでいた。赤旗を家に持って帰って母親に見つけられた。〝眠っちゃって目がさめたらまだ母が枕元で泣きつづけていて弱っちゃった〟と話していた」と当時を振り返っています（拙著『飛鳥田一雄研究』新国民社、一九七七〈昭和五十二〉年）。また、松信は「アッちゃんは暴れん坊でね。みんなで悪いことばかりするんだけど、一度も怒られた事がないんだ。悪童連の指導者かというとそうでもなくって、うしろのほうから人を煽《あお》るのがうまいんだな。それに要領がよかったんじゃないかな」と飛鳥田の性格についての感想を語っています（前掲書）。

一九三七（昭和十二）年に明治《めいじ》大学を卒業した飛鳥田は、その二年後に高等文官司法試験に合格。弁護士となり、父の弁護士事務所を手伝うことになります。当時、二十五歳でしたが、足が悪かったため、兵役は免除になりました。

一九四三（昭和十八）年、幸子《さちこ》夫人と結婚し、終戦後の一九四五（昭和二十）年十一月には社会党の結成大会に参加。ここから飛鳥田の「政治家」としての人生がスタートします。

一九四九（昭和二十四）年、父・喜一の後釜として横浜市議選に立候補して当選。続けて一九五一（昭和二十六）年、神奈川県議選に出馬して当選。さらに一九五三（昭和二十八）年、衆議院議員選挙に社会党公認として立候補し、全国一の十四万票という大量得票数で当選を果たしました。

社会党議員時代は当時、党内でも最左派だった平和同志会に所属し、社会党の論客として活躍。横浜市長になる以前は衆議院議員として、一九五三（昭和二十八）年、一九五五（昭和三十）年、一九五八（昭和三十三）年、一九六〇（昭和三十五）年と四期務めています。

市長室にいない市長

飛鳥田が横浜市長に初当選したのは一九六三（昭和三十八）年のことです。市長就任と同時に「市長室の扉をなくす」とのアドバルーンを上げて市政の第一歩を踏み出しました。市民との対話を大切にするため〝扉〟をなくすということなのですが、ある議員はいいました。

「市長のいない市長室の扉なんて、最初からいらないのさ」

この指摘どおり、在任した十四年間で飛鳥田が市長室にいた日数はきわめて少ないのです。

当時、飛鳥田は、革新市長会の会長として、社会党副委員長として、選挙運動の弁士として、日々全国各地を駆けめぐっていました。そして、その合間には「市民外交」に明け暮れていました。

『中央公論』一九七四（昭和四十九）年三月号で、飛鳥田は、次のように市民外交にかける熱意を語っています。

上海《シャンハイ》とは去年の十一月に友好都市になりましたし、友好行事、スポーツ使節団の交換などは、この七、八年間に何百回となくやってきています。また、ソ連とは、昨年キエフ（現・キーウ＝引用者注）で横浜市の見本市をやって私も行きました。

しかし、飛鳥田の市民外交は、相手がソビエト、中国、北朝鮮等の「共産圏国家」に偏っており、やっていることも「一地方自治体の首長」の枠を大きくはみ出していました。

最も典型的な事例が横浜で開催された「アジア卓球大会」です。同大会は中国を中心としたアジア、アラブなど第三世界の友好と団結を目的としたもので、一九七二（昭和四十七）年に日本（横浜市）、中国、北朝鮮の主導により、第一回大会が開催されました。そして、その第二回大会が一九七四（昭和四十九）年四月二日から十五日までの二週間にわたって横浜市で開催されたのです。

大会組織委員会が公表した同大会の収支報告書によると、収入総額は約二億七千万円で、国庫補助は〇円、神奈川県と横浜市から一億円弱の補助があてられました。そのほかの収入の多くは企業の寄付金であり、後述する飛鳥田の〝腹心〟宮本恒雄という人物がその集金の重要な役割を果たしています。

きわめて政治色の強いこのような大会を、一地方自治体が巨額を投じ、市役所職員を動員して行う意義はどこにあるのか、おおいに疑問です。ちなみに、大会には、延べ八千五百人もの警察官が動員され、千五百人の横浜市職員が業務をほったらかして駆り出されました。

社会党を牽引した最左派「社会主義協会」

「市民外交という名の共産圏外交」を推し進めた飛鳥田の原動力――その思想的背景を追ってみると、社会党最左派の「社会主義協会」と、同協会に影響力を行使していた「ソビエト」という外国勢力に突き当たります。

「社会主義協会」というキーワードが出てきたついでに、ここで日本における社会主義運動の対立の歴史について簡単に触れておきます。

戦前の日本では「労農派」と「講座派」というマルクス主義者の二大陣営が、日本の資本主義の性質をめぐって激しい論争を繰り広げ、対立していました（日本資本主義論争）。細かい議論の内容は本書には関係がないので立ち入りませんが、ようするに、両派とも日本に「革命」が必要だという点では一致しているものの、その前段階として当時の日本（明治維新を経た近代日本）の資本主義がどのレベルにあるかということでいい争っていたわけです。

労農派は一九二七（昭和二）年創刊の政治雑誌『労農』を中心に集まった向坂逸郎《さきさかいつろう》、山川均《やまかわひとし》、大《おお》内兵衛《うちひょうえ》らをはじめとする「非共産党系」のマルクス経済学者や社会主義者たちの一派です。彼らはカール・カウツキー（ドイツの社会主義者。ロシア革命に際してはレーニンを批判する立場をとった）のマルクス主義理論の影響を受けていました。

一方、講座派は一九三二（昭和七）年五月から翌年八月にかけて刊行された『日本資本主義発達史講座』（全七巻、岩波書店）の執筆者を中心とする「日本共産党系」のマルクス主義者たち（経済学者の野呂栄太郎《のろえいたろう》、山田盛太郎《やまだもりたろう》ら）の集まりでした。

戦後には労農派が社会党、講座派が日本共産党の理論的な支柱となり、労農派知識人は社会党、講座派知識人は日本共産党に結集するようになりました。

日本共産党はヨシフ・スターリンとソ連共産党、コミンテルン（一九一九年にモスクワで創設された「共産主義インターナショナル〈Communist International〉」の略称。世界各国の共産主義運動を指導、統制した中央集権的な国際組織）に心酔しており、コミンテルンの指導に従って日本で「革命」を起こすのが至上命令とされていました。

繰り返しになりますが、労農派（社会党）も日本に革命を起こさなければならないという点では講座派（日本共産党）と同じです。その労農派の理論家たち、すなわち山川、大内、向坂らが中心となり、戦後の一九五一（昭和二十六）年に結成したのが社会党左派を代表する派閥「社会主義協会」でした。発足当初は山川と大内が共同代表を務め、一九五八（昭和三十三）年の山川の死後には向坂が指導的な役割を果たしました。向坂の理論は山川より過激で、ソビエトに対する〝心酔〟を基調とするマルクス・レーニン主義だったため、結局、講座派の主張に近くなりました。

戦後、社会党の内部では左派と右派の派閥抗争が繰り返されましたが、独自の中央組織と執行部を持つ左派「協会派」が基本的に抗争に勝利し、社会党の路線をマルクス・レーニン主義に牽引していきました。

この社会主義協会を裏で支えていたのがソビエトです。

社会主義協会はソビエトの援助で「党内党」として活動してきましたが、長いあいだ構成メンバーさえ明らかにされず、秘密のベールに包まれた謎の集団でした。治安機関が初めて社会主義協会メンバーの全容を知ったのは一九五一（昭和四十六）年ごろのことで、当時、協会派の事務局員のひとりだった渡辺乾介《わたなべけんすけ》が内部資料を持ち出したのがきっかけです。ちなみに、渡辺はその後、ジャーナリストに転身し、自民党（当時）衆議院議員の加藤六月の秘書と結婚。小沢一郎に接近してそのブレーンとして関係を深め、『週刊ポスト』で連載した政治漫画『票田のトラクター』（小学館、一九八九〈平成元〉年）の原作を執筆して話題となりました。

余談ですが、ソビエトべったりだった協会派はソビエト崩壊後、中国と北朝鮮を支援することが重要課題となります。そのため、旧社会党も社民党も日本共産党も、「日本国憲法の理念を生かす」「戦争犯罪の償い」「植民地支配の謝罪」などと称して日本国家を攻撃し続けました。日本を弱体化させ、中国と北朝鮮を支援し、両国を利することが「社会進歩」であり、「人間の安全保障」になる——そんな彼ら独自の「革命理論」を信じ込んでいるようです。

飛鳥田一雄の背後にいた二人のキーマン

話を「飛鳥田一雄」に戻します。

飛鳥田の思想背景を探るのには、「向坂逸郎」と「岩井章《いわいあきら》」の名前を挙げるだけで十分でしょう。

ひとり目のキーマン「向坂逸郎」は、先に見たとおり、協会派の教祖といえる人物です。飛鳥田自身、『サンデー毎日』記者の「飛鳥田さん自身のことを向坂（略）学校のマルクス主義者と、ひとことでいってもいいのですか」という質問に対して「まあ、それほどじゃありませんけど、ぼくの考え方は非常に近いですね。だから始終、社会主義協会のいろんな本なんかから学んでいますね」と答えています（『サンデー毎日』一九七四〈昭和四十九〉年十月十三日号）。ちなみに、飛鳥田の娘・喜子は、明治大学を卒業したあと、「向坂学校」（向坂と弟子が三井三池《みいけ》炭鉱労働組合内で労働者向けに設けた勉強会）の研修生となり、一九七三（昭和四十八）年、同じ社会主義協会のメンバーで、国労の専従書記だった小泉俊士と結婚しています。その仲人は向坂本人でした。

もうひとりのキーマン「岩井章」は日本の労働組合の総本山「総評」の事務局長（議長に次ぐナンバー2の役職）を務めた人物です。協会派内では「教祖」向坂の代理人的な立場でした。社会党の若手活動家を養成し、協会派を党内の最大勢力に育て上げた陰の実力者でもあります。

岩井はソビエトから国際レーニン平和賞（国外で活躍する共産主義、ソビエト支持者にソビエトが与えた賞）を贈られるほどの親ソ派の大物です。在日ソビエト大使館の信頼もきわめて厚く、筆者が取材した外事担当の治安関係者によると、「岩井の国内情勢に関する分析情報は定期的に大使館に届けられており、とくに選挙予想などの分析はいち早くソビエト大使館に報告されていたが、きわめて正確で、大使館側も舌を巻いていた」そうです。飛鳥田とソビエトを結ぶ〝パイプ役〟として岩井が深く関与していたことは疑う余地がなく、飛鳥田を社会党の委員長に担ぎ出す工作の舞台回しも、すべて岩井によって行われました。

ちなみに、飛鳥田が社会党本部国民運動局長から衆議院議員に担ぎ出した伊藤茂《いとうしげる》も岩井グループの一員で、協会派のメンバーです。

伊藤は東大卒業後、大内兵衛の紹介で社会党に入党。一九五四（昭和二十九）年に党本部書記としてスタート、一九六三（昭和三十八）年から国民運動事務局長を歴任しました。ソビエトから提供された資金をプールする目的で一九四六（昭和二十一）年に設立された公益財団法人「政治経済研究所」の設立草案は伊藤が起草したといわれています。

革新自治体の実態が暴かれた汚職事件

地域住民の期待を背負って次々に誕生していった「革新自治体」ですが、その運営実態が明らかになるにつれて、人々はその〝幻想〟から目覚めていきます。

革新自治体のシンボルであった横浜革新市政の仮面が剝がれ、その実態が浮き彫りになるきっかけをつくったのは、一九七六（昭和五十一）年六月に発覚した汚職事件の摘発です。一九六三（昭和三十八）年に飛鳥田市政が誕生してから、じつに十三年目の出来事でした。

一九七六（昭和五十一）年六月一日、神奈川県警は横浜市市民局「日照相談室長」宮本恒雄（当時、五十二歳）を収賄容疑で逮捕しました。「住民参加の市政」「市民サイドに立った市政」を旗印にしてきた革新市政の目玉とされた「日照相談室」（当時、増加していた日照権問題に対応するために横浜市が市民局に設けた部署）の現職室長の汚職です。しかも、宮本は飛鳥田の〝腹心〟として市長みずからが大抜擢して育ててきた人物でもありました。前述のとおり、飛鳥田の「市民外交」の象徴となる第二回アジア卓球選手権大会の集金で活躍したのもこの宮本です。

宮本が逮捕されたことで、市民からは飛鳥田革新市政に対する疑問の声が噴出。最終的には「贈収賄合わせて十九人逮捕」という大汚職事件に発展しました。

また、捜査を通じて、宮本が日照相談室長の立場を利用し、建設業者に対して公然と「夜の接待を強要」したり、「賄賂の要求」をしたりしていたことや、業者を脅す目的で住民運動を起こさせ、業者が下手《したて》に出始めると今度は逆に住民をなだめるという「マッチポンプ」を働いていた実態なども明らかになります。

宮本は住民運動のなかにあらかじめ「紛争屋」を送り込んで住民運動を自由自在に操っていたの

です。

しかも、業者と住民の話し合いがつくと、その補償金の一部をピンハネしたり、自分に捜査の手が伸びているのを察するや、業者に偽の領収書を書くよう強要したりするなど〝きわめて悪質な職権乱用〟を繰り返していた事実も判明しました。

選挙協力の見返りで出世する腐敗した行政

捜査員の取り調べに対して開き直った宮本が、「俺が全部しゃべったら横浜市はひっくり返る。俺みたいなのは、もっとたくさんいる」とうそぶいたことから、汚職事件とは別に、革新市長とそれを支える自治体労組との「癒着の構図」もクローズアップされることになりました。

ここで「宮本恒雄」という人物の経歴についても触れておきます。

宮本は一九五〇（昭和二十五）年、横浜市の事務職員として入職。一九六二（昭和三十七）年からは労組活動の専従となり、全国水道労組書記次長、副委員長等を務め、通算九年六カ月の組合専従期間中が休職扱いとなりました。

一九七一（昭和四十六）年に横浜市職員に復職すると、一カ月後には水道局主査（係長職）に昇進。さらに、その一カ月後には市民局に移って日照相談担当となり、二年後には副主幹（課長職）となりました。まさにトントン拍子の昇進です。

一九七五（昭和五十）年六月には飛鳥田市長に〝抜擢〟されて三代目の日照相談室長に就任。汚職事件が発覚する一カ月ほど前には市長の〝特命〟を受けた助役らが宮本を交通局長に大抜擢すべく市議会の実力者たちを訪ねて説得工作を続けていました。その〝根回し〟作業も終わって、あとは内示を発令するばかり――という段取りになっていたところに起こったのが汚職事件での逮捕劇だったのです。

宮本は、ほかの職員に比べると〝異例の早さ〟で昇進しており、「革新自治体における労組出身幹部職員の抜擢、優遇」の典型的なコースをたどった人物といえます。

横浜市の場合、一般職員から係長への昇格方法は「試験職」とは別に推薦による「選考職」がありました。当時、この「選考職」によって昇格する制度は本来の趣旨とは異なり、「労組役員や飛鳥田市長シンパの職員を抜擢するための制度」として利用されていたのです。

市長選挙の際、実質的な「行動部隊」として活躍するのは事務系の労組よりむしろ交通局、水道局、清掃局等のいわゆる現業職の労組です。彼らは支持する候補者の宣伝をしたりビラを配ったりする実働部隊でした。先に見た宮本のトントン拍子の出世も市役所内では「選挙の見返り人事」といわれていました。

これは横浜市だけにかぎった話ではありません。革新自治体全体にあてはまる構図です。「革新首長」を担ぎ出し、選挙運動の母体となって当落の命綱を握る労組。その労組に対する見返りは当然、人事の抜擢、給与の優遇、労組への便宜ということになります。こうした「労組」と「首長」との〝腐れ縁〟は革新自治体の宿命といえるでしょう。

革新自治体の運営実態は「市民本位」ではなく「労組本位」

革新自治体で横行していた「労組、首長の癒着」を示す、いくつかの事例を全国から列挙してみます。

ヤミ専従

横浜市では飛鳥田市長時代、横浜市職労の「ヤミ専従者」問題が浮上しました。ヤミ専従者とは、職員として正規の給料をもらいながら仕事はせず、労組活動ばかりをしている「灰色職員」のことです。一九七五（昭和五十）年二月二十六日の市議会で内野慶太郎《うちのけいたろう》市議がこの問題を取り上げています。「横浜市会会議録」より引用します。

役所に出勤して、出勤簿に印を押して、いつの間にかどっかへ行ってしまう。組合運動に従事しているということでございます。（略）これを、つまり一般に使用している通用語では、やみ専従と言っておるわけですが、（略）この問題については、（略）総務局長にただしましたところ、その投書には500人程度とあるが、その数は判明いたしませんが、このことは否定できません、こういうお答えをいただいております。（略）このやみ専従と称する何の仕事もしない、（略）1人年間そういう人に200万円を支払ったとすると、これは500人おりますると10億円という額が浮いてくるわけでございます。

横浜市の場合、ヤミ専従者は市長の選挙を支える「忍者部隊」でした。

ラスパイレス指数

「ラスパイレス指数」とは地方公務員が国家公務員と比べてどれくらいの給与水準にあるかを示す

指数です。国家公務員の給与を一〇〇として各地方自治体職員の給与と比較します。一九八一（昭和五十六）年、自治省（現・総務省）が公表した全国自治体のラスパイレス指数によると、指数一二八・九で給与日本一にランクされたのが大阪府下の泉大津市《いずみおおつ》です。ちなみに、大阪府では三十の衛星都市のうち二十六もの自治体が国家公務員より二割も高い指数を示しました。しかも、その多くが赤字財政でした。

当時、大阪府下の衛星都市のラスパイレス指数が軒並み高かった原因はどこにあるのでしょうか。それは府下にある「自治労」（後述）傘下労組の連合組織「自治労大阪府本部衛星都市職員労働組合連合会」という強大な組織の〝力〟によるものでした。

一般的に地方公務員の給与は、府や県の人事委員会が勧告し、それに沿って市長と労組が話し合って決めます。しかし、労組の力の強い自治体では人事委員会におかまいなく労組と市長の自主交渉で決めてしまうのです。

この自治労主導型、すなわち市職労による組合管理型方式での給与決定の典型が「衛星都市連合」傘下の自治体でした。そして、この自治労、市職労主導型のほとんどが「革新市政」と表裏の関係にありました。

泉大津市では身分はヒラだが給与だけは部課長クラスという「ワタリ」の職員がゴロゴロいました。また、原則年一回の昇給が昇給の三カ月短縮、六カ月短縮のいわゆる「三短」「六短」として昇給することが慣例として堂々と行われていました。

泉大津市にかぎらず、地方自治体の給与が国家公務員より高かったのは、この「ワタリ」や「昇短」などのカラクリによるものでした。

ヤミ給与

千葉県銚子《ちょうし》市の監査委員会に対して市内に住む中田善康さんら市民十人から住民監査請求が出されました。内容は「全市職員、退職職員に不当利得返還請求の処置をとられたい。銚子市では一九七三（昭和四十八）年から一九七八（昭和五十三）年までの嶋田《しまだ》隆《たかし》前市長時代、五カ年に約千三百人の職員に約九億円にのぼる条例外支給の給与が、実働をともなわない一律時間外手当や勤勉手当の名目で支払われていた」「嶋田前市長に対し、市がこうむった損害、または今後こうむるであろう損害を明らかにして損害賠償の請求などの措置をとられたい」というものでした。

銚子市にかぎらず、当時の革新自治体では、このような「条例外支給＝ヤミ給与」も当たり前のように横行していたのです。

ヤミ手当

静岡県浜松《はままつ》市の水道部および下水道部の職員四百六十人に対して夏と冬のボーナス時期に「ヤミ手当」が支給されていたことが一九八二（昭和五十七）年九月、関係者の内部告発で明らかになりました。

問題の「ヤミ手当」は「企業手当」と呼ばれるものです。浜松市が市水道労組と結んでいる「自主協定」にもとづいて水道、下水道事業会計予算に盛り込まれている手当のなかから夏のボーナス時と冬のボーナス時にそれぞれ本俸の〇・二カ月分が支給されていました。本来の賞与とは別に支払われていたものです。一九七三（昭和四十八）年六月に労使間で取り決めた要綱にはいちおう記載されているものの、この要綱自体は条例や規定に明記されていませんでした。そのため、「企業手当」に法的な根拠はなく、市議会にも報告されていなかったのです。しかも、通常の給与計算に使われる電算処理には明記されず、支給明細書にも不記載、正規のボーナスとは袋も別ということでしたから、完全に「ヤミ手当」だといえます。

この内部告発で、市長は是正を約束しましたが、もう一方の主役である「労組」にはまったく反省の色はなく、「支給は当然」と抗弁しました。

組織拡大に直営化促進

一九七一（昭和四十六）年、労組勢力の拡大を狙う堺《さかい》市職労はそれまで民間に委託していた堺市役所の下請け業務会社の従業員を堺市職労の支部として積極的に組織し始めました。民間委託の解消を要求し、市当局と執拗に団交を重ねた結果、手始めに給食調理員について「直営化を検討する」との確約をとりつけます。この「検討」が曲者《くせもの》で、事実上の「実施」を意味していました。

いったん〝譲歩〟したら次々と新しい要求を突きつけてくるのが左翼労組の常套手段です。味を占めた労組は翌年には、下水道施設業務、病院の看護助手業務、老人ホームの給食業務、本庁の電話交換業務などに従事する下請け業者従業員に対して堺市職労のオルグ活動を展開。それぞれの会社で労働組合を結成し、会社に対する訴訟戦術に出ました。

さらに、堺市職労は、下請け会社労組のストライキを背後から煽動し、下請け会社従業員を市役所職員として採用するよう市当局に要求します。労組側がストライキ突入との脅しを背景に迫ったことから、市当局は労組側の要求を呑み、「下請け業務の直営化」に踏み切りました。

直営化すると、経費は下請けの場合の三倍になるというのが一般的な相場です。しかし、堺市職労の狙いは、あくまで「組織の拡大」であり、そのために市民の血税がムダになることなどまったくおかまいなしです。ここにも市民と労組の利害の対立を見ることができます。

この堺市職労の主導権を握っていたのは日本共産党系です。彼らが勢力拡大を図るために下請け業者をターゲットにしたのには、それなりに理由がありました。ほとんどが現業部門で、事務系の職場に比べて管理体制が行き届かず、労組や左翼勢力のオルグにはきわめて都合のいい職場環境だったからです。

この下請け会社従業員三百六十人の職員化を財政的に見ると、当時の単年度だけでも五億三千万円の人件費が必要となり、退職金その他も含めると、なんと十一億円以上の経費増となりました。ちなみに、一九七二（昭和四十七）年に約四千三百人だった職員数は、一九七四（昭和四十九）年には六千人、一九七五（昭和五十）年には七千人にまで増え続け、市財政の六四%を人件費が占めることとなりました。

このように、革新自治体の行政実態を見てみると、「市民本位」というスローガンはかけ声だけだったことがわかります。実際には市民を犠牲にしながら、市政の背後にいる陰の部分（革新政党や労組）だけが優遇される「労組本位」の行政が革新自治体の正体といえるでしょう。

機関紙『赤旗』の購読を強要

東京都のように、自治体行政の「陰」の部分が「特定政党」だった事例もあります。

一九六七（昭和四十二）年、東京都にマルクス経済学者の美濃部亮吉都知事による「革新都政」

が誕生するや、都庁内で着実に勢力を伸ばしたのは、労働組合や社会党ではなく、日本共産党でした。それはあたかも、それまで眠っていた悪性の細胞が目を覚まし、増殖拡大して身体全体に転移してしまったかのように都庁内に広がっていきました。

美濃部都政下で日本共産党は都庁職員に機関紙『赤旗』の定期購読や日本共産党出版物の購入を強要しました。都庁職員で組織する「都職労」に日本共産党が浸透していたことを背景に、一般職員に対しては労組役員や日本共産党員を使って働きかける一方、都庁の管理職に対しては日本共産党の都議会議員を使って働きかけたのです。

組織と資金の拡大を目指した彼らの勧誘方法は巧妙をきわめました。

党員の保母は園児の保護者に、看護師は患者に、税務職員は中小企業納税者に、それぞれの〝触手〟を伸ばしました。まさに「ゆりかごから墓場まで」といわれる自治体の日常業務を徹底的に利用して党活動を都行政全体に浸透させていったのです。とくに都庁職員に対しては、勤務時間中であろうが、夜自宅でくつろいでいる時刻であろうが、おかまいなしに訪ねたり、電話でしつこく勧誘したりするなど、そのやり方は徹底していました。

職員の側は、「日本共産党ににらまれて出世を邪魔されてはかなわない」「たてついて飛ばされてもつまらない」「議会で意地の悪い質問をされても困る」などの理由から、日本共産党に対する〝保険〟のつもりで党とつきあい、『赤旗』の購読を始めました。

その結果、美濃部都政時代には、都庁および二十三区の管理職のじつに九割以上と、一般職員の約二割が『赤旗』を購読するという、きわめて異常な事態になっていたのです。具体的な数字で示すと、東京都庁関係者だけで、日刊紙『赤旗』は八千部、日曜版『赤旗』は二万二千部の購読数でした。

まさに、東京都が日本共産党に乗っ取られたかのような状況です。その結果、一九六七（昭和四十二）年から一九七七（昭和五十二）年までの十年間に、東京都の借金はなんと十四倍以上にふくらんでいます。そして、一九七八（昭和五十三）年度の赤字は千七百六十億円で、累積赤字は二千六百八十億円。都債というかたちの借金残高は四兆千七百八十五億円で、それに支払う利子償還金は三千百八十億円と、赤字に埋まった都政は〝破産状態〟となりました。ちなみに、この金額を当時の四百万世帯で割ると、一世帯あたり百万円以上の借金を抱えた計算になります。美濃部が都知事を退任したのは、その翌年です。これこそが、「庶民の味方」美濃部革新知事が都民に残した最大の〝負の遺産〟であったことを忘れてはなりません。

革新自治体を支えた「自治労」の実態

すでに何度か名前が出てきましたが、当時、革新自治体を支えていた「自治労」（全日本自治団体労働組合）という組織についてもここでくわしく見ていきましょう。

自治労は一九五四（昭和二十九）年一月二十九日に結成された全国の地方自治体職員の労働組合です。結成当初は「総評」に加盟し、総評解散後には「連合」に加盟しています。

結成当時、二百五十二単組・二十四万人だった組織は、約二十年後の一九七五（昭和五十）年には、二千五百九十四単組・百六万二千五百九十人へと拡大。一九八〇（昭和五十五）年三月には二千六百九十八単組・百十四万五千六百三十五人が結集する大組織に成長しました。自治労が宣伝のために出版している冊子『労働組合とは』には、次のように記載されています。

自治労は、全国の県庁、市役所、町村役場や一部事務組合などに働く、一二〇万人を組織する日本でもっとも大きな労働組合です。北は北海道から南は沖縄まで、まさに全国津々浦々、どこに行っても組織があり、『ゆりかごから墓場まで』のあらゆる仕事に従事する、他の労働組合にはみられない大きな特徴をもっています。自治労は、全国の自治体ごとにつくられた二、七〇〇余の個々の労働組合（単組）が集まってでき上がっています。

自治労の組織は、中央本部を頂点として四十七都道府県に地方本部があり、そのもとに愛知県を除く四十六県職労組があります。一九八三（昭和五十八）年四月一日時点のデータで見ると、市職労では全体の九〇％以上の五百八十三市職労が、町村単位では全体の約六五％の千六百三十四町村労組が「中央本部―県本部―市町村単組」のピラミッドをかたちづくっていました。

地方自治体単位の単組とその組合員という縦のつながりを基本としながらも、自治労運動全体のなかでとくに運動を強化しなければならない職種や部門のために「評議会」がつくられています。たとえば、町村職員のための町村評議会、現業部門の労働者でつくられている現業評議会、病院や保健所で働く労働者でつくられている衛生医療評議会などです。同じく一九八三（昭和五十八）年四月一日時点のデータで見ると、組織を運営するために全国で約百二十人におよぶ離籍専従役員と、千百人の在籍専従役員、約二千六百人の書記がいました。

では、自治労は、何を目指し、どのような運動を進めようとしていたのでしょうか。再び『労働組合とは』を見てみましょう。

自治労の組織は、各自治体ごとにつくられた個々の単位組合が加盟して構成するという形になっており、一人ひとりが直接自治労に加入するという形ではありません。率直にいえば、単一体というより、まだ自治体労働組合の連合体としての組織でしかないといえます。

自治労の組合員であれば、組織の大小にかかわらず、賃金、労働条件などが同じように保障されることがその基本であることはいうまでもありません。

しかし、私達の賃金決定が最終的には、各地方自治体の首長との交渉によって決定されるという状況から、労働条件の格差が生じています。ですから、この格差解消の中心的な活動として産業別統一闘争を強化していく以外にはありません。

自治労は、最終的には、各自治体の労働組合の寄り合い世帯から、統一した機能をもつ産業別組織をつくりあげる事をめざしています。

つまり、産別組織に〝脱皮〟したうえで、「各自治体の背後にひそむ政府権力に対する統一した闘いへと発展させていく」と、その方針を述べています。

組織には行動の根拠となる基本指針が必要です。自治労運動を推し進める基本精神、行動の基本指針を示すのが「自治労綱領」です。現在の綱領は社会主義色の薄い内容に改定されていますが、「革新自治体」ブームが起きていた当時の自治労綱領には、次の三原則が掲げられていました。

一、われわれは、生活の向上と労働条件の改善のため、組織を強化し、一切の反動勢力とたたかう。
一、われわれは、自治体労働者の階級的使命に徹し、もって地方自治の民主的確立のためにたたかう。
一、われわれは、すべての民主的諸勢力と固く提携し、日本の平和と独立のためにたたかい、もって世界の恒久平和に貢献する。

「平和主義」を掲げながら、運動の目的を「階級的使命に徹する」と位置づけているあたりが、左翼勢力特有の「反政府闘争」の様相を呈しています。自治労が革新自治体誕生の〝原動力〟となったゆえんです。

自治労を足もとから侵蝕していった日本共産党

全自治体の一般職員および公営企業関係職員は全国で約百四十七万人といわれていますが、自治労はその八割の百二十万人を組織しています。一九八〇（昭和五十五）年当時の自治労本部の役員は社会党系によって占められていました。

一方、自治体職員が地域住民と密接なつながりを持っている点に目をつけ、みずからの影響力を拡大するために自治労傘下の組合に対して積極的に触手を伸ばしてきたのが日本共産党です。

日本共産党の党員は、政治活動面における自治体職員が国家公務員に比べて規制がゆるやかな利点を生かし、選挙のときなどは職場内で党支持の拡大活動や『赤旗』購読拡大活動などに積極的に取り組みました。また、党の議会活動や諸闘争を有利に展開するため、職場内部の秘密資料や情報などを党議員や党機関に流すなどの活動も行っていました。しかも、これらの活動を職場で〝より容易に推進する〟狙いもあって、党の地方議員といっしょになって管理職を突き上げ、職場の管理機能を壊してしまおうと、いろいろな方法を講じていたのです。

自治労百二十万組合員のなかに日本共産党員は約三万人いました。そう聞くと、わずか三％にも満たない少数勢力だと思われるかもしれませんが、本書で繰り返し述べてきたように、左翼の恐ろしさは数の多さではありません。少数でも組織の中枢に食い込んで組織全体をコントロールすることにあります。

日本共産党員組合員は、自治労の主導権を握るべく、それぞれの所属する自治労傘下組織で積極的に役員選挙にも取り組んできました。そして、「下から着実に組織を掌握する」という方針にもとづいて県職労や政令指定都市の市職労などを集中的に狙い、浸透工作に努めました。一見すると社会党系が絶対多数を占め、揺るぎない地位を築いていたかに見えた自治労も、下部レベルでは確実に日本共産党勢力に〝侵蝕《しんしょく》〟されていたのです。

組合活動の目的は「労働者の幸福」ではなく「党勢の拡大」

当時の自治労内の日本共産党員の浸透率を都道府県別に見てみると、全国平均（一・九％）より高いのは、岩手、長野、東京、神奈川、愛知、京都、滋賀、大阪、福岡、沖縄の十都府県です。

一方、日本共産党員の自治労傘下組織の役員就任状況を一九八一（昭和五十六）年時点で見てみると、中央本部にはまだ侵出していなかったものの、県本部段階で百十八人・約一二％。県職労では百五十九人・約一九％。市職労では百九十四人・約二四％と下部段階になるにしたがって比率が高くなっており、「下から上に攻略せよ」という日本共産党本部の指令どおり、着々と侵蝕が進行していることを物語っています。

日本共産党は、自治労傘下の各市職労役員選挙において、各自治体労組の執行部内にいる党員に対し、「県党」が直接指導するなど異例の強力な取り組みを行いました。結果として、日本共産党系が主導権を握った傘下労組は、六府県本部、七都府県職労、十一市職労（県庁所在地のみ）におよびます。その内訳は図表4のとおりです。

図表4 日本共産党組合員の役員就任率（1981年時点、%）

県本部

岩手	50.0
埼玉	52.4
千葉	37.5
愛知	36.8
京都	71.4
愛媛	67.6

県職労

東京	57.1
神奈川	91.3
埼玉	65.2
千葉	100.0
山梨	44.4
大阪	66.7
京都	68.4

市職労

盛岡	100.0
横浜	64.3
浦和（※）	100.0
静岡	58.3
名古屋	64.7
京都	58.3
和歌山	50.0
岡山	80.0
広島	56.0
松山	88.9
福岡	50.0

（※）現・さいたま市
［出典］『労働組合動向調査』をもとに筆者作成

日本共産党組合員の強みは組合活動が即党勢拡大に結びついていることです。いわば一石二鳥で、下部の組織固めをすることが、同時に日本共産党員としての使命であり生きがいである「党勢拡大」に結びつくいちばんの近道なのです。

島根県のある町役場では、非公然の日本共産党員が総務課長に昇進するや、たちまち〝公然化〟し、人事面で同じ党員を係長に昇進させるなどの優遇措置を行い、党員の拡大に努めました。その結果、日本共産党が労組の主導権を握ることに成功し、職場における日本共産党の影響力拡大に成功したといいます。このケースは、まさに日本共産党員にとって最大の目的は「労働者の幸福」などではなく「党勢の拡大」なのだということを裏づけています。

ほかにも、日本共産党員の看護師が患者の入院斡旋《あっせん》や重症入院患者に対する他医療機関への紹介をはじめ、退院後の就職斡旋や医療費問題などの世話活動を通じて日本共産党の影響力の浸透を図っているという岩手の県立病院のケース。市役所で職員研修を担当している管理職党員が研修受講者に党の方針どおりの講義を行っている東京都下自治体のケース。日本共産党系が主流派を握っている神奈川県職労や郡山《こおりやま》市職労などのように「市民と市役所を結ぶ家」とか「年金相談の家」などの看板を組合員の自宅に掲げさせ、地域住民の問い合わせに答えたり、市に提出する届け出書類の代行をしたりしながら、日本共産党議員との接触を深めさせているケース。吹田《すいた》市職労、宇部《うべ》市職労、草加《そうか》市職労などのように定期的に「市民相談会」を開設し、雇用、失業年金、税務の相談に応じるなど自治体職員が地域住民と密接に接触しながら党の影響力の拡大を図っているというケースなどが見られます。

自治労、総評内での社会党vs.日本共産党

自治労組織は全国の地方市町村職組によって支えられてきました。その地方の市町村職組に根強い組織ができたのは社会党系が浸透しやすい環境があったからといえます。それは、当局（地方自治体）の庇護《ひご》を受けて温存されてきたという利点です。背景には、いわゆる「五五年体制」という自民、社会両党の慣れ合い政治体制があり、その延長として自社による「慣れ合い労働運動」が行われた側面もあるからです。

ところが、この「慣れ合い労働運動」は都市部の県庁や政令指定都市では組織的な弱点となりました。慣れ合いの通じない当局の権力作用には極度に弱いからです。

この状況を乗り越えようとした動きが当局そのものを変える「革新自治体」の誕生であり、革新自治体、自治労の癒着関係です。

日本最大の労組「自治労」が中核を担う総評は、労働運動で「反体制」を掲げながらも、実際には最も高度経済成長の〝おこぼれ〟をもらいながら肥大化した組織でした。勇ましいスローガンを掲げ、みずからの組織の利益代表としての主張さえしていれば、組合幹部としての役割が果たせました。しかし、その結果、社会情勢に対する一般市民との〝ズレ〟が顕著となり、批判の的となります。ゴネ得的労働運動に対する国民の批判です。

このような社会情勢の変化を読みとり、〝先手〟を打ったのが日本共産党でした。

日本共産党はそれまで総評に寄生しながら組織の拡大を図ってきました。つまり、得意の「潜り込み戦略」で総評の内部から主流である社会党系執行部の矛盾を指摘することによって独自の地盤を固めてきたわけです。

その日本共産党が、一般国民に対する「アピール」と同時に、慣れ合い労働運動を続ける社会党系労組幹部に対する「揺さぶり」の一石二鳥を狙う行動に出ます。まず、日教組内で「教師は聖職者である」と訴え、続いて自治労で「自治体労働者は一部の奉仕者ではなく全体の奉仕者である」という主張を打ち出しました。ようするに、既得権益を強く訴える従来の労働組合の独善的な姿勢を改善するかのように世間に向けてアピールしたわけです。

当時、すでに地方自治体の運営がたんなる財政上の辻褄《つじつま》合わせや労組との慣れ合いだけではやっていけない厳しい時代に突入していました。それを押し通そうとすれば市民の猛反発を受けることになります。このような自治体当局の変節は当然、労働組合に対しても波及することになり、その時代の流れに適応できるかどうかが、労組にとっての明暗の分かれ道となりました。そこで、自治労の主流を占める社会党系では「適応できない」と読みとった日本共産党が、いち早く「全体の奉仕者」論で主流派に揺さぶりをかけたというのが、ことの真相です。

日本共産党と同じ土俵に立ってしまった社会党の過ち

主流派が下部組合員の要望に応えられなくなると、組合員から不信を買うことになります。そのため、主流派の批判をしながら党勢力の伸長を図ろうというのが日本共産党の狙いでした。組織内組織の拡大を図るには、より過激で明快な言動のほうが組合員の受けはいいからです。

一方、総評、自治労の主流派を占める社会党系からすれば、当時、日本共産党勢力の伸長を阻止しながら組織に君臨し続けられるかどうかが試されていました。

社会党系労働運動はリーダーの個人的な影響を強く受けながら進められますが、日本共産党系労働運動はすべて党の指令によって進められます。したがって、これまで総評傘下の労働組合の多くは日本共産党対策に精通した社会党系労組リーダーによって支えられてきました。

ところが、労働界も世代交代が急速に進んでおり、日本共産党対策に精通した労組幹部が次々と引退し、社会党系労組幹部の人材不足は深刻な状況になっていました。それに比べ、日本共産党は党の指導のもとに一貫した戦略、戦術を展開し続けていました。このため、長期的な闘いとなると、社会党系はきわめて劣勢でした。

社会党系労働運動の最大の弱点は社会党系労組幹部そのものが「反共」を明確にしていながら「階級闘争」イデオロギーに汚染されていることです。日本共産党と〝同じ土俵〟の上で路線が構築されているために、日本共産党とはっきり一線を画すことができず、総評という「容共」組織に寄生しながら着々と党勢拡大を図る日本共産党勢力の〝別行動〟を黙認する結果となってしまったのです。

日本共産党の浸透を防ぐ唯一の良策は〝完全排除〟

ここまでの話を簡単にまとめると、当時、全国で猛威を振るった「革新自治体」は、自治労および社会党左派、日本共産党人脈に支えられて伸長したが、一方で自治労（総評）内における日本共産党勢力の拡大を許す結果となったということです。

革新自治体と自治労（総評）を党勢拡大に最大限利用した日本共産党は、これに味を占め、今度は自治労全体の支配を狙い始めました。ところが、それに気づいた自治労主流派（社会党系）は日本共産党勢力との対決を決断します。

自治労内における日本共産党員の役員就任数は日本共産党の勢力拡大ムードに乗って一九七五（昭和五十）年はじめまでは増加の傾向をたどりました。

しかし、同年三月に日本共産党が住民の向こう受けを狙って発表した「全体の奉仕者」論に対し、社会党系労組員を中心とする組合員が「労働強化を進めるものだ」と猛反発すると、その後の役員選挙で日本共産党系役員は減少しました。

また、一九七四（昭和四十九）年、総評内で社会党系と対立した日本共産党系労組が「統一労組懇」（統一戦線促進労働組合懇談会）を結成すると、社共の確執はますます深まり、一九七九（昭和五十四）年ごろから、自治労主流派の社会党系による日本共産党系に対する締めつけが活発化していきました。

一九八〇（昭和五十五）年八月、福岡市で開かれた第三十八回定期大会で自治労は、「統一労組懇排除」や「統制措置の検討」などの方針を決定したほか、五年ぶりに日本共産党代表を大会に招待しないなど日本共産党、統一労組懇との対決姿勢を明確に打ち出します。当時、自治労傘下の県本部のうち、千葉、埼玉、愛知、京都、愛媛の反主流五府県本部が、それぞれの県統一労組懇に加盟しているといわれていました。

大会の冒頭、挨拶に立った自治労の丸山康雄《まるやまやすお》委員長は、「日本共産党のひき回しによる統一労組懇活動を排除しつつ、その誤りを是正させ、自治労産別の強化と、あわせて総評と共に正しい労働戦線の拡大に努力する」との基本姿勢を示し、さらに、次のような運動方針を提案しました（当時、筆者が取材で入手した同大会議事録より）。

> 統一労組懇運動は、総評を誹謗、中傷し、総評や春闘共闘の共同行動に対抗して分裂的行動を配置するなどして運動的な団結を阻害する結果をもたらしている。（略）自治労は、（県本部ならびに単組の労組懇加盟を認めない＝引用者注）第七十一回中央委員会の決定した方針にもとづき、この問題の克服につとめる。

この時点での全国大会の代議員勢力は、社会党系七十五に対して、日本共産党系が二十五。中央本部執行委員は三十三人全員が「総評・社会党員協議会員」で抑えていました。

日本共産党の浸透を防ぐ方法は唯一「悪性の細胞を摘出する」ように、〝完全排除〟しか良策はありません。自治労主流派はこうして日本共産党排除にかじを切ったのです。

革新自治体を支えた社共連合が瓦解したことで、結果として「革新自治体」も露と消えました。日本共産党の党勢拡大の基本戦略である「潜り込み戦略」もまた寄生する先を失い、行きづまりました。

そして、一九八九（平成元）年九月、労働運動再編統一の流れのなかで日本最大のナショナルセンターだった総評が解散。同年十一月二十一日、労使協調路線を運動理念として旧総評、旧同盟などに所属していた七十八単産（産業別単一労働組合）・労組員八百万人が結集して「連合」がスタートすると、自治労もそれに参加しました。

一方、「連合」結成に反発した総評内の日本共産党系労組は、日本共産党の指導、支援のもとに「全労連」（全国労働組合総連合）を結成。自治労から分離した「自治労連」（日本自治体労働組合）と日教組から分離した「全教」（全日本教職員組合）がその中心労組となり、「連合」結成と同じ日に日本共産党系のナショナルセンター「全労連」が百四十万人体制でスタートしました。

ちなみに、自治労連には、大阪、東京、京都、神奈川、高知などの労組が参加しましたが、現在は十四万人組織にとどまっています。また、日本共産党は全労連で二百万人組織を目指していましたが、二〇一九（令和元）年八月三十一日時点で百三万人組織にすぎません。

革新自治体ブームの背後にいた外国勢力

革新自治体が社会党左派（社会主義協会）と日本共産党、そして「社共連合」たる自治労に支えられていたことは、これまで繰り返し述べてきたとおりですが、もうひとつ忘れてはならない存在があります。

ソビエトです。

当時、ソビエトは社会党左派の背後でつねに強い影響力を行使していました。四十年間にわたって社会党の中枢にいた上住充弘《うえずみみつひろ》が社会党の政策および組織構造にメスを入れた著書『日本社会党興亡史』（自由社、一九九二〈平成四〉年）には、次のように書かれています（カッコは引用者）。

まず一九六〇年代初め、国際共産主義運動の路線をめぐる対立から、核拡散防止条約に対する意見の相違を契機に日本共産党がソ連から背離し、その結果、ソ連共産党は、対日野党工作の拠点を日本社会党の特に対外活動分野に絶大な影響力をもっていた和田《わだ》（博雄《ひろお》＝引用者注）派（後の勝間田《かつまた》－石橋《いしばし》－伊藤茂と連《つな》がるグループ）と、社会主義協会に求め始め、（略）それと並行して、総評の岩井章事務局長や岩垂《いわたれ》（寿喜男《すきお》＝引用者注）国民運動部長らの線でも、ソビエトとの関係がより強化されていく。（略）

一九六四年二月のソ連共産党中央委員会総会におけるスースロフ（ミハイル・スースロフ＝引用者注）演説は、日本社会党とソ連共産党との関係に決定的な影響を及ぼすことになる。後に「スースロフ・ドクトリン」と呼ばれるこの演説で、彼は世界を帝国主義・戦争勢力と社会主義・平和勢力に二分し、世界の社会主義・平和勢力にむかって、社会主義と平和の祖国ソ連邦への支援と、反米帝闘争を訴えた。（略）日本社会党はその後この「スースロフ理論」にどっぷりしたり込《ママ》んでいくことになる。（略）この理論を「非武装・中立」の名の下に実践したのであった。（略）

こうして、日本社会党の本来の「自主独立」の外交政策は、数年の間に一挙に反米・親中ソへと変貌する。（略）

加えてこの転換は、党のイデオロギーの「社会民主主義」から「科学的社会主義」――つまり「マルクス・レーニン主義」、換言すれば「共産主義」――への転換を内に秘めるものであった。社会党は、このような経過を辿《たど》って中、ソの陣営にどんどんのめり込んで行ったといえる。（略）

社会党外交政策の変貌をイデオロギー的に理論づけたのが、一九六七年の「社会主義協会（向坂派）テーゼ」であり、（略）社会主義協会所属の（略）向坂門下の学者達の影響下で、党の社会主義理論センターによって起草されたものである。

以後、中、ソ、朝は、自らの軍事同盟と核を含む軍備強化を一切気にせず、戦争勢力たる日・米の安保条約廃棄と日米韓三角同盟反対、自衛隊解組だけを、一方的に宣伝することができたのである。

同時に社会党内では、中央・地方を問わず「社会主義協会テーゼ」――これはスースロフ理論の焼き直しであった――を「学習」した若い活動家達が、一九七〇年代以降党活動の主導権を握り、成田《なりた》（知巳《ともみ》＝引用者注）・石橋（政嗣《まさし》＝引用者注）の党指導部も日米安保「廃棄」と自衛隊「解体」の大合唱の下で、彼らの影響下におかれることになる。（略）

飛鳥田一雄新委員長も、岩井章や勝間田清一《せいいち》という名うての親ソ派と親交のあるマルクス・ボーイであった。そして一九八三年に飛鳥田の後を継いだ石橋と同派の面々は、直ちに社会党の対外活動を親ソ路線に引きもどすための作業にとりかかった。

上住の証言どおり、当時、ソビエトは日本の二大政党のひとつ・社会党に〝楔〟を打ち込んでいました。そして、社会党を対日工作の〝尖兵〟にして全国に「革新自治体」誕生を画策していたのでしょう。地方から中央政府を包囲させて親米、保守政権の転覆を謀り、親ソ傀儡政権樹立を目指していたと思われます。

一方、国民は社会党に対し、自民党に代わる「国民政党」になることを期待しましたが、その期待はつねに裏切られました。革命政党を志向する左派勢力「協会派」によって国民政党への動きはたびたび封じられ、ついには左派勢力に同調しなければ委員長の座にはつけない党内のしくみがつくりあげられ、左派支配が強化されるにいたったのです。

協会派の力の源泉は日本最大のナショナルセンター「総評」の力であり、その「総評」のなかでも左派が主導権を持つ「官公労一家」の力でした。その力を背景に社会党の組織、人事、政策を全面にわたって支配し、動向を采配していたのが総評事務局長の岩井章です。

岩井は自他ともに認めるソビエトのエージェントでした。ソビエト大使館から絶大な信頼を得てソビエト首脳にも太いパイプを持っていました。子息をソビエトに留学させるほどの親ソぶりです。

しかし、「昔陸軍、今総評」と揶揄されるほどの強力なパワーを持っていた総評も中核をなしてきた「国労」の瓦解によってその影響力は低下しました。そして、「連合」の誕生によって総評も消滅。総評の消滅により、社会党もまた改称にいたりました。見事なまでのドミノ倒しです。

国民の期待を裏切り続けた社会党は外国勢力の影響下にある――そう感じとった国民によって葬られたのです。

残されたのは大きな負債だけ

共産主義信奉勢力の傀儡政権を目指した「革新自治体」という〝実験〟は、こうして霧と消えたわけですが、そもそも社会党左派（社会主義協会）や日本共産党が、革新自治体やそれを支える自治労に積極的に関与し、触手を伸ばした理由はなんだったのでしょうか。

一つ目の理由は、地方自治体そのものが地域住民に対する政党の影響力を広げるうえできわめて有効な組織だからです。すなわち、彼ら左翼勢力は自治体職員が地域住民と密接なつながりを持っているという特性に着目したというわけです。

二つ目の理由は、国家公務員の政治的な行為については、国家公務員法第百十条第一項に規定する罰則規定があるが、地方公務員については罰則が設けられていない――という点に着目したからです。つまり、自治体職員の政治活動は国家公務員に比べて規制がゆるやかな点に目をつけ、それを利用したというわけです。

一時は〝燎原の火〟のように全国に普及し、地方から中央を包囲する一大勢力によって政権交代なき革命を目指した「革新自治体」。しかし、現実にそれが誕生し、いざ行政が始まってみると、その運営実態はことごとく市民の期待を裏切るものでした。市民が「革新自治体」という〝幻想〟に気づくのに、それほど多くの時間は要しなかったのです。

「革新」ブームは去り、再び保守化の波に洗われ、革新自治体の大半は見事に瓦解しました。そして、その「大いなる実験」が、それぞれの自治体に大きな負債だけを残したという事実を、われわれは忘れてはなりません。

第六章　田中角栄への諜報工作

中国の対日工作の〝成果〟が表れた田中角栄の国会発言

一九七二(昭和四十七)年三月二十三日、衆議院予算委員会で、田中角栄通産大臣はこう発言しました(国会会議録検索システム〈https://kokkai.ndl.go.jp/〉より)。

私も昭和十四年から昭和十五年一ぱい、一年有半にわたって満ソ国境へ一兵隊として行って勤務したことがございます。(略)私は、中国大陸に対してはやはり大きな迷惑をかけたという表現を絶えずしております。これは公の席でも公の文章にもそう表現をしております。迷惑をかけたことは事実である、やはり日中国交正常化の第一番目に、たいへん御迷惑をかけました、心からおわびをしますという気持ち、やはりこれが大前提になければならないという気持ちは、いまも将来も変わらないと思います。(略)恩讐《おんしゅう》を越えて、新しい視野と立場と角度から日中間の国交の正常化というものをはかっていかなければならないのだ、そういううしろ向きなものに対してはやはり明確なピリオドを打って、そこで新しいスタートということを考えていかなければならないだろう、私はすなおにそう理解しておりますし、これが中国問題に対する一つの信念でもあります。

当時、佐藤栄作政権の後継総理として有力視されていた田中が公の場で中国との関係について初めて語った瞬間です。同時に後継総理に自信を深めた田中が中国首脳に向けて発信したメッセージでもありました。

この田中発言は、中国の国営通信社『新華社通信《しんかしゃ》』の同年三月二十四日付記事として翻訳され、一日二回配布される中国共産党高級幹部向け情報資料（俗称「大参与」）としていっせいに配布されました。中国共産党の対日工作が着々と〝成果〟を上げている事実を知り、中国共産党首脳は歓喜したに違いありません。

この田中発言について、新華社通信所属の大物諜報工作員として東京特派員を務めたことのある呉学文《ごがくぶん》は、二〇〇二（平成十四）年出版の回想録『風雨陰晴』（世界知識出版社）で「三月二十三日、通産大臣の田中角栄は衆議院予算委員会で初めて対中政策を公用の場で述べた」（引用者訳）と書き記し、田中がその後、公明党訪中団に周恩来《しゅうおんらい》への親書を託したことや、五月十五日、周恩来が訪中団と会見し、長時間話し合ったことなども記載しています。

橋本恕

田中角栄の背後にいた二人のキーマン

田中が自民党幹事長から通産大臣に就任したのは一九七一（昭和四十六）年七月に発足した第三次改造佐藤内閣でのことです。くしくも新内閣が発足して十日後にリチャード・ニクソン米大統領の訪中が発表されました。アメリカ大統領による初の中国訪問であり、冷戦時代の中米関係改善を象徴するイベントでした。

機を見るに敏な田中は、さっそく中国問題に取り組む意向を固めます。その田中にひそかに接触し、中国情勢に関するレクチャー役を務めたのが当時、外務省中国課長だった橋本恕《はしもとひろし》です。当時、橋本は熱心に日中の国交締結の必要性を説いて回っていました。前述の予算委員会での田中発言の裏には橋本中国課長の働きかけがあったのです。

田中の秘書だった早坂茂三《はやさかしげぞう》は、一九九九（平成十一）年三月一日付『北海道新聞』夕刊のコラム「私のなかの歴史」に、次のように書き記しています（傍点、カッコは引用者）。

> 当時、通産相だった角さん（田中）に後年、外務省アジア局長、中国大使になる橋本恕・中国課長が進言した。「台湾と政治関係さえ断てば、日米安保体制のままで日中の国交回復正常化は可能です」。通産相がOKした。東京・紀尾井町《きおいちょう》のホテルニューオータニの一室で七二年の三月、親方（田中）と知恵袋の愛知揆一《あいちきいち》さん（前外務大臣）、橋本課長、私の四人が三時間余りかけて〝橋本レポート〟を検討し、これをたたき台にして総理就任後、党内多数派の親台湾勢力を押し切った。

じつは、当時の橋本中国課長の動きの背後には中国共産党の対日工作最高責任者・周恩来の意向が強く働いていました。

また、その一方では、周恩来の直接指示を受けた「諜報工作員N」も新華社通信の記者として田中に接近しており、予算委員会での田中発言を東京発『新華社通信』記事として即座に配信しています。Nもまた田中を訪中させるための裏工作を着々と進めていたことはいうまでもありません。

　田中が訪中した際には総理専属の通訳も務めています。ちなみに、日本と異なり、重要案件の通訳には党内地位の高い諜報員をあてるのが中国共産党の通例です。

「田中訪中」を画策した中国共産党の真意

一九七二（昭和四十七）年七月、田中政権が誕生すると、中国共産党の諜報工作のシナリオどおり、田中訪中は〝既成事実〟となっていました。

田中訪中を控えた同年七月三日、中国共産党中央委員会、国務院、中央軍事委員会は連名で「新しい情勢下において日中関係を展開することに関する通知」という機密通達を出し、「田中招請」の目的について伝達しています。次に引用しているのは、中国の歴史と国内事情にくわしい佐藤慎《さとうしん》一郎《いちろう》・拓殖《たくしょく》大学教授（筆者の恩師にあたる人物）が師友会《しゆうかい》会報『師と友』一九八三（昭和五十八）年八月号で翻訳した同通達の一部です（カッコは引用者）。

「……田中角栄という人物は、やはり米帝にくっついていて、切っても切れない関係にある。……我々（中国共産党）は日本人民の足場のしっかりとした民主闘争の立場を支持し、世界革命の永遠の利益（共産党の利益のこと）を守るために……田中角栄のような人間を、人民に向かって頭を低く下げるように圧迫してやらなくてはならない（中国共産党のコントロール下に置くという意味）。そのようにしてこそ、日本の進歩的勢力の政治情勢を鼓舞し、日本人民の革命に投入する機運を確固たるものにし、（略）最終的には、日本人民が革命的民主政権（中国共産党の傀儡政権のこと）をかちと（略）るためである……」

日中接近を画策する中国共産党の意図と戦略的な真意が明確に述べられています。

田中内閣誕生直後、日本国内では中国共産党の暗躍を示唆するように「民主連合政権」を構想した対日工作の指令書「日本解放第二期工作要綱」が出回りました。

同文書は当時、香港《ホンコン》に本拠を置いて幅広く中国情報を収集していた「旧伊達《だて》機関」（旧日本軍の特務機関のひとつ。仙台・宇和島《うわじま》藩主伊達家の末裔《まつえい》・伊達順之助《じゅんのすけ》が大陸の匪賊《ひぞく》らを配下にして情報網を組織した。戦後も香港に本拠地を置き、大陸情報を収集していた）の残党たちが断片的に集まった情報をもとに中国共産党の対日工作方針を分析し、まとめあげたものだといわれています。日本には中央学院の西内雅《にしうちただし》教授が当時、それを香港で入手して紹介し、戦前からの歴史を持つ國民新聞社の渡辺《わたなべ》康人《やすと》社長、国分守編集長らが日本文で読みやすくまとめあげ、小冊子にして国内各方面に配布しました。

田中訪中に危機感を持っていた人たちに幅広く読まれた一方で、「偽書説」もささやかれる文書ですが、その後の中国共産党の動向を見ると的確な内容だったと確信します。

たとえば、同文書は、マスコミ、世論対策の手順を具体的に示し、次のような指示を出しています（同文書は当時、すでに「わが党」が「日本のマスコミを支配下に置いた」との認識を示しています）。

「政府の内外政策には常に攻撃を加えて反対し、在野諸党の反政府活動を一貫して支持する。特に在野党の反政府共闘には無条件で賛意を表明し、その成果を高く評価して鼓舞すべきである」

「テレビのニュース速報、実況報道の利用価値は極めて高い。画面は真実を伝えるものではなく、作るものである。目的意識を持って画面を構成させねばならない」

実際に、今日では、そうした類いのマスコミ報道が日本社会で定着しつつあります。日本の現代社会の混乱は、こうした中国の工作が〝下地〟にあることを私たち日本人が自覚しなければ、解決の道を誤ることになるでしょう（同文書については拙著『中国の日本乗っ取り工作の実態』日新《にっしん》報道、二〇一〇〈平成二十二〉年でくわしく紹介しています）。

日本のマスコミが報じなかった文化大革命の実態

周恩来が陣頭指揮をとり、田中訪中を目玉に積極的に「対日工作」を展開していた昭和四十年代、中国の国内情勢はどのような状況にあったのでしょうか。

日本国内では、大手新聞を中心にマスコミ全体が、中国共産党宣伝部の発するがままに、中国の文化大革命を「偉大なる無産階級革命だ」と絶賛していました。しかし、日本の報道とは異なり、中国大陸の実態は想像以上にきわめて悲惨なものでした。

文化大革命の犠牲者の数については諸説ありますが、死者だけでも四十万人から二千万人といわれ、調査によっては、さらに大きな数字も報告されています。ちなみに、四十万人というのは中国当局の推計によるもので、二千万人は平凡社《へいぼんしゃ》や小学館の百科事典などにも記載されている数字です。中国共産党による調査ですら、文化大革命で四十万人もの死者（被害者は一億人）を出したとしているわけですから、その異常性が際立ちます。

ようするに、毛沢東《もうたくとう》による中国の共産革命は、日本で美化されてマスコミで報じられていたような崇高なものではなかったということです。その真相は同胞の中国人を殺し抜いた「血塗られた革命」といえるものでした。

文化大革命は毛沢東が〝復活〟するための権力闘争

一九五七年から一九五八年にかけて、毛沢東の大号令のもとで「大躍進運動」や「人民公社運動」という現実を無視した急進的な社会主義建設政策が実行されました。ところが翌年から三年続きの大飢饉《だいききん》となり、中国共産党は二千万人が餓死したと発表します。これには、さすがの毛沢東も批判を避けられず、劉少奇《りゅうしょうき》に国家主席の座を譲ることになりました。

劉少奇は鄧小平《とうしょうへい》と組んで、わずか三年で経済を立て直します。そうなると当然、中国国内では経済を復興させた劉少奇の人気が高まり、それに比例して毛沢東への悪評が高まり始めました。そこで、毛沢東は一転して劉少奇の追い落としを画策。劉少奇を叩くために、江青《こうせい》（毛沢東の三番目の妻）が中心となって毛沢東を熱烈に支持する青年、学生たちを集めて「紅衛兵」を組織し、「文化大革命」を始めたのです。

文化大革命以前の社会主義革命の実行方法は、農民を動員して地主を殺させたり、都市の民衆を動員してインテリを殺させたりするなど、人民に人民を殺させるのが階級闘争の常套手段といわれてきました。

毛沢東は党内で人気の高まる劉少奇を、どのように失脚させるかを考えました。そして、わざと「中国共産党を嫌う人民」を利用して劉少奇を叩かせることにしたのです。

紅衛兵に「造反有理《ぞうはんゆうり》」（反逆にはそれなりの理由がある）のスローガンを与えたうえで、「〝悪党〟劉少奇を叩け」と煽動したのでした。人民は建国以来初めて「中国共産党員を攻撃してもいい」という〝お墨つき〟を与えられたことで、それまで中国共産党に抑圧されていた不満を一挙に爆発させて劉少奇一派を攻撃します。

毛沢東は国家主席だった劉少奇に対し、「裏切り者」「労働者の敵」「敵の回し者」と攻撃し、党から永久に除名し、党内外のいっさいの職を解任すると発表。劉少奇は拘束、監禁されました。一九六八（昭和四十三）年のことです。その後、劉少奇は獄中で死亡します。

ソビエトを恐れてアメリカに接近した毛沢東

文化大革命が収拾するまでには、じつに十一年という歳月を要しました。

毛沢東は劉少奇を失脚させることで、自分の権威を守ることはできました。しかし、一度火のついた紅衛兵ら人民による暴動、殺戮《さつりく》、破壊を止めることはできません。毛沢東は、ついに軍隊を動かす決意をし、中国共産党の軍隊（党軍）である人民解放軍を握っていた林彪《りんぴょう》に鎮圧を命じました。

林彪率いる人民解放軍は、あらゆる機関、役所、工場、地方の部落にいたるまで侵入し、暴動の鎮圧に成功しました。これにより、林彪は毛沢東の後継者に指名されましたが、今度は林彪が軍を背景に力を持ち始め、民衆の人気も高まっていきました。

当時、毛沢東が最も恐れていた国――それはアメリカではなく「ソビエト」でした。

一九五六（昭和三十一）年のソ連共産党第二十回大会で、ニキータ・フルシチョフ（当時、ソビエトの最高指導者）は、スターリンを批判するとともに、西側陣営との共存を図る「平和革命路線」を提起しました。これに対して、毛沢東は「平和革命など、それは修正主義への堕落だ」と主張して〝中ソの対立〟が始まります。

日本での一般的なとらえ方としては、中国共産党にとって最大の敵は「米帝国主義国」と見られていますが、毛沢東自身にとって最大の敵は「ソビエト」でした。それは、中国国内の反毛沢東勢力がソビエトと結託して裏で親ソ政権をつくろうという動きが出ることを極度に恐れたからです。

事実、ソビエトは、着々と北方の中ソ国境に軍隊を配置し、南はパキスタン、インド、ベトナムにかけて中国包囲網を構築していました。

そして、毛沢東が恐れたとおり、後継者に指名された林彪は、ソビエトと結んで反乱（毛沢東の暗殺）を計画していたのです。しかし、クーデターは未遂に終わり、一九七一（昭和四十六）年九月十三日、ソビエトに逃亡途中で林彪は死亡しています（林彪事件）。

結果的に未遂に終わったとはいえ、当時、反乱の恐怖におののいていた毛沢東がソビエトを牽制《けんせい》するために選択した道が「アメリカと手を結ぶ」ことでした。これが「ニクソン招請」の真意です。

「日中友好」の〝裏〟が読めなかった日本

林彪が死亡する約二カ月前の一九七一（昭和四十六）年七月十五日、ニクソン米大統領の北京《ペキン》訪問が発表されました。その直後の七月三十日、中国共産党中央委員会は党の下部組織に対して、次のような通達を出しています（佐藤慎一郎『近代中国革命史に見る酷烈とさわやかさの中国学』一九八五〈昭和六十〉年、大湊書房《おおみなとしょぼう》）。

①ニクソン招請は、反米闘争の他の一つの形式であって、反米闘争の方針には、いささかも変動はない。

②ニクソンの招請は、ニクソンの方から要請したもので、彼の方から膝を屈して和を乞いにやって来るものである。（略）

③ニクソンの招請は、ソ連を孤立させるための戦略的布陣である。

④ニクソンの招請は、帝国主義陣営の根本を動揺させ、米帝とその従属国および傀儡集団との矛盾を深化させ、共産主義の全世界における勝利を有利に導くものである・・・。

このように、中国共産党はニクソン招請の目的を明確に下部組織に指令、伝達しています。当時の中国大陸の状況を要約すると、中国大陸は毛沢東の「文化大革命」という名の〝大暴走〟によって完全な内乱状態に陥っており、国家機能が麻痺し、殺戮、暴行が中国全土で繰り返されていました。経済は完全に崩壊し、友好とされたソビエトとの関係もますます悪化の一途をたどり、まさに八方ふさがりの状態にありました。前述のとおり、毛沢東自身も暗殺の危機にさらされていました。

そこで、中国共産党が国の立て直しのために利用しようと目をつけたのがアメリカと日本でした。そして、そのためにとった具体的な行動が、ソビエト牽制策としての「ニクソン招請」工作と、経済支援を得るための「日中友好」工作だったのです。

当時はアメリカもベトナム戦争の膠着《こうちゃく》でどうにも収拾のつかない苦しい状態でしたが、中国の諜報工作にはまったのは日本だけでした。アメリカはソビエトの牽制もあって、訪中というイベントには乗りましたが、中国との国交を結ぶまでに七年もの年月をかけています。

日本だけが諜報工作にはまったのは、国家として必要なインテリジェンス機関がなかったことと、田中総理を筆頭に、日本の政府、マスコミにインテリジェンス感覚が欠如していることを中国共産党に見抜かれていたからです。

中国共産党は、結党以来一貫して「日本解放」「日本革命」を煽動し、日本の左翼勢力を資金的

1972年9月28日、周恩来首相との晩餐会に臨む田中角栄

に援助してきました。中国共産党が日本国内で活動していたあらゆる左翼団体や中共の友好団体などと連携して、火炎ビン闘争や反米安保闘争などを支援、煽動してきたことは、もはや国民周知の事実です。なかでも際立っていたのが、一九七二（昭和四十七）年に毛沢東思想を指導原理として中国共産党から資金援助を受けていた左翼過激派組織「連合赤軍」が大量リンチ殺害事件を起こすという、いわゆる「連合赤軍事件」が発生し、五人が逮捕されたことです。

その中国共産党が一転して「日中友好」をスローガンに掲げたのは、それほど当時の中国共産党政権が崩壊の寸前にあったということの証しです。

田中訪中には中国共産党対日工作の最高責任者・周恩来の意向が強く働いていました。中国共産党特務機関のボスでもある周恩来は、対日諜報工作を進めるなかで、田中の国会での「日中国交正常化の第一番目に、たいへん御迷惑をかけました、心からおわびをします」という発言に注目しました。そして、「迷惑」という言葉でわびる田中を日本側の交渉相手に絞ることを決断します。この周恩来の意向こそが、田中訪中時に起こった晩餐会《ばんさんかい》での「迷惑」発言騒動へとつながっていくのです。

周恩来の工作に終生気づかなかった田中角栄

日本留学の経験がある周恩来は、対日工作で指揮下にあった廖承志《りょうしょうし》や呉学文、郭沫若《かくまつじゃく》らと同様、日本語の「迷惑」と中国語の「迷惑」の意味が大きく異なることを熟知していました。そして、田中は周恩来がしかけた「迷惑」の〝落とし穴〟に落ちることになります。

一九七二（昭和四十七）年九月二十五日午後六時三十分、北京の人民大会堂で周恩来首相主催の晩餐会が開かれました。周恩来の歓迎挨拶のあと、田中が挨拶に立ちました。田中はここで周恩来の狙いどおり、「中国国民に多大のご迷惑をかけた」と発言します。すると、中国側の出席者たちは、拍手を拒否し、不満の意思表示をしました。

翌日の首脳会談冒頭で周恩来は田中のスピーチについてこう述べています（『田中総理・周恩来総理会談記録（1972年9月25日〜28日）―日中国交正常化交渉記録―』外務省アジア局中国課）。

> 田中首相が述べた「過去の不幸なことを反省する」という考え方は、我々としても受け入れられる。しかし、田中首相の「中国人民に迷惑をかけた（添了麻煩《ティエンラマーファン》＝引用者注）」との言葉は中国人の反感をよぶ。中国では迷惑とは小さなことにしか使われないからである。

ジャーナリストの青木直人《あおきなおと》は、著書『中国利権の真相』（宝島社《たからじましゃ》、二〇〇七〈平成十九〉年）で当時の状況について、次のように記述しています。

> 両国が日中共同声明に調印するまで、交渉は難航し続けた。中国側は周恩来《しゅうおんらい》総理が交渉を仕

切っていた。両者は四日間にわたって合計四回の首脳会談を持ったが、最大の壁は、第二回会談で噴出した歴史認識に関する問題だった。先の戦争に対して田中角栄は、「添了麻煩（御迷惑をかけました）」という言葉で謝罪したが、その表現が「あまりにも軽い」と中国側から非難が集中したのである。

問題が解決しないまま、翌日の第三回会談では国際情勢について議論が交わされた。しかし、交渉はデッドロック状態のまま遅々として進まない。田中と帯同していた大平正芳外相は一時、帰国まで考えたといわれている。

中国語の〝添了麻煩〟は婦人のスカートに水がかかった程度のおわびのことで、日本語の〝御迷惑〟は、そのように訳され、会場に伝えられた。

得意満面の思いで訪中した田中は、相手に握手を求めたとたん、相手からいきなり顔面を殴りつけられてしまったのです。田中は食事も喉を通らぬほどに戦意を失い、交渉は一方的な中国側のペースで進行しました。

田中の「迷惑をかけました」発言は、中国共産党の諜報工作員が巧妙にしかけた〝時限爆弾〟でした。

周恩来は以前から田中の「迷惑をかけました」という発言癖に目をつけていました。それを中国語に翻訳したときに中国側から批判、反発が出ることを熟知していたのです。そこで、田中が訪中したときの第一声で「迷惑をかけました」と発言するよう仕向けます。

そこで活躍したのが前出の「諜報工作員N」でした。

Nは田中に近づき、信頼関係を結んだうえで、「総理専属の通訳」として登場します。そして、晩餐会の席上、「田中の日本語を忠実に訳した」というかたちで「添了麻煩」と叫んだのです。

この田中の「迷惑」発言に対し、「謝罪として認めがたい」と声高に主張したのは文化大革命から復活したばかりの「日中友好協会」名誉会長・郭沫若でした。周恩来の書いた筋書きどおりの抗議であることはいうまでもありません。

周恩来は、直系の諜報工作員Nに通訳という立場で〝マッチポンプ〟のマッチで火をつける役を指示したうえで、郭沫若を使ってその火をあおり、大火事にしました。そして、みずからはその大火事の火を消すポンプの役として登場し、田中を手玉にとって、まんまと中国ペースに取り込んでしまったのです。一方、田中は終生、この周恩来の諜報工作に気づくことはありませんでした。

周恩来が田中角栄に贈った「言必信・行必果」に隠されたメッセージ

田中と周恩来によって「日中友好に関する共同声明」が発表されたのは、一九七二（昭和四十七）年九月二十八日のことです。翌二十九日付『毎日新聞』は、次のように報道しています。

> 会談は終始なごやかな雰囲気で、周首相から「いえば必ず信じる。行なわれれば必ず果たす」（原文は「言必信《げんかならずしん》・行必果《ぎょうかならずか》」＝引用者注）と揮ごうした書が贈られ、田中首相も「信は万事のもと」との所信をしたためてお返しした。

周恩来が田中に書き贈った〝書〟の持つ意味はきわめて重大であり、このあとに日中間で起こった多くのことを示唆しています。しかし、その意味するところを田中がまったく理解していなかったことはもちろん、同行した関係者およびマスコミ関係者も誰ひとりとして理解していなかったのです。そして、そのことが、今日の日中関係の不幸と、中国共産党の台頭および横暴を許す結果となりました。この原点に立ち返らないかぎり、健全な「日中関係」の構築はありません。

周恩来は田中に対し、なぜ「言必信・行必果」という言葉をわざわざ書き贈ったのでしょうか。

中国の歴史と国内事情にくわしい前出の佐藤慎一郎教授は、前出の『師と友』で、次のように解説しています。


第一にこの言葉（「言必信・行必果」＝引用者注）は、孔子《こうし》の言った言葉です。中共では孔子は「頑迷な封建君主に仕えて奴隷制度を擁護した反動的思想家」であり、「人民の敵」であるとして、終始罵倒しています。そうした「人民の敵」である孔子の言葉を、書き贈ったこと自体に、辛辣な諷刺《ふうし》なし軽侮の念が含まれているとしか考えられません。

第二に「言・信を必し、行・果を必す、硜硜然《こうこうぜん》として小人なる哉《かな》」で一句をなしている言葉を、なぜ前半だけ書き贈ったのか。これは「歇後語《シエホウユー》」と云《い》って、文人墨客《ぼっかく》だけではなしに、一般にも行なわれている表現形式です。（略）陰険な皮肉・諷刺・自嘲などが、かくされていたりしています。（略）周総理のねらいも、書いた「言・信を必し、行・果を必し」に狙いがあるのではなく、省略された「硜硜然《こうこうぜん》として小人なる哉」に重点があったものと思われます。「田中さん、お前さんは小石のように小粒で固くて融通のきかない小人ですね」という嘲笑・軽蔑の方に重点があったものと思われます。

第三に、田中総理は結局第三流の「小人」として評価されたわけですが、中国では「小人」とは、どのような人間と解しているのでしょう。（略）

小人が学問するの目的《ママ》は利を図るためだそうです。（略）また「君子は義に喩《さと》り、小人は利に喩る」（論語《ろんご》）。小人は利に敏感で、損得だけで判断するやからであると云うのです。（略）

田中総理を「小人」だと評したのは、結局「小人は身を以《も》って利に殉ずる」（荘子《そうし》）やからであるという意味でしょう。

周恩来は、田中首相と会談し、「この人は、身をもって天下に殉ずる高邁《こうまい》な日本人ではない」と見抜き、皮肉を込めて別れ際に六文字の書を贈ったのでしょう。

後日、ロッキード事件によって、田中は「身をもって利に殉ずる」結果となりました。周恩来の人を見る目は正しかったことになります。

中国共産党幹部が日本を軽蔑するようになった日

日中共同声明が発表された当日の大宴会場では、会場中が「乾杯、乾杯」で盛り上がり、大変な騒ぎだったと伝えられています。それは会場にいた中国人たちが周恩来が贈った六文字の書の意味を知っていたからであり、それを嬉々《きき》として受けとる田中の姿を見ていたからでした。

「こんな総理をいただく日本人なんて！」

中国共産党の幹部たちが日本そのものを軽蔑し始めた瞬間です。

しかし、日本側の政府関係者もマスコミも、中国側が日本との共同声明を喜んでいるのだろうと勘違いし、誤った記事を日本の本社に送り続けました。中国人が〝乾杯〟している本当の意味に気づいた出席者はひとりもいなかったのです。日本側にはインテリジェンス的なセンスを持ち合わせた者が誰ひとりいなかったことになります。

佐藤教授は、前出の『師と友』で、周恩来が田中を「小人」と評して軽蔑した理由について、次のように解説しています（傍点引用者）。

中国の伝統思想では、一切の価値基準は、「義」であります。（略）生と義、いずれか一つしか選べない時には、生を棄《す》てても義を取るのが。人間の道であるとまで教えています。（略）

当時中国大陸の情勢は、文化大革命の大暴走、それに続いた林彪の叛乱《はんらん》などによって、華国鋒《ほう》主席が報告したように、「経済は崩壊寸前の渕《ふち》に臨んでいた」のです。要するにそうした危機から脱出するために、日本が中国を必要としている以上に、中国が日本を必要とし、アメリカを必要としていたのです。日本は中華民国（台湾＝引用者注）との関係を維持しながら、堂々と中国との関係を打開することができたのです。

それを田中総理は、勝手な「共同声明」を出し、それと同時に大平外相は、日本と中華民国の間に締結されていた「日中平和条約」（一九五二・四・二八調印）の失効を、一方的に宣言したのです。（略）

周総理から見れば、蔣介石《しょうかいせき》総統も台湾人も、はっきりとした同じ民族です。しかも日本は蔣総統には、あれ程の恩義を受けており、台湾人はかつての日本人でした。それを全く単なる個人的利害打算から、国際信義を無視し棄て去ったのです。こうした中国人との公約を公然と破棄した背信背義の男を、同じ民族である中国大陸の人々が、信頼するはずがない。全中国民族は、このような人物を最も嫌悪し、軽侮し、唾棄する。こんな人間は利用するだけ利用し、絞《ママ》れるだけ絞《ママ》ってしまったら、絞《ママ》りカスのようにポイと棄てればよいと思っていることでしょう。

中国人からこのような評価しかされない人物を総理に選び、その人の手によって中国との関係をスタートさせたことが、今日の「日中関係」の不幸の始まりであり、今日の日中間混乱の根本原因なのです。

田中訪中直前のＮＨＫの世論調査では、台湾との関係について、「従来どおり維持していくべき」と答えた人が六六％で、「台湾を捨ててでも中国と国交を断行せよ」と答えた人は一一％しかいませんでした。しかも、自民党内でも九三％の議員が「台湾を捨てるな」という意向だったのです。

それでも、田中は強引に台湾を切り捨て、中国共産党と結びました。諜報工作を成功させた中国共産党みずからが田中を「利に喩る小人」と結論づけたことから推察すれば、田中の行動の背景には「援助資金」に名を借りた〝バックマージン〟がからんでいたとしか思えません。その理由については後述します。ちなみに政界では田中内閣はマスコミがつくりあげた内閣ともいわれています。

一方、先にも少し触れましたが、アメリカは、一九七二（昭和四十七）年のニクソン訪中から一九七九（昭和五十四）年の「米中国交正常化」までじつに七年の歳月をかけ、慎重に中国共産党政権に対応しています。しかも、「米台関係法」を制定して、実質的に台湾を独立国として認めました。中国共産党は、対外的にはアメリカを「敵対国」として終始非難していますが、その一方ではアメリカのこうした外交手法に対して敬意を払い、尊敬している一面もあります。それは、台湾に対して「義」を重んじた対応をしているからだといいます。「義」を捨てて台湾を切り捨て、「利」に走った日本とは大違いということです。

日本と中国ではまったく見方が異なる「日中友好」

田中訪中を中国共産党はどのように評価していたのでしょうか。

当時の中国側資料を見ると、日本の浮かれ方とはまったく異なる、謀略的な思惑が歴然としています。

田中が帰国した翌日、一九七二（昭和四十七）年十月一日付『人民日報』『解放軍報』『紅旗《こうき》』は、「日中友好共同声明」について共同社説を発表しました。

まず、毛沢東主席の革命外交の偉大な勝利であったと称賛したあと、「人民の革命闘争の勝利は、主として各国の人民自身が闘争のなかで自覚と組織性を高めつつ、マルクス・レーニン主義の普遍的真理を自国の革命的実践に一歩一歩結びつけることによってのみ勝ちとれるものである」とし、「田中訪中による『共同声明』は、日本の革命を支援するための布石である」と堂々と宣言しているのです（佐藤教授の翻訳文を引用者が要約）。

また、昆明《こんめい》軍区政治部および宣伝部が一九七三（昭和四十八）年四月四日に出版した『中隊情勢教育大綱』には、次のように明記されています。


田中の訪華を招請したのは、第一に人民に着眼してやったことである。上層部との接触を通じて、日本人民の中へ入りこんで革命工作をする道を開き、日本人民が起《た》ち上って革命をやるのを支持するためである。

日本国内では政界、財界がこぞって日中国交締結によって「いくら儲けられるか」を打算し、国民のほうはきわめて単純に「友好万歳」としかとらえていませんでした。しかし、一方の中国共産党は、スローガンこそ「日中友好」を掲げているものの、その本音ははっきり「日本の革命工作」を意図しており、日本の資金と技術の収奪を目的としていました。諜報工作を国家運営の基本としている中国共産党の〝腹〟を読めないまま、「日中友好」は本質的な議論もなされず、マスコミがつくりあげたムード的なものと化していました。その〝ツケ〟は五十年後の今日、「国家的安全保障上の危機」としてわが国にはね返っています。総理である田中の大義のない政治行動に最大の責任があることはもちろんですが、それに異も唱えず追随し、むしろ「日中友好」をあおり続けてきたマスコミの責任もきわめて重いといわざるをえません。

弱小集団から謀略を駆使して成り上がってきた中国共産党

中国共産党の対日工作の基本戦術のひとつに「用敵の法」があります。これは、張可炳《ちょうかへい》著『孫子の謀略』（JCA出版、一九七九〈昭和五十四〉年）によると、謀略を駆使して「戦わずして勝つ」ことを善の善と説いた『孫子』の兵法にある「用間《ようかん》」を発展させた謀略中の謀略です（カッコは引用者）。

「力が足りねば敵（日本）の力を借りよ、誅殺《ちゅうさつ》の能がなければ敵の刃（マスコミ）を借りよ、財が無ければ敵の財（ODA＝政府開発援助）を借りよ、物資が無ければ敵の物資（日本企業）を借りよ、将兵が無ければ敵の将兵（左翼勢力）を借りよ、智謀《ちぼう》が無ければ敵の智謀を借りよ」。「吾為《われな》さんと欲することあれば、敵を誘導して為さしめる、これ則《すなわ》ち敵の力を借りることである。吾誅殺せんと欲する者あれば、敵を策動して誅殺せしめる、これ則ち敵の刃を借りることである。敵の所有するものを占拠することは、則ち敵の財を借りることである。敵をして自ら闘わしむることは、則ち敵の将兵を借りることである。敵の計策を利用して以《もっ》て吾《わ》が計画に応じしめることは、則ち敵の智謀を借りることである」

戦後の日中関係を振り返ると、中国共産党の諜報工作は、この「用敵の法」のとおりに敵（日本）の力を利用するかたちで巧妙に実行されてきました。

日本の対中国政策は、「友好」という言葉にだまされて、日本が中国共産党に財を与え、知恵と技術を与え、企業進出という物資を与え、結果として中国共産党軍の軍備増強という強力な軍事力まで与えてしまったのです。日本側が隣国のためにいいことをしていると思い込んで有頂天になっているあいだに、中国はわが国の脅威となり、世界の平和と安全を脅かす存在になってしまいました。日本が〝怪物〟を育ててしまったといっても過言ではありません。

ここで、中国共産党の生い立ちについて触れておきます。

中国共産党は国際共産主義運動の指導組織「コミンテルン」（一九一九年三月にレーニンがモスクワで創設）の指導によって一九二一（大正十）年七月、上海でひそかに創立されました。出席した代表は十二人。党員は中国全土でわずか五十七人にすぎませんでした。

この弱小の政治集団が当時、大陸を制圧していた国民党政府や、大日本帝国などの諸外国の巨大勢力に立ち向かい、それに打ち勝つためには〝正々堂々の闘い〟をしていたのでは絶対に勝ち目はありません。なんらかの謀略的手段を弄する以外に勝ち目はないのです。

そこで、「謀略の天才」周恩来は当時、中国大陸を制圧していた国民党の総司令官・蒋介石を蒋介石の腹心だった張学良《ちょうがくりょう》に監禁させたうえで国民党と手を組みました。いわゆる「国共合作」の秘密協定です。そして、みずからの中国共産党軍を蒋介石指揮下の国民党軍に編入させて、「抗日民族統一戦線」を結成したのでした。

これは、明らかに中国共産党軍による国民党軍への「潜り込み戦略」です。

「日本軍」という中国人共通の「敵」を利用して中国国内で敵対していた国民党と「抗日戦線」を結成することにより、①中国共産党軍を包囲し、攻撃している国民党軍の矛先を日本軍に向けさせる。②潜り込んだ先の国民党軍から武器と資金を収奪、獲得する。③日本軍との直接衝突を避けながら「抗日統一戦線」内部で中国共産党軍の勢力拡大を図る――それが中国共産党の狙いでした。

日中戦争の引き金となった盧溝橋事件の真相

中国共産党が日本軍と国民党軍とを全面戦争に突入させるためにしくんだのが「盧溝橋事件」という謀略です。

中国人民解放軍総政治部発行の『戦士政治課本』には、次のような記載があります（『新資料　蘆溝橋事件』葛西純一《かさいじゅんいち》編・訳、成祥出版社、一九七五〈昭和五十〉年）。

七・七事変（葛西注＝中国では蘆溝橋事件を一般にそう呼ぶ）は劉少奇同志の指揮する抗日救国学生の一隊が決死的行動を以って党中央の指令を実行したもので、これによってわが党を滅亡させようと第六次反共戦を準備していた蔣介石南京反動政府は、世界有数の精強を誇る日本陸軍と戦わざるを得なくなった。その結果、滅亡したのは中国共産党ではなく蔣介石南京《ナンキン》反動政府と日本帝国主義であった。

盧溝橋事件の実行者だったTは、中華人民共和国建国後、中国共産党中央統一戦線工作部の重要ポストにいましたが、極秘裏に香港に派遣され、諜報工作に従事、専念していました。ある日、別れ別れになって諜報活動をしていた夫人も香港工作に派遣されてきたので、彼は党中央の計らいと思い、感激したといいます。ところが、党中央が彼の行動を監視するために夫人を送り込んだことを知り、愕然《がくぜん》としました。思い悩んだ末、亡命を決意。二人は香港から沖縄、沖縄から日本、日本からアメリカへと渡り、そこで亡命しました。日本滞在中、前出の佐藤慎一郎教授がTの生活の面倒を見た関係で、佐藤教授は盧溝橋事件の真相をすべて聞く機会を得たそうです。

実行者Tが語った盧溝橋事件の真相は人民解放軍の『戦士政治課本』の記載を裏づけています。彼はこう証言しました（以下は筆者が佐藤教授から直接聞いた話をまとめたものです）。

一九三六（昭和十一）年正月早々、中国共産党は各大学の左傾分子、過激分子を糾合し、地方に派遣して抗日宣伝を展開。一月二十一日には北京大学宣伝隊を中核として「抗日民族解放先鋒隊」を組織することに成功。二月五日には、第一回全国大会が開かれ、この組織を全国的に拡大することを決定した。当時、中ソの対日工作のひとつは、日本の北進論を南進論に転化させ、日本を蔣介石・英米の力と直接戦わせることであった。その具体策として、華北《かほく》における日本の不拡大方針をつぶして、日本軍と国民党政府軍との全面戦争を誘発させることだった。一九三七（昭和十二）年七月七日、劉少奇に指導された、学生と地方人民を主体とする「抗日民族解放先鋒隊」が、夜陰に乗じて、日中両軍が対峙している中間地点に潜入し、日中両軍に対して、ほとんど同時に発砲して、そのままサッと引き揚げ、逃げた。

「抗日民族解放先鋒隊」の暗躍

日中両軍を衝突させることに成功した「抗日民族解放先鋒隊」が、その夜、報告のために打ったと思われる電報を千葉県銚子にある日本軍の無線電信局が傍受しており、その記録は極東軍事裁判（東京裁判）に提出されています。「うまくいった。うまく発砲した」という内容でしたが、当時はこれが中国共産党の謀略の報告であることまでは分析できなかったようです。

「コミンテルン並《ならび》に蘇聯邦《それんぽう》の対支政策に関する基本資料」によると、中国共産党は七月八日早朝、延安《えんあん》の本部から中国全土に、次のような電報を打っています（前出『新資料　蘆溝橋事件』、傍点引用者）。

> 七月七日夜一〇時、日本は蘆溝橋において、中国の駐屯軍馮《ひょう》治安部隊に対し攻撃を開始し、馮部隊に長辛店《ちょうしんてん》（葛西注＝永定河《えいていが》の蘆溝橋対岸寄り）への撤退を要求した。（略）蘆溝橋における日本侵略者のこの挑戦的行為の結果、ただちに大規模な侵略戦争にまで拡大されるか（略）の

いずれをとわず、北平《ペイピン》（現在の北京＝引用者注）・天津《てんしん》と華北に対する日本侵略者の武装侵略の危険性はきわめて重大なものとなった。（略）

日本侵略者の侵略に抵抗しよう！（略）

中国から追い返そう！

中国共産党中央委員会

また、これに呼応するかのように、モスクワのコミンテルン本部も、次のような指令を発しています。

①局地解決を避け、あくまでも日支の前面衝突に導かなければならない。

②右目的貫徹のため、あらゆる手段を利用すべく、局地解決や日本への譲歩によって支那の解放運動を裏切る要人は抹殺してもよい。

③下層民衆階級に工作し、彼らに行動を起こさせ、国民党政府として戦争開始のやむなきに立ちいたらしめなければならない。

七月七日夜、劉少奇が指導する「抗日民族解放先鋒隊」のゲリラ部隊によって発砲事件は発生しましたが、日本軍は自重して一発も発砲していません。二度、三度の中国共産党ゲリラ部隊の日本軍への射撃によってやむなくこれに応戦し、日中両軍が戦争状況に入ったのは七月八日の朝五時四十分からでした。中国共産党ゲリラ部隊による巧妙な謀略工作ではありましたが、実際に戦闘状況が開始されるまでには、じつに〝七時間四十分の時間差〟があります。

この時間のズレは中国共産党軍が陰でこの事件をしくんでいたことを見事に物語っています。中国共産党が打電した電文があらかじめ用意されたものであり、「七月七日夜十時に攻撃開始した」云々の電文内容は、盧溝橋事件が偶発的な衝突ではなく、計画的なものだったことを証明しているからです。

謀略によって引き起こされた盧溝橋事件に端を発した日中戦争は、中国共産党の狙いどおり、八年にわたる〝泥沼の闘い〟になりました。その結果、一九三七（昭和十二）年に抗日戦争が始まった時点ではわずか四万人だった中国共産党軍は、終戦直前の一九四五（昭和二十）年四月には百二十万人にまでふくれあがっていました。

つまり、中国共産党は、①日本という「敵」を利用しながら国民党政府を抱き込む。②国民党軍を利用しながら中国共産党軍の党勢拡大を図る。③国民党軍に勝利して、蔣介石軍を台湾に追いやる。④さらに日本軍も排除する――という離れ業をなしとげたのです。まさに、これが「敵」を利用して勝利する「用敵の法」です。

この「用敵の法」こそが、〝弱小組織〟だった中国共産党をここまで発展させることができた基本戦略であり、中国共産党の本質です。その本質は、現在も、そして今後も〝絶対に変わらない〟ということを、私たち日本人はしっかり認識しておく必要があります。変わるとすれば、それは中国共産党が崩壊したときだけです。しかし、時の権力者である習近平《しゅうきんぺい》が、みずからの手で崩壊の道を選択するような愚は犯さないでしょう。

日中友好の裏にある日本の「解放」と「革命」

中国共産党は結党以来、一貫して「日本の解放」を叫び、「日本革命」を煽動しています。それが、彼らの「対日工作」の基本だからです。

中国共産党は建国当初から日本共産党に対して積極的に武装蜂起を呼びかけていました。一九五〇（昭和二十五）年一月十七日付『人民日報』は、社説で「日本解放の道」とのタイトルを冠し、「米帝と日本反動勢力に対し、断固とした革命闘争を進めてこそ、初めて米帝の占領と反動派の統治を終わらせ、民主的日本を建設することができる」と煽動しています。同年二月十四日には「中ソ同盟条約」を締結し、日本を「仮想敵国」と明記しました。

一九五三（昭和二十八）年、北京郊外に「マルクス・レーニン主義学院」が設立され、「日本革命」のための中核的指導者が養成され始めました。ここで教育された日本共産党員は二千五百人前後といわれています。彼らこそが、一九五六（昭和三十一）年から翌年にかけて、日本各地で交番襲撃、火炎ビン闘争、山村《さんそん》ゲリラ闘争などの〝非合法闘争〟を繰り広げた日本共産党過激行動部隊「山村工作隊」です。当時の記録によれば、細川護煕《ほそかわもりひろ》政権の官房長官だった政党「新党さきがけ」の代表・武村正義《たけむらまさよし》も山村工作隊のメンバーのひとりとして記録されています。

中国共産党の対日政治工作の実例を「反安保闘争」の動向に見てみましょう。

当時、社会党は「積極的中立主義」を主張し、日本共産党は「反米独立路線」を主張していたため、社共の統一行動はできませんでした。

こうした政治状況を打開するため、中国共産党は一九五八（昭和三十三）年十月、まず日中友好協会代表団を北京に招待します。招待された代表団は、中国共産党下部組織である中国人民対外文化協会、中国人民世界平和擁護委員会、中国紅十字会《こうじゅうじかい》とともに、「アジアの平和を脅かす米帝国主義に対する両国人民の闘いを相互に支援し合おう」との共同声明を発表しました。

次いで十一月十九日には中国の陳毅《ちんき》外相が「日米安保条約は、米帝国主義が日本民族を奴隷化する一方的な不平等条約である。日本人民がこの安保条約を破棄し、日本が平和な中立国となることを心から望むものである」という中立国要望の声明を発表しています。明らかにアメリカとの離反工作です。その直後の十二月五日には、ソビエトのアンドレイ・グロムイコ外相もまた、日本の中立政策を要望する「覚書」を日本政府に送っています。

こうした中ソの動きを受けて、翌年二月、訪中した日本共産党の宮本顕治書記長は、「米帝国主義は全世界人民の共同の敵である」という共同声明を発表。次いで三月に訪中した社会党の浅沼稲次郎《あさぬまいねじろう》委員長も、「米帝国主義は日中両国人民の共同の敵である」との声明を出しました。日本共産党と社会党を中国とソビエトの国際共産党指導部が北京で握手させたのです。

これを契機に、日本では「安保条約改正阻止国民会議」が組織され、一九五九（昭和三十四）年四月十五日、「日米安保条約改正阻止第一次統一行動」が行われました。

一般的にいわれる「六〇年安保闘争」、つまり日本の安保条約反対闘争は中ソの国際共産党の支援、煽動によって行われたものだという事実は、はっきり記録として残し、国民も認識しておくべきでしょう。

一九六二（昭和三十七）年、毛沢東は日本共産党の外郭団体「日本労働者教育協会」（当時の副会長は、第一章に登場した「革同の総帥」細井宗一）の訪中団に対し、次のように語っています（佐藤慎一郎『師と友』一九八三〈昭和五十八〉年九月号）。

「中国は日本の解放を重視している。世界第一の革命はロシアであった。これは歴史を変えた。世界第二の革命は、中国革命である。これもまた歴史を変え、資本主義を斜陽化させた。世界第三の革命は、日本の革命であろう。これは世界の歴史を更に変えるだろう。なぜなら日本の解放は、アジアの解放である、世界の解放に通じるからである。アメリカは日本を失うまいとして、あらゆる努力を最後までやるだろう」

そして、訪中団に対して、次の書を贈っています（前掲書）。

「マルクス・レーニン主義の普遍的真理と日本革命の具体的実践を結びつけること、これを真剣になしとげさえすれば、日本革命の勝利は全く疑いない。日本労働者学習活動訪中団の友人各位の求めに応じて、日本の労働者の友人たちに書いておくる。毛沢東、一九六二年九月十八日」

このように、中国共産党政権が戦後一貫して「日本解放工作」を実行してきたことは周知の事実です。それが、一転して「日中友好」の動きに転じたわけですから、その理由が日中両国の真の友好を目的としたものではなく、あくまで「対日謀略」を目的としたものであることは明らかです。

日本人が知らない周恩来の〝裏の顔〟

ここで、対日諜報工作の最高責任者・周恩来についても触れておかなければなりません。

『中國人脈要覧』（ADIアジア総合開発研究所、一九七三〈昭和四十八〉年）には、周恩来についてこう記載されています。

> 林彪事件後、周恩来の活動には目をみはるものがある。特に最近の国連復帰に始まり71年2月のニクソン会談、同年9月田中首相訪中によって実現した日中国交樹立と、その間みせた周の活躍は周の外交手腕を如何《ママ》なく発揮し名実ともに天才的政治家の名に恥じない活動を示した。
>
> （略）
>
> 幾多の指導者が失脚、粛清された中でもその地位を確保した。このように党内闘争の浮沈の中で主流を歩み続けた要因の一つとして、次の数点があげられよう。（略）
>
> 第三に一定の主義主張をもたず、また自己の政策路線を有していないため機をみて臨機応変に対処できる状況にあった。第四に多方面にわたる工作経験をもっていたことである。すなわち1928年から31年1月まで、上海で中国共産党の組織工作と軍事工作を担当、同時に特務工作も兼務していた関係上、工作能力が優秀であった。このことにより実権者の地位に誰が就こうとも周の協力が必要となり、いずれの側にとっても極めて利用価値の高い人物であったなどの諸要因である。

周恩来は日本では比較的人気のある人物です。首相としてマスコミに登場する穏やかな表情が、テレビ画面などを通じて人々を魅了してきたのでしょう。しかし、その表の顔とは裏腹に、「中国共産党諜報工作機関の大ボス」という裏の顔があることも、日本人は知っておくべきです。

『広辞苑』（第七版）には、周恩来の〝表の顔〟が、次のように記載されています。

中国の政治家。江蘇《こうそ》淮安《わいあん》生れ。初め日本に留学、五‐四運動に際し天津で活動。のちフランスに留学、中国共産党に入党し、以後党内の要職を歴任した。人民共和国成立と共に政務院（のち国務院）総理兼外交部長、以後死去まで総理。（一八九八　一九七六）

一方、周恩来を知る前出の佐藤慎一郎教授は、その〝裏の顔〟について、「周恩来は中学時代から芝居の女形《おやま》をやっていた。あちらを見てニコニコ、こちらを向いたとたんに涙を流す。その場その場に合わせて芝居ができる。そんな人物が謀略ひと筋で総理まで上りつめたのだから、とても単純な田中角栄が太刀打ちできるわけがない。そういう周恩来の実像を、日本の政治家もマスコミも正しくとらえておかなければ、判断を誤る」と筆者に語っていました。

また、戦後の一九五三（昭和二十八）年、周恩来に報告するため、朝鮮戦線の捕虜調査報告書を携えて中国大陸に渡った経験があり、二十二年間にわたって中国共産党員として工作員経験のある石原栄次は、著書『鄧小平』（大陸研究社、一九七七〈昭和五十二〉年）で、次のような貴重な証言をしています。

外国人は周恩来を「穏健派」のカシラとか、中共の自由側との緊張緩和に対して貢献があったと賞《ほ》めているが、大陸人民は彼を穏健派と思っているものはない。何故なら皆周恩来の陰険かつ残虐な経歴と本性を知っているからだ。（略）毛澤東が暴政をやった後始末で、アメ玉をやるのが周恩来の役目で、これは一つの計画の二段階で皆それに騙《だま》されてきた体験を持っている。（略）文化革命の初期から後期、周恩来は何時も運動の点火者となり消火役もつとめる。（略）

周恩来が中共の党組織、日常業務から行政、外交、軍事に至る迄を一手に握っていたのは広く知られており、同時に中共特務機関の初代頭目でもあって、政府に逮捕されたり、自首したりして転向した仲間及びその家族を容赦なく、手下を使って謀殺した事実を知っている人達も少なくない。（略）

中共の特務機関は一九二八年の第六回大会後、総書記の向忠発《こうちゅうはつ》、組織部長の周恩来、政治局候補委員の顧順章《こじゅんしょう》の三人による「特殊任務会議」の設置で成立したもので、周が主導権を握って転向したり、党内機密をもらしたりした仲間を消す手下を指揮し、順（顧の誤記＝引用者注）は情報収集のキャップを担当した。（略）

顧順章の役柄は、情報収集と共に「紅隊」の隊長であった。（略）「紅隊」は自首、転向した仲間とその家族の謀殺が主な任務だが、顧は間もなく、武漢で逮捕され、実務は周恩来が大部分を取り仕切った。

やがて「紅隊科長」の王竹友が逮捕され、（略）当局の忍耐強い説得でようやく真相を明かした。

それによると、周恩来が「江西《こうせい》ソビエト区中央委員会」の名儀《ママ》で「叛徒《はんと》顧順章に対する懲罰」と称する号令を発し、王竹友が部下を率い「報復」の為に顧宅を急襲、家族全員を殺す予定だったところ、顧の長男、阿勝だけが逃げたのを追跡せず、残る八人を殺したという。（略）一九四七年、国軍が延安を攻略した時に押収した書類には「伍豪《ごごう》同志を責任者とする顧順章懲罰執行経過」と題した記録が含まれている。その「伍豪」がすなわち周恩来にほかならない。

中共の「紅隊」が惨殺したのは顧順章一家ばかりではない。王竹林の共述《ママ》に基づき、（略）三十六体が発掘されている。（略）

王竹友は「すべて周恩来の命令に服従したもの」（略）と共述《ママ》している。

この「顧順章事件」は当時、かなりなニュースとなり、上海共同租界当局にも事件経過の調書が残っていた。また、共同租界当局は周恩来の中共軍服姿の写真入りポスターを街頭にはり懸賞つきの指名手配を行い、一九五四年六月の米ライフル紙《ママ》がその手配ポスターの写真を添え事件の状況を詳しく報じている。

顧順章が逮捕されて間もなく、中共は「特殊任務会議」を「五人委員会」に改編し、過去を上回る残忍な特務工作を続けてきた。

その当初の構成メンバーは周恩来、趙容《ちょうよう》（康生《こうせい》の別名）、潘漢年、廖雲程（陳雲《ちんうん》の別名）、鄺恵安だった。総指揮は依然として周恩来が握り、直接執行者は、趙容…康生に入れ替った。

中共に媚を使う報道で、幾多の人達は周恩来の「笑顔」の一面だけしか見ず、（略）血なまぐさい仲間殺しの頭目だった反面を知らない。

雑誌『サピオ』二〇〇七（平成十九）年五月九日号は、中国共産党の対日工作について触れ、次のような記事を掲載しています。

周は寥《りょう》らに指示して、（略）日中国交正常化を進めるため、「対日工作4人組」を組織した。日中国交正常化とは、裏を返せば、日本を台湾と断交させることに他ならない。周の対日国交正常化の真の狙いが台湾を国際的に孤立させることにあったのは、その後、中華民国政府が国連から脱退し、中華人民共和国政府が取って代わるなど歴史の証明するところだ。

この国家的なプロジェクト遂行のため、寥をトップとした4人組には選《え》りすぐりの対日工作経験者が選ばれた。孫平化《そんへいか》のほか、肖向前《しょうこうぜん》、趙安博《ちょうあんぱく》、王暁雲だ。

肖向前は、国交正常化まで日本に置かれた日中覚書貿易東京事務所首席代表として日中国交正常化の中国側の連絡役を務めたほか、中国外務省アジア局長や中日友好協会副会長などを歴任。趙安博は中日友好協会初代秘書長で、王暁雲は中國人民対外友好協會常務理事などを務めた。

この4人に寥承志《しょうし》を加えた5人に共通するのは、日本の大学に留学したり、旧満州国で生活し、中国共産党や軍の下で、対日特務工作などを行なった過去がある点だ。

周も党社会部長という特務機関の最高責任者として、諜報工作にどっぷり浸《つ》かった時期がある。つまり、この4人組は周が組織した「対日特務機関」という性格が色濃いのである。

ちなみに、毛沢東死後、経済界を中心に資本主義を導入した鄧小平も、日本では高く評価する向きが多いのですが、鄧小平もまた、諜報工作「用敵の法」を基本としています。

抗日戦線を組織し、中国共産党軍が国民党軍に潜り込み、戦略を開始した当時、日本軍と戦争をするなかで、日本軍の物資を奪って奥地に運び、共産ゲリラ地区を養っていた張本人が鄧小平でした。中国共産党の諜報工作手法は日本で高評価の鄧小平といえども同じだったことを見きわめなければなりません。同じ穴のムジナなのです。

周恩来が目をつけた工作対象「創価学会」

周恩来が指揮した対日工作で特筆すべきは、「創価学会」工作です。

周恩来が対日諜報工作を進めるなかで創価学会に目をつけたのは一九五六（昭和三十一）年のことでした。筆者が当時、ミリオン資料サービスの坪山晃三《つぼやまこうぞう》社長から聞いたところによると、この年、中国問題の研究を専門とする某氏が北京を訪れ、旧知の周恩来と会った際、周恩来は、「私は創価学会と、その政治団体が、将来貴国において大きな存在に成長するだろうと予想する。今後、その動向を把握したいので、毎年一回、それに関して教えていただきたい」と要望されたといいます。

一九五二（昭和二十七）年八月二十七日、東京都認可により設立された宗教法人「創価学会」は、一九五四（昭和二十九）年十一月二十二日に文化部を設立し、政界への進出を図りました。一九五五（昭和三十）年四月には統一地方選挙に五十四人が立候補して五十二人が当選。創価学会として選挙の緒戦を飾りました。そして一九五六（昭和三十一）年六月の第四回参議院選挙に際しては、全国区四人、地方区二人が立候補し、三人が当選を果たしました。このときの組織実態は、三十万世帯会員で、得票数は九十九万千五百三十九票でした。周恩来は百万票に迫るこの得票数に驚き、目をつけたものと思われます。

創価学会はもともと反東条英機《とうじょうひでき》派の陸軍軍人組織「獅子《しし》の会」が母体だったといわれています。軍人にはその死生観から日蓮正宗《にちれんしょうしゅう》の信者が多かったのですが、日蓮宗《にちれんしゅう》の亜流である創価学会の設立にあたり、旧軍人関係者も信者として参加したものと思われます。

その象徴たる人物が創価学会設立時から顧問に就任している塚本素山《つかもとそざん》です。『人事興信録』（第三十版、人事興信所、一九七九〈昭和五十四〉年）には、次のように記載されています。

明治40年9月1日千葉県馬之助の三男に生る昭和一〇年陸士卒業、陸軍少佐東部軍司令官田中静壹《たなかしずいち》大将専属副官として終戦を迎う戦後（略）塚本總業を設立（略）昭和40年日本刀美術館を開設館長に推さる

彼の名前を冠する銀座四丁目の「塚本素山ビル」の向かいで右翼の赤尾敏《あかおびん》（衆議院議員、大日本愛国党初代総裁）が街頭演説をしていたのは有名です。

かつて軍人の利用する花街は、陸軍が赤坂、海軍が新橋と分かれていました。赤坂の芸者のあいだでは、酔うと日本刀を振り回す塚本は有名だったようです。

一九五六（昭和三十一）年当時、創価学会の第二代会長・戸田城聖《とだじょうせい》は王仏冥合論《おうぶつみょうごうろん》を基本路線として打ち出し、のちに国会で問題となった政教一致論を展開。日蓮正宗の国教化を夢見ました。

一九五九（昭和三十四）年四月、二度目の統一地方選挙で、創価学会は二百六十一人の地方議員と、東京の区議会選挙で七十六人全員の当選を果たし、東京二十三区内で影響力を確立します。同

年六月、第五回参議院選挙では六人全員が当選。参議院での勢力は九人となりました。

一九六〇（昭和三十五）年五月三日、池田大作《いけだだいさく》が三十二歳で第三代創価学会会長に就任すると、翌年十一月、文化局を解散して「公明政治連盟」を結成。一九六二（昭和三十七）年一月、「公明政治連盟」を「公明党」に改め、党の基本要綱と基本政策を発表しました。

一九六三（昭和三十八）年四月の統一地方選挙では都議会議員三議席が一挙に十七議席に増加。これにより、創価学会および公明党は東京都に対する影響力を確立します。区議会議員は百三十六人全員が当選し、全国の各地方議員の数は千人を超えました。

創価学会ルートで田中訪中を実現させた「対日工作四人組」

一方、そのころ周恩来は中日友好協会初代会長の寥承志に命じて本格的に創価学会の調査を始めます。寥承志はその調査を秘書長だった孫平化に命じました。孫平化が東京の住居として間借りしていた家主がLT貿易で活躍した高碕達之助《たかさきたつのすけ》でした。高碕が池田と親しい間柄であることを知ったからです。

LT貿易とは一九六二（昭和三十七）年に中国の廖承志（L）と日本の高碕（T）との合意により発足した日中貿易の一方式です。一九六八（昭和四十三）年に「日中覚書貿易」と改称し、一九七四（昭和四十九）年に政府間協定になるまで存続していました。

調査を終えた孫平化は、「池田大作会長の就任以来、会員世帯数はわずか三年で三百万世帯に倍増しています。会員数は一千万人。日本の人口の一割が学会員です」と周恩来に報告しています。それを受けて周恩来は、さっそく寥承志に指示し、「対日工作四人組」を組織しました。前出の

『サピオ』の引用でも紹介されていたとおり、四人組には、孫平化、肖向前、趙安博、王暁雲という選りすぐりの「対日工作経験者」が選ばれています。

「対日工作四人組」の創価学会工作は、作家の有吉佐和子《ありよしさわこ》（和歌山県、代表作『紀《き》の川《かわ》』など）や、政治家の松村謙三《まつむらけんぞう》（富山県、日中友好に尽力）らを通じて執拗に行われ、次第に成果を上げていきました。

一九六五（昭和四十）年七月、有吉同席のもとに当時、創価学会青年部長だった秋谷栄之助《あきやえいのすけ》が、孫平化、劉徳有《りゅうとくゆう》らと会談しました。

一九六六（昭和四十一）年八月から九月にかけて公明党の二宮文造《にのみやぶんぞう》議員は参議院決算委員会で「虎《とら》ノ門《もん》国有地払い下げ問題」（田中彰治《たなかしょうじ》衆議院議員が虎ノ門国有地の払い下げをめぐって起こした恐喝事件）に田中角栄（事件当時、大蔵大臣）が関与していた疑惑を執拗に追及しました。そして、田中を東京地検に告発する寸前まで追い込みます。

ところが、そのタイミングで創価学会の言論弾圧事件（一九六〇年代後半から一九七〇年代にかけて、創価学会、公明党が出版社や著者、書店、取次に圧力をかけ、みずからに批判的な書籍の出版、流通を妨害した事件）が発生。大手新聞社の追及を抑えるために創価学会は仲介役を田中に依頼しました。田中が大手新聞社の社屋建設のための国有地払い下げに便宜を図っていたことから、大手新聞社のトップには発言力を行使できたからです。

田中はその見返りに参議院での田中疑惑追及をやめるよう要求しました。創価学会側は田中の要求を受け入れ、「田中追及を断念するよう」二宮議員を説得。創価学会と田中との〝手打ち〟となりました。

一九六八（昭和四十三）年九月、池田は第十一回創価学会学生部総会で「日中国交正常化の提言」を行いました。「対日工作四人組」の諜報活動の成果です。

一九七〇（昭和四十五）年三月には松村と池田が会談し、松村が池田に訪中を提案します。これを受けて公明党代表団が正式に訪中して、中国共産党との関係を強化しました。

一九七二（昭和四十七）年七月七日、田中政権が誕生するや、孫平化らは公明党の竹入義勝《たけいりよしかつ》委員長と接触し、田中訪中の根回しを依頼しています。依頼を受けた竹入委員長は、田中総理、大平正芳外務大臣と数回にわたって綿密な打ち合わせをしたうえで、同二十五日、公明党政策審議会長の正木良明《まさきよしあき》、党副書記長の大久保直彦《おおくぼなおひこ》らとともに田中の親書を持って訪中。周恩来と会談して日中間の「基本合意文書」の協議を行いました。

そして、二カ月後の九月二十五日、田中訪中が実現します。周恩来と「対日工作四人組」の諜報工作は見事に成功しました。

中国の「銀弾攻撃」も受けていた田中角栄

日中平和友好条約締結後、わが国が中華人民共和国に与えてきたＯＤＡの総額は約三兆円以上の巨額にのぼります。これは日本人一人あたり三万円以上負担した計算になります。しかも、このうちの六五％にあたる約二兆円は、無償援助資金名目でありながら、実質的には中国共産党に「供与」（贈与）してきたものです。日本円で二兆円といえば、当時の中国の貨幣価値に換算したら、数十兆円以上の規模になったでしょう。

文化大革命という名の内乱によって、「経済は崩壊寸前の淵《ふち》にあった」（華国鋒国家主席の発言）

その中国をよみがえらせ、今日の大国にまで発展させたのは日本です。「日本人の血税」をもとにした資金援助が中国経済発展の基礎をつくったことは、まぎれもない事実であり、日本は現中国の大恩人のはずです。

しかし、中国大陸を支配する一党独裁の中国共産党は、四十四年を経過した今日にいたるまで、一度も日本から受けた資金援助の事実も、その恩恵も、中国国民に知らしめたことがありません。国の政府予算にさえ一度も明記したことがないのです。日本からの援助資金は、中国共産党の「ヤミ資金」として蓄積され、中国共産党人民解放軍の軍事拡大に使われてきました。

そして、一方では反日教育をあおり、日本の国連常任理事国入りを妨害し、アメリカ国内で日本叩きの工作を繰り返す始末です。「盗人猛々《ぬすっとたけだけ》しい」とはこのような行為をいうのでしょう。ちなみに、現在、韓国の団体が繰り広げている慰安婦像の問題も、アメリカで広げたのは中国であることが、各種報道等により判明しています。

日本政府は、なぜこのような理不尽な中国の行為を、四十年以上も許し、放置してきたのでしょうか。

その原因は、やはり日中国交締結をなしとげた「田中角栄」に負うところが大きいといえます。

一九七二（昭和四十七）年九月二十四日付『星島日報《せいとう》』（香港に本部を置く星島新聞グループの新聞）に、次のような記事が掲載されました。後述の『国政通信』記事より引用します。

『香港外交筋が最近、発表したところによると、北京から得た情報で、北京中央は田中、大平、三木《みき》（武夫《たけお》＝引用者注）氏らに自民党総裁選中に巨額の経済的援助をしたといわれている。これによって日中国交正常化を早め、田中内閣成立の基盤を固めるに大きな効果があったとされている。これはかつてのインドネシアのスカルノ政府への経済協力方式と同様に、日本が五〇億ドルの対中経済協力を行なうが、このうち五〜一〇%が田中内閣に使用されることになっている』

これは「中共対田中用銀弾攻撃」と題された『星島日報』の記事で、中国語の本文を日本語に翻訳したものです。

この『星島日報』記事を引用紹介した一九七二（昭和四十七）年十二月十日付『国政通信』（日本国勢調査会が発行する国会の業界紙）は、「日中国交正常化後、田中内閣は日本からの援助額の一〇%のコミッション八五〇〇億円をもらうことになっている」と伝え、「日中国交正常化後『五年で五十億ドル』（小林構想）が予想されており、その一〇%（八五〇〇億円）が田中内閣に使用されるというのだ」「日本国民が中国から寄贈されたパンダに浮かれている隙に、裏ではこうしたやりとりが行なわれている」と警鐘を鳴らしています。

この記事は、佐藤栄作総理の後継を争う総理候補者に中国共産党が直接、実弾攻勢をかけていた事実を指摘しているのです。

中国にバカにされた「一角の繁栄」

当時、中国共産党幹部たちのあいだで流行したという風刺が伝えられています。

「田中角栄は一角の繁栄しか望まぬ。中曽根には根がない。三木には見切りをつけた。大平は大っぴらにゴメンだ」

国際社会における対外資金援助は援助される国の政府関係者が援助する国の政府関係者に〝お礼〟の意味も込めてバックマージンを提供するのが国際的慣習となっています。そして、そのバックマージンは通常、援助額の三％が常識とされています。

一九七二（昭和四十七）年に訪中した田中を恫喝し、取り込みに成功した周恩来は、田中を「利にさとい人物」と見抜き、田中に政府開発援助を働きかけながら、バックマージン一〇％を提案したといわれています。

田中は周恩来にまんまと一本釣りされてしまい、以後、田中派が対中国に対する政府開発援助を取り仕切ることになりました。天下国家ではなく「一角の繁栄」しか望まない田中は、派閥運営資金となるバックマージンを得るために、せっせと中国へのODA援助を実行していたのです。

一九八三（昭和五十八）年のエピソードがあります。

九月六日、二階堂《にかいどう》進《すすむ》自民党総務会長が訪中し、中国の谷牧《こくぼく》副首相と会談しました。席上、二階堂は、「日本は中国に三千億円の建設借款を供与する旨申し出た」と報道されました。この二階堂の発言は、「田中派のおかげで金が出たのだから、リベートはこちらだよ」という意味を持っています。

翌日、二階堂は鄧小平と会談し、念押しのため、三千億円借款について発言したところ、鄧小平は「あれは小さな問題だから、ついでのときにハンコを押しておく」といったそうです。鄧小平の発言は、「なんだ、たったの三千億円か」という皮肉を込めてのものだったようですが、調べてみると、三千億円のうち千四百億円は商品借款（外貨準備不足に悩む発展途上国が原材料、肥料等の物資を輸入するのに必要な資金を長期低金利で融資する制度）に切り替わっていました。つまり、日本が品物を売るが、中国は代金を払えない。そこで商品借款で払う。商社は日本政府が中国政府に貸した金で回収するため、取りっぱぐれなくて済むので、その利益のなかから政治献金をするというしくみです。鄧小平は、「実際は半分ではないか」と皮肉ったのかもしれません。

このころ、田中の秘書は毎年二〜三回訪中し、鄧小平と直接会談していましたが、日本の駐北京大使館関係者は、いっさいこれに立ち会うことはできなかったといいます。

アメリカも警戒し始めた公明党、創価学会と中国共産党のつながり

日本から供与された経済援助資金は、一党独裁国家にふさわしく、中国共産党の金庫に納められました。そして、中国国内における党基盤の強化に使われたほか、中国共産党の軍隊である人民解放軍の軍備強化や対外諜報活動工作資金等に投入されてきました。

つまり、日本の中国向けＯＤＡは、中国民衆の生活向上に使われたのではなく、九五％の人民を抑圧し続けている中国共産党の組織強化の資金として使われてきたのです。そして、その結果として、人民解放軍の軍備強化は、日本に対する攻撃用ミサイル配備に代表されるように、日本攻撃のための軍事費に投入されてきました。

中国共産党の謀略工作の基本どおり、「金がなければ、敵の金を使え」という「用敵の法」を忠実に実行してきたわけです。

中国共産党は、目的達成のため、まず、あらかじめ目をつけていた田中を総理にする工作を行い、外務省ルートをはじめ、中国大使館および新華社ルート、創価学会ルートと複数のルートを通じて

諜報工作をしかけました。田中の「迷惑」発言癖に目をつけ、それを重要な外交の場で発言させたうえで、難癖をつけ、窮地に追い込み、さらに利権という〝餌〟を与えて籠絡しました。

以上が周恩来が指揮した対日工作の全貌です。

アメリカの有力シンクタンク「戦略国際問題研究所」（CSIS）が二〇二〇（令和二）年に公表した「日本における中国の影響力」（China's Influence in Japan）と題するレポートは、中国との結びつきや思想的背景から、「日本の仏教団体である創価学会と、その関連政党・公明党が、彼らの提唱する平和主義的な思想と絡んで、中国に同調的である」と指摘しています。

そして、「中国共産党は、創価学会を、日本の憲法9条維持のため、政権与党に影響を与えるための『味方』として見ている」「二〇一八年九月、公明党の山口那津男《やまぐちなつお》代表が周氏の母校である天津の南開《なんかい》大学を訪問したこと、同月、中国共産党が後援する中国人民対外友好協会が池田氏の日中関係への貢献を評価し表彰したこと」などを挙げ、依然として中国共産党と創価学会との関係が継続されており、創価学会、公明党が日本の防衛や日米同盟の強化に反対する姿勢をとり続けており、それが中国共産党の期待と一致することへの警戒を強めています。

自公連立政権の原点は東京都議会

現在、わが国の中央政界では安定政権として「自民、公明」による連立政権が続いています。しかし、この「自民、公明」による政権構図の原型が東京都議会だったことを知る人は、多くありません。

現在は小選挙区制度が定着していますが、以前の中選挙区制度時代の自民党は現在とは比べものにならないほど「派閥の集合体政党」でした。東京都議会では自民党が絶対多数を占めていましたが、中央政界の派閥力学がそのまま都議会にも持ち込まれ、議会運営に影響していました。このような背景から、自民党は議会で絶対多数を占める与党でありながら、派閥の対立で審議が止まってしまい、法案が成立せず、流れてしまう事態がたびたび繰り返されたのです。

そんな状況下で、自民党内の派閥対立の調整役となり、〝接着剤〟となったのが当時、少数政党だった公明党でした。

少数政党・公明党が自民党各派閥間の根回しを行い、自民党という絶対多数政党をまとめあげ、連立しながら、都議会運営のキャスティングボートを握ってしまったのです。こうして、公明党は東京都議会の中心勢力となって采配を振るうこととなりました。

味を占めた公明党は、その成果を踏まえ、「都議会方式」として全国の地方議会で同様の自民党対策を展開して成功します。

その〝総仕上げ〟が中央政界における「自民、公明」連立による現政権の姿です。

東京都庁にある記者クラブの記者は社会部所属の記者が中心です。東京都の財政規模の大きさもあり、一部に経済部所属の記者もいますが、政治部所属の記者はほとんどいません。筆者は、公明党が東京都議会で実践した「都議会方式」がやがて中央政界に持ち込まれ、政権を左右する構図になることを、講演などでたびたび予告しましたが、新聞社や放送局の政治部記者が予想、分析していたという話を聞いたことがありません。

マスコミは、公明党の存在を過小評価し、与党に対する影響力を増大させるという結果を招いてしまいました。つねに中央から地方を見て上から目線で政治を見ているマスコミのスタイルは昔から何も変わっていないようです。時代に対応し切れていないマスコミの取材実態は、読者、視聴者離れを誘発することとなり、新聞、テレビを廃れさせてしまいました。それは、マスコミ自体の怠慢以外の何ものでもありません。

「正常な日中関係」のために何が必要か

この章で述べてきたことをまとめておきます。

田中訪中は最初から中国側にしくまれていた謀略でした。中国共産党は、訪中した田中をあらかじめしかけていた罠《わな》にはめたうえで脅し、中国共産党の言いなりになるよう仕向けていたのです。諜報謀略に疎い政治家、何も伝えないインテリジェンスなきマスコミ機関が生み出した国家的悲劇だったとしかいいようがありません。

用意周到な中国共産党の諜報工作に対し、日本はあまりにも無知であり、無防備でありすぎました。商人感覚には長けていたものの、一国の総理として最低限必要なインテリジェンス感覚を持ち合わせていなかった田中の罪はきわめて重いといわざるをえません。

「道義にあつい国」といわれてきた日本は田中による突然の台湾断絶によって一挙に世界の信用を失墜させてしまいました。さらに、田中は日中国交締結に際し、中国共産党の諜報工作「用敵の法」にまんまと乗せられてしまいました。その結果、今日の日本は、中国の巨大な軍事力の前に、国家存続の危機に直面しているのです。

近年の新型コロナウイルスのパンデミックをきっかけに中国共産党政権に対する世界各国の視線は厳しくなりました。その一方で、自由主義陣営における台湾に対する評価はかつてないほどに高まっています。

今こそ、日本政府は、中国共産党政権に対し、「正常な日中関係」を樹立するために、次のような姿勢を明確に示すべきです。

①台湾との関係を田中内閣以前に戻し、台湾に対し、日本政府として当時の断交の非礼をわびる。

②中国共産党とは過去において交戦（戦争）したことがない事実を明らかにし、交戦した当時の国民党政府（蔣介石政府）とは戦後、和解していることを世界に宣言する。

③日中戦争の原因となった盧溝橋事件は中国共産党の謀略であることを中国側資料にもとづいて示し、認めるよう申し入れる。

④中国との友好条約締結後、日本は中国復興のために総額三兆円を上回るＯＤＡ資金を供与したことを中国国内外に示すよう申し入れる。

⑤健全な日中関係を構築するため、「民族主義相互尊重」を原則として外交、交流を行うよう申し入れる。

⑥過去の不幸な時代は世界的戦国時代だった。そのときの価値観は弱肉強食であったが、二十一世紀の今日は平和的対立共存時代であることを共通認識とし、今後これをさらに進化させ、平和的共存共栄時代を目指すことを確認する。

第七章

MXテレビと民放に蠢く「内なる敵」

筆者は二十五年前、東京地区にテレビ東京以来三十年ぶりに誕生した「MXテレビ」（東京メトロポリタンテレビジョン株式会社。現・TOKYO MX）の開局立ち上げに奔走した体験があります。本章では、その体験を通して放送界の実情と病巣に触れることにします。

社会の木鐸であるべきメディア

日本の放送局は免許業であるため、「一度、認可を受けると取り消される心配はない」という意識がテレビ局の経営者にはびこっています。そのような意識のなかで、視聴率第一主義に陥り、ひたすら利益を上げ、儲けることが優秀な経営者だと思い込んでいるのです。したがって、自分たちが国民の財産である〝電波〟を使って事業をしているジャーナリズム機関であり、「社会の木鐸《ぼくたく》」の一角を占めているという自覚はほとんどありません。

欧米のマスコミと日本のマスコミの違いもあります。欧米のジャーナリズムは、自分の国に対する明確な国家観を持ち、国益に沿った冷静な主張をします。「わが放送局はこうあるべき」というはっきりしたポリシーがあるのです。

これに対し、日本のジャーナリズムは、センセーショナルにあおるだけで、明確なポリシーがありません。「グローバリズム」に名を借りての「反国家観」を持ち、ヒステリックで、中立を装いながら実際には偏向しています。しかも、「みんなで渡れば怖くない」方式の責任逃れの環境もしっかり構築しています。日本のメディアの〝常識〟が世界では〝非常識〟になっているのに、それにも気づけないでいるのが日本の放送経営者の実態です。

なぜ放送界に争議行為が多いのか

そのような〝非常識〟な日本の放送界の特異性をかたちづくった経営環境を振り返ってみます。「小さく産んで大きく育てる」は昔から企業経営の理想とするところです。しかし、放送局にかぎっては、この方式はあてはまりません。開局するときには、すべての放送設備も人材もそろっていなければスタートできないからです。したがって、どうしても初期の設備投資がきわめて大きくなります。

放送局の収入のもととなる放送料金は視聴率によって決まります。しかし、開局当初は視聴率がありません。かたちだけの料金設定はありますが、有名無実です。「視聴率万能主義」が放送界を支配しているなかで、新局が既存局と肩を並べて視聴率を奪い合い、それを背景に売上を伸ばすのは容易ではありません。まともな売上を達成するには最低十五年の歳月を要するといわれています。単独の放送局として自立するには二十年は要するというのが業界の常識です。

このように、初期投資の資金と売上収入のギャップが異常に大きいのが放送界の特徴です。恒常的に赤字計上が続くとなると、経営の常道として、そのしわ寄せは、勢い「人件費」に向けられます。それは、結果的に労働組合との対立の原因になります。放送局に労働争議行為が多いのは、このような放送界の経営基盤の特異性にも起因しているのです。

もうひとつの原因は、放送局の開局時の大株主が主要新聞社だったことにもあります。つまり、新聞社出身の役員が放送の経営を主導していたわけですが、放送局に送り込まれた役員は新聞社ではいわば「二軍選手」の人たちです。記者としての経験は豊かであっても、経営のマネジメントには素人だった人が大半でした。したがって、経営者としての基本が身についていないのです。とくに労務管理にいたっては新聞社時代の経験をまねて労働組合に迎合する方策をとり続けました。

戦後、新聞社の経営がGHQの主導で行われ、新聞社内に占領軍のプロパガンダが徹底して浸透したことは、第一章で述べたとおりです。その影響を強く受けて育った人たちが放送局の役員に就任したわけですから、冷厳なマネジメントなどできるわけがありません。職員の要求や主張に対して極度に甘やかし続けた結果、労組主導の職場環境がつくりあげられました。これでは経営者としては失格です。

こうして、一部役員の迎合もあって、日本共産党主導の労働組合が、先鋭化した運動を繰り広げ、その結果、放送界を牛耳ることになりました。民放労連の誕生と、放送界の労組による支配の始まりです。

日本共産党の尖兵・民放労連

民放労連（日本民間放送労働組合連合会）は、一九五三（昭和二十八）年七月、民間放送労働組合の結集体として結成されました。当時、加盟したのは、北海道放送、東北放送、東京放送（TBS）、文化放送、信越《しんえつ》放送、中部日本放送、毎日放送、神戸《こうべ》放送、中国放送の九労組、千九百人でした。

民放労連が闘争至上主義運動に傾斜し始め、「代々木《よよぎ》優等生」（日本共産党の本部が代々木にあったことからそう呼ばれた）の素顔をのぞかせたのは、一九六三（昭和三十八）年八月に開かれた民放労連第十四回定期大会のときからです。

同大会で、民放労連は三つの基本路線を確立しています。

①合理化に反対し、生活と権利を守る
②放送を国民のものとする
③平和独立、民主主義を守る

じつは、この三つの基本路線は二年前の一九六一（昭和三十六）年の第八回共産党大会で決定した「民主統一戦線への展望と労働組合の階級的民主的強化の方針」を引用したものでした。これ以降、民放労連は「代々木優等生」となり、執行部役員はほとんど日本共産党員およびシンパによって占められ、日本共産党員の巣窟となっていきます。

放送界では一九六四（昭和三十九）年以降、訴訟事件が絶え間なく起こり始め、昭和四十年代後半の多いときには三十四〜五社が争議を抱えていました。一九七〇（昭和五十五）年ごろ、全国の民間放送百十社中、民放労連加盟組合は七十四組合で、一万八十六人を組織。執行委員長は日本共産党員の竹村宏弥（北海道放送）が長期政権を担い、副委員長四人のうち三人が日本共産党員で、長い期間、その顔ぶれはほとんど変わりませんでした。書記長・井上至久（日テレ）、書記局次長・小林利通（ラジオ関東）も日本共産党員です。常任の中執、地連担当中執が合計二十二人いましたが、約二十人は日本共産党員とそのシンパでした。こうした執行部体制を背景に、一九七四（昭和四十九）年二月には日本共産党の提唱する「民主連合政府」の樹立を支持するとの大会決議をしています。

民放労連が完全なる日本共産党の傘下労組であることは明らかです。

民放労連は現在、日本共産党傘下のナショナルセンター「全労連」にオブザーバー加盟のかたちをとっていますが、マスコミの労働組合である手前、中立を装っているだけです。前出の基本路線では、「放送を国民のものとする」といっていますが、じつは「放送を日本共産党のものとする」が本音です。

なぜ、放送界は日本共産党の巣窟になってしまったのでしょうか。

答えは簡単です。日本の放送経営者にポリシーがないからです。

日本共産党員には、「強い人間には弱く、弱い人間には強い」という特徴があります。彼らは敵を集団で取り囲み、威圧するという行動をよく繰り広げますが、一方で一対一の敵対行動はとりたがらないという習性もあります。経営者が毅然たる態度をとらなかったために、日本共産党が蔓延したのです。

日本の放送界全体が「経営不在企業の典型」と酷評されるゆえんです。

国家観なき経営者、教育的視点を持たない経営者、インテリジェンス感覚を持ちえていない経営者。これが日本の放送界に君臨している経営者の姿です。

それが日本放送界の欠陥であり、日本のマスコミの欠陥です。

こうしたポリシーなき経営者のもとで健全な経営はできません。

占領政策の申し子である「日本共産党」が指導する民放労連がテレビ局の現場を席巻している大きな原因もそこにあります。

占領軍の日本弱体化政策のために推し進められたプロパガンダをもとにして番組が制作され、それを一方的に放送で押しつけられたのでは、視聴者はたまりません。それが横行しているのが現実です。こうした実態を放置してきたのは放送関係者および政治家の怠慢です。

〝中央〟を倒すために〝地方〟で暗躍する「内なる敵」

第五章の「革新自治体」についての話でも指摘しましたが、「地方から中央を包囲する」という日本共産党の基本戦略は変わりません。手を替え品を替え、現在も続いています。

それは、とくにマスコミ工作でも顕著に表れています。国内の世論形成に最も大きな影響を与えている新聞界の例を見てみます。

新聞の発行部数を調査している日本ABC協会の二〇二一（令和三）年三月の報告によると、全国紙では、中道系の読売新聞、産経新聞、日本経済新聞の三紙を合わせると九百六十四万部を発行しています。それに対し、左派系の朝日新聞、毎日新聞の二紙の合計は約六百二十三万部、東京新聞を足しても約六百六十二万部で、三百万部ほどの差がついています。なかでも、読売新聞と産経新聞の労組は日本共産党色の強い新聞労連から脱退しているため、日本共産党の影響をほとんど受けていません。

ところが、地方新聞となると、いまだに、ほとんどの地方新聞が新聞労連の傘下にあり、日本共産党の強い影響下にあります。占領軍のプロパガンダから脱していないのです。

全国に散在する地方新聞の合計発行部数は約千二百万部です。全国紙で約三百万部も差をつけられている左派系全国紙ですが、地方紙を合わせると約千九百万部となり、日本共産党の影響を受ける左派系新聞の部数が、中道系新聞部数を、逆に約九百万部、二倍近く上回ることになります。

それら地方新聞に大きな影響を与えているのが中央のニュースを地方紙に配信する「共同通信」（新聞は加盟六十六社、契約十二社）です。共同通信は会員企業から構成される社団法人であるため、責任の所在が不明瞭なまま左翼勢力の温床となっており、地方新聞左派労組ネットワーク構築の要になっています。

こうした地方新聞ネットワークというベースを活用して世論工作を展開しているのが日本共産党です。同党は「代々木優等生」といわれる民放労連を通じて地方の世論工作をさらに強化すべく指導しています。ちなみに、共同通信と契約する全国の民放は百七社です。

民放労連は、これまで組合員の多いキー局の労組を重視する執行部体制を続けてきました。ところが、近年、これまでの方針を転換し、地方放送局労組関係者を執行部役員に登用し始めています。地方新聞とテレビ局の連携を図り、地方の世論工作を強化するのが狙いです。「内なる敵」は着々と目的達成のために暗躍しています。

民放各社に潜った「非公然党員」

日本共産党に代表される左翼組織には「公然党員」と「非公然党員」がいます。民放各局の労働組合で役員に就任している党員は、いわゆる「公然党員」です。一方、管理職への潜り込みや労働活動を主体としない労組員のなかにも秘密党員といわれる「非公然党員」がいます。

民放各社に潜った「非公然党員」は主として報道の「デスク」クラスに配置されています。「デスク」は毎日放送するニュースの選別や放送決定の権限を持っているほか、記者たちに原稿作成の指導もします。これら「非公然党員」のほとんどは日本共産党の外郭組織「日本ジャーナリスト会議」に所属しています。そして、具体的には主として各放送局の副部長クラスに配置されます。新聞社および放送局では、慣習として副部長は会社側としては管理職扱いしていますが、労組員としての資格も副部長まではあるという二重構造になっているからです。

ニュース項目や内容を決めるデスククラスに組織的に配置しているのですから、ニュースが偏向するのは当然です。ニュースを直接決定できない場合でもニュースを「チェック」することはできます。不都合なニュースが出そうになったら管理職および経営陣に圧力をかけるのが労働組合の役割です。こうして、労組による間接的な社内支配体制を確立しているのです。

筆者の体験ですが、彼らには特徴的な手法が二つあります。ひとつは、政治向きのニュース原稿には必ず「政府への批判が予想されます」「国民の強い反発が出てきそうです」等といったコメントをつけ加えるよう指導していることです。もうひとつは、ニュースのバランスと称して必ず少数派意見を併記するよう指導しています。少数派意見を尊重し、公平さを装っていますが、目的は意図的に「反政府」行動のニュースを露出させることで、その手段として利用しているのです。こうした手法は次第にエスカレートし、今では少数派の意向を露出したいがために多数派の行動を黙殺するという報道がまかり通るようになっています。

この手法の典型的な事例が「国葬」に対する報道姿勢です。

「国葬」をめぐる不自然な報道内容

去る二〇二二（令和四）年九月二十七日に営まれた「故安倍晋三国葬儀」をめぐる報道では、きわめて不自然な放送内容が放送界を支配しました。明らかな偏向報道といえるものでした。

二万五千人におよぶ人々が、九段坂《くだんざか》公園に設置された献花台に延々と並んだにもかかわらず、それを無視ないしは故意に縮小しました。逆に、「国葬反対」の人々をクローズアップして報道し、国民の大多数が反対であるかのような錯覚を視聴者に与えました。放送局がいっせいに報道した反対派の集会に集まった人たちは、わずか数百人にすぎませんでした。

当日、イギリスBBCは、献花に訪れた人たちの長蛇の列を映像で見せながら弔問者の声を紹介し、次に反対デモの行進の映像とともに反対理由を紹介しました。

国葬を公平に報道したのは、日本ではなく海外のメディアだったのです。

これは、明らかに弔意を示す人々の行動を抹殺し、少数派の行動を過大に報道するという政治的悪意を持った偏向報道です。

しかも、その後の調べによって「国葬反対」を計画し、反対行動を呼びかけた団体は、中国共産党と深い関係にある組織だとわかっています。少数グループを過大に持ち上げ、大多数の動向を無視したファッショ的なこのような報道が堂々とまかり通っている事実は、日本の放送界そのものが左翼勢力の強い影響下に置かれていることを明快に証明しています。

こうした現実に対し、放送経営者が異常さに気づき、反省したとの情報はいまだにありません。放送界を覆う無責任経営者たちは自社の放送を見てさえいないのでしょう。

第四権力と称して自分勝手な批判と偏向報道をしてきた放送界も、インターネットの普及にともない、今や批判される時代となりました。放送経営者たちの責任が強く問われています。

放送局という〝利権〟に群がる政治家と企業

一九八四（昭和五十九）年から、東京都議会では、東京ローカルテレビ局の必要性が論議され、郵政省（現・総務省）に免許認可の働きかけが行われていました。その働きを受け、東京都の鈴木《すずき》俊一《しゅんいち》知事は、一九八五（昭和六十）年九月、当時の佐藤恵《さとうめぐむ》郵政大臣に「東京地区へのUHF周波数割り当てに関する要望書」を提出しました。

一九八三（昭和五十八）年に東京都知事に就任した鈴木は、美濃部前知事が残した膨大な債務の返済に全力を挙げ、財政再建に目途をつけたところで、東京ローカル放送局の必要性を痛感していました。

というのも、当時、鈴木が全国の地方自治体に出張した際には、どこに行っても地方議会の模様は地元UHF局によって中継され、それぞれの県民が見ることができていました。ところが、東京都議会の活動だけは都民が見ることはできませんでした。東京にはキー局が集中しているために、逆にローカル局がなく、全国で唯一、東京都議会の中継が見られないという変則的な事態が続いていたのです。インターネットが普及していないこのころは、「テレビに映らないことはこの世になかったこと」とまで形容された時代でした。都民から選出された都議会議員には不満がたまっていました。

この不公平感を解消するために、「東京ローカル放送局」の開局は、知事にとっても、都議会議員にとっても、党派を超えた念願でした。その熱い思いを背景に、鈴木は内務官僚時代の後輩である当時の中曽根総理に働きかけました。

ところが、鈴木知事の熱い思いに反して、中曽根は、右手で陳情を受けるや、即座に左手で「利権の陳情」としてみずからの経済ブレーンに丸投げしてしまったのです。具体的には中曽根総理の政治資金支援者が集まっていた東商（東京商工会議所）の利権として処理されました。

当時の東商の役員メンバーは、東急電鉄の五島昇《ごとうのぼる》会頭をトップに、伊藤忠《いとうちゅう》商事相談役の瀬島《せじま》龍三《りゅうぞう》、鹿島《かじま》建設社長の石川六郎《いしかわろくろう》、三井銀行相談役の小山五郎らが副会頭を務めていました。いずれも「中曽根ブレーン」といわれる財界の重鎮であり、見事なまでの「中曽根利権の処理機関」でした。東京都民の願いを代表した東京都の陳情は中曽根総理の利権獲得のための口実にされてしまったのです。こうして、都民の願いは「利権」として処理されました。

中曽根は、さっそく田中派の重鎮・金丸信に電話を入れ、郵政省当局に「総理案件」として電波認可を検討するよう依頼します。

江川晃正

郵政省は一〇〇％田中派が取り仕切っている官庁でした。時の総理といえども、郵政省に対しては、なんの影響力もありません。だから、中曽根は金丸に依頼したのです。

中曽根の意向は金丸を通じて郵政当局に伝えられ、郵政当局はただちに東京ＵＨＦ局認可の検討を開始しました。認可の検討にあたったのは放送行政局企画課長の江川晃正でした。検討作業を終えた江川は、金丸に報告書を手渡し、素直な意見を具申しました。生前、江川が筆者に語った金丸とのやりとりはこうでした。

「金丸先生、郵政省としては東京にＵＨＦ局を認可する意向はありませんが、どうしてもということであれば、再考します。現在、政治的な働きかけをしている申請者は、郵政省として首をかしげざるをえない人たちが多すぎます。申請者の調整となれば、声の大きい人が有利になりますが、それを東京都や東商が取り仕切るのは、かなり難しいと思います。東京ＵＨＦ局を認可するのには、かなりのリスクがともないます」

江川の必死の説明に対し、黙って聞いていた金丸から意外な言葉が返ってきます。

「郵政省に認可する気がないなら、それでもいいよ。私は一銭の裏金も献金ももらってないから。私に忖度する必要はいっさいない。断ってもいいよ。……もっとも、中曽根総理のところには大きなお金が届いたようだけど！」

金丸の意外な言葉に、江川はホッと胸をなでおろしました。

こうして、時の総理から出された「東京UHF局の電波認可」という総理案件は、金丸の了承のもと、秘密裏に郵政省の一課長の手によって葬られてしまったのです。

しかし、この間の事情を知らない東京都は、その後、五年間にわたって鈴木知事名で七人の郵政大臣に要望を繰り返しました。中曽根の〝詰めの甘さ〟と〝おごり〟を見事に露呈した結果でした。

塩漬けにされた闇献金

一方、そのころ、大変な事態が発生していました。

中曽根から〝電波利権〟として丸投げされた東京商工会議所は、「認可されるのは当然のこと」と思い込み、中曽根に対する献金計画を立案していました。それは、概略、①資本金は百億円とし、東商および日商の会員企業に割り当てる、②一社あたり一億円の出資として百社を募る、③そのなかから政治献金十億円を捻出するというものでした。

通常、放送局の電波認可申請は「無線局免許申請書」として郵政大臣宛に提出されます。その際、添付書類として必ず義務づけられているのが「放送局工事設計書」です。この設計書は通常、大手電機メーカーやゼネコンが手がけますが、相場は一件あたり一千万円で取引されていました。

東商は株を割り当てた出資企業に対し、この「放送局工事設計書」を無償で提供することにして、その見返りとして一千万円を政治献金として徴収するようにまとめあげました。そして、設計図面の発注を「東芝《とうしば》」に依頼します。

この発注は、同時に設計図面協力の見返りとして、放送機材のいっさいを東芝に指名発注することも意味していました。当然、東芝もそれに同意しました。

こうして、中曽根に対する「闇献金」は即座に実行されました。ところが、実行された直後に、ありえない事態が発生したのです。前述のとおり、「総理案件」が金丸と郵政省との協議によって〝反故《ほご》〟にされてしまったのです。まさに「青天の霹靂《へきれき》」でした。

東京UHF局の許認可が葬られてしまった結果、中曽根に届けられた「闇献金十億円」は当然、会計処理できず、東商内の特別会計として〝穴〟があいていたことになります。後日、鹿島建設の石川六郎から命を受けた美根敬介という社員がMXテレビ開局準備室に会計担当として送り込まれ、その後、放送システムの発注を取り仕切った事実から推察するに、鹿島建設が東商の「闇献金十億円」を立て替えていたのでしょう。こうして闇献金は塩漬けにされました。

MXテレビ開局にまつわる騒動には、電波行政の許認可権を持つ官庁、それに対して影響力を行使する政治家、株主として利権に群がる企業群、機材納入を狙うメーカーたち……魑魅魍魎《ちみもうりょう》が跋扈していました。

結局のところ、国民の財産である「電波」とそれを預かる放送局を、政治家も財界のメンバーたちも〝利権〟としか見ていなかったのです。

デジタル実験局として認可されたMXテレビ

東京UHF局認可に向けて東京都が再び動き始めたのは、四年の歳月が経過した一九八九（平成元）年十月のことでした。

筆者は大学卒業と同時にローカル局のラジオ関東に入社しましたが、報道部記者として都庁詰めを担当した経験があります。

同年のある日、そのころ交流のあった都議会議員から連絡がありました。「續《つづき》（訓弘《くにひろ》）副知事が相談したいことがあるそうなので会ってほしい」との要望でした。さっそく日程調整をして会うと、續副知事は、「鈴木知事がどうしても東京U局の認可を実現したいといっている。何かいい方法があれば、知恵を貸してほしい」と切り出しました。

筆者は、「政治家を通すと政治的思惑が先行して、東京都が都合のいい口実に使われる。昭和六十年当時、かかわった郵政省の課長を紹介するので、心の内をぶつけてみてはどうか」とアドバイスして別れました。

こうして、一九九〇（平成二）年二月二日、麴町《こうじまち》にある倶楽部《クラブ》関東で、前出の「郵政省・江川晃正と續東京都副知事との会談」が実現したのです。東京都の幹部と郵政省の幹部が直接会談したのはこれが初めてでした。

二人の会話の大筋は、次のようなものでした。

續副知事「鈴木知事は、東京都が新局の経営責任をしっかり持ちたいので、五〇％以上の株を所有したいといっている」

江川「郵政としては、あくまで過半数以下でお願いしたい」

續副知事「経営責任を果たす以上、東京都は、経済的支援はするが、口は出さない方針だ。ただ、最近、テレビ局の質の低下は目を覆うばかりで、大変憂慮している。質を確保し、経営を安定させるために、国営でもなく、純民間でもない『半官半民』のような第三の道を探ってみたい」

江川「民間放送の質の低下を憂慮しているのは私も同じだ。そのためには経営の安定は重要で、都の経済的支援に期待する。郵政省としてはテレビ局のデジタル化を目指している。それを見据えながら、いろいろな意味での実験局という位置づけなら、時代の要請に応えることになるので、新局を認可する環境づくりはしやすくなる」

こうして、両者は、放送の質の向上、経営の安定で協力し合うことで一致。新局認可の根拠として、「デジタルの実験局」として議論を積み上げて、お互いの職場で協力者を増やしていくことで合意したのです。郵政省は、来るべき「デジタル時代」を見据えていて、アナログ放送局を認可する考えはいっさいありませんでした。この時点で、筆者が中曽根の闇献金騒動に巻き込まれるとは想像もしませんでした。

郵政省の手続きは江川の采配によって順調に進められました。その結果、一九九一（平成三）年一月三十日、電波監理審議会は郵政大臣に「周波数割り当て」が適当である旨を答申。それにもとづいて免許申請の受付を開始しました。

郵政省は、續副知事と江川の会談の合意から作業が進められたという経緯を尊重したうえで、さらに「質の確保」「経営の安定」「デジタル実験局」への取り組みを実現させるためには東京都の協力が必要だとして、株主の調整に際しては東京都が四九％の範囲内で独自枠を申請するものと思い、割当枠を確保していました。残りを東商傘下の企業に割り当てようと考えていたのです。

ところが、蓋を開けて驚愕《きょうがく》します。

何を取り違えたのか、東京都は対応ミスによって民間企業の割当枠である「東商」の調整枠に参加してしまうという大失態を演じたのです。

このため、東京都は、鹿島、ソニー、三井銀行等がそれぞれ四％配分されるなかで、わずか一％という株式配分に封じられてしまいました。これでは郵政と約束してきた「質の確保」も「経営の安定」も「デジタル実験局構想」も実現できません。これまで積み上げてきた苦労は水泡に帰しました。

じつは、そこには思わぬ〝伏兵〟が潜んでいたのです。

闇献金回収に血眼となった東商

株式配分を利用した東京都の排除には〝裏〟がありました。それは、一九八五（昭和六十）年に実行された中曽根に対する東商からの「闇献金」を回収するために巧妙にしくまれたものだったのです。

闇献金によって会計的に〝穴〟が開いている十億円を回収するためには、当初の構想どおり、東芝主体のアナログ放送システムの実現が必要であり、一九八五（昭和六十）年当時の株式配分が実行されなければなりません。ですから、当然、闇献金の〝穴〟を埋めたい連中はアナログ放送局に固執しました。郵政省と東京都が進める「デジタル実験局構想」と四九％の株式配分を阻止する必要があった彼らは、東京都を実質排除する方策として、少数株主に封じ込める裏工作をしかけたのです。

東京新聞の関係者が筆者に語った内容によると、裏工作を主導した東京新聞の電波担当役員・本《ほん》田《だ》晃二《こうじ》は部下にこう指示したといいます。

「免許が出るまでは東京都を利用しろ。株の配分は東商が行う。東商関係者が経営陣になるが、しょせんは素人の集まり。経営の主導権は東京新聞が握る。都は黙っていても広告は出す。免許が出れば、それで満足する。経営まで介入させることはない。株の割り当ては一％でいい」

本田のシナリオに沿って株の割り当てが采配されていたことは歴然としていました。また、東京都の担当者に対して「郵政省の方針」と偽り、東商枠に参加して株式の配分を受けるよう誘導したのも東京新聞の都庁担当記者だったことが、後日明らかになっています。

中曽根への闇献金を知っていた東京新聞は、東商関係者を脅かしながら、「献金回収が可能なアナログ放送施設建設に協力する」という〝飴〟を与えて裏でつながり、デジタル放送局を目指す郵政省と東京都の排除に動き出していたのです。

デジタル構想を封じるために、本田は「官」と「民」の対立構図をつくりあげ、さかんにマスコミにリークしました。「官」と「民」の対立構図で共倒れさせ、その隙に乗じて支配体制を構築するというのが東京新聞の作戦でした。

そして、アナログ放送局を実現する〝切り札〟が「ソニーテレビ構想」でした。ソニーの企業イメージを利用してデジタル構想を受け入れたかに装いながら、アナログ放送局を実現するのが狙いだったのです。事実、ソニー出身の役員が、「ソニーはアナログ商品の在庫を一掃するまではデジタルに取り組みません。それが社の方針です」と明快に筆者に発言しています。

東京新聞は名古屋の中日《ちゅうにち》新聞の一〇〇％子会社です。一方のソニーもオーナーは名古屋の酒造蔵である盛田《もりた》家です。名古屋の仲間同士で東京の「UHF局」を支配しようという単純な構図も透けて見えます。

東京都を一％株主に封じた東商は、東京新聞の構想に乗り、一九九一（平成三）年三月二十五日、放送免許を申請します。名称は「東京メトロポリタンテレビジョン株式会社」とし、代表は「大賀《おおが》典雄《のりお》ソニー社長」で、本社所在地はソニー本社でした。

東京新聞の暗躍に気づいた郵政省は警戒感を強め、①新UHF局の基本コンセプトは東京都と郵政省が協議して決める、②ソニーテレビ構想は見直す、③マスコミを含む利権あさり勢力の動きを封じるという方針を表明します。その結果、一九九二（平成四）年十二月二十五日に同社から「免許申請書訂正届」が提出され、代表は鈴木俊一および藤森鐵雄《ふじもりてつお》の連名、本社所在地はお台場《だいば》にあるテレコムセンター、資本金は百五十億円へと変更されました。

藤森鐵雄（筆者提供）

一方、一％割り当てという扱いに憤慨した東京都の吉岡輝夫情報連絡室長は、東商に対し、「この新局に都は参加しない」旨を通告。郵政省に株式配分の苦情を申し入れます。その結果、東京都は一％から四・一％に、新たに二十三区長会に二・四％、市町村自治協議会に一％割り当てられ、合計七・五％まで株式配分を積み上げることに成功しました。

執拗に繰り返された開局阻止の妨害工作

新会社の設立総会は一九九三（平成五）年四月二十七日に行われ、一九九五（平成七）年秋の開局を目指すことになりました。

新会社の設立を受けて、東京都はかねて郵政省とのあいだで懸案となっていたデジタル構想のコンセプトを一九九三（平成五）年六月二十一日付で関係者に送付しています。

東京都情報連絡室が作成した「新局の基本コンセプト」は次の五項目が掲げられました（引用者が要約）。

①情報の宝庫である東京情報の活用提供
②視聴率重視から視聴質重視へ転換、良質な番組の提供
③地域性を重視した番組編成
④ダウンサイジングを目指し、記者とカメラ兼務のビデオジャーナリストの採用、育成を行う
⑤番組編成に関し、ゼネラルプロデューサー制を採用する

当時の放送界には、「大きいことはいいことだ」式の大艦巨砲主義がまかり通っていたので、「ダウンサイジング」構想は画期的なものでした。東京都の意欲が汲《く》みとれます。

ところが、東京都が示したコンセプトの「ゼネラルプロデューサー制」の導入に対し、東商サイドの役員が猛反対。役員会は紛糾し、社内対立の構図が鮮明となります。

「ゼネラルプロデューサー制」を導入することは、デジタル構想を認めることになり、「アナログ

構想」の排除を意味します。その結果、献金資金の回収が不可能になるのを東商関係者は恐れたのでしょう。徹底抗戦します。

一方、ソニーテレビ構想を封じられ、闇献金回収の目途が立たないなか、デジタル放送の方針を阻止し、アナログ放送局の実現を目指す東商、東京新聞連合軍が次の一手としてしかけたのは、「開局阻止」の妨害工作でした。

妨害工作は多岐にわたり、執拗に繰り返されました。まったく違う構想を持った二大勢力が同じ会社で対立するのですから、悲劇としかいいようがありません。

初代社長を務めた藤森鐵雄は苦悩します。藤森社長在任中の苦悩とMXテレビ開局までの混乱ぶりを、『財界展望』一九九七（平成九）年七月号は、次のように伝えています（カッコは引用者）。

初代社長にはソニー会長の大賀典雄氏が就く予定だった。そして、大手新聞社が在京キー局を系列化しているような形態を想定し、裏工作に血道を上げていた『中日新聞』グループの工作で、巷間《こうかん》「ソニー・テレビ構想」と言われていた動きである。

しかし、郵政省は、目に余る中日新聞グループの動きに警戒感を強め、利権漁《あさ》りの勢力を抑えるために「ソニー社長構想」を見直した。他の新聞社が中日新聞グループの独走を警戒したのも影響した。（略）

その結果、公正中立の人材として藤森氏に社長の白羽の矢が立った。これによって中日新聞グループがもくろんだ策は挫折し（略）た。

しかし、中日新聞グループは執拗だった。目論見《もくろみ》が挫折したため今度は、開局阻止のためのサボタージュと妨害工作に転じた。平成七年十一月の開局を阻止するため、入居問題、フルデジタル編集システム構築への妨害、各種契約や番組制作に対するサボタージュが開局一カ月前まで続いた。

開局が遅れれば、郵政省幹部の指導責任が問われ、藤森社長、鴨《かも》（光一郎《こういちろう》＝引用者注）専務（郵政）、丸山《まるやま》（幸雄《さちお》＝引用者注）常務（都）の経営責任を追及し、一気に退陣に追い込むというシナリオだった。その過程で鴨専務の自殺未遂事件すら発生している。

開局後は経営行き詰まりに追い込むため、再度、数々の妨害工作を行った。雑誌などにアングラ情報を流してイメージダウンをはかり、都のサポート体制を揺さぶったのもその一環である。

MXテレビのプロパー社員第一号に

藤森社長の指揮のもと、苦労の多いMXテレビ開局までの道のりでしたが、そのようななかにも喜びはありました。民間放送界では初めての営業手法を実行し、開局時に八十一億円の売上を達成したことです。

一九九三（平成五）年十月、アナログ放送局に固執する東商および東京新聞の妨害を受けながらも、難産の末、ようやくゼネラルプロデューサーの採用が決定し、デジタル放送の方向づけに目途がつきました。

しかし、放送局運営の両輪のもう片方である売上を確保する「営業」の課題が残っていました。質のいい番組や都民に役立つ番組等、どのような立派な構想でも、それを実現するためには、それを裏づける売上が確保されなければなりません。

当時、百社以上を数える株主企業から新局に出向社員の申し入れが殺到しました。ところが、その全員が編成、制作部門の経費を使う部署への希望で、売上に奔走する営業部門を希望する者はひとりもいませんでした。

しかも、社内には、開局を阻止して現経営陣の責任を問い、総退陣させようとする動きもありました。売上の見通しが立たないことは、経営陣の責任を追及する最も有効な口実でもありました。

このような状況下で、一九九四（平成六）年三月、筆者は営業の指揮をとる営業部長として入社することになりました。東京都と郵政省との連絡役をしているうちに社内対立に巻き込まれ、表舞台に駆り出されたというのが正直なところで、郵政省の江川から、「営業担当者として入社し、デジタル局を構想する村木良彦《むらきよしひこ》ゼネラルプロデューサーをサポートしてほしい」とのたっての頼みでした。江川は、使い捨てにしない証しとして、株式三百株の割り当てと、東商から株主に配られた「東芝」の設計図面を手配してくれました。こうして、筆者は、株主としての登録も済ませ、プロパー社員第一号としてMXテレビに入社したのです。

そして、二カ月遅れで筆者を支える二人が入社。十一月には営業部員一期生十二人を採用して営業活動を開始したのですが、開局まで一年しか時間はありませんでした。

悩ましい「視聴率万能主義」と「チーママ経営者」

MXテレビに入社当時、筆者は二つの難題を抱えていました。

放送界は「視聴率万能主義」が支配しており、その視聴率を背景に売上を伸ばすには十五年の歳月を要するといわれています。その間、収入は伸び悩み、赤字体質が恒常化するため、そのしわ寄せが「人件費」に向けられ、労使対立の原因となるのです。

筆者は大学卒業と同時にラジオ関東という会社に入社しました。日本共産党が指導する民放労連傘下にあったラジオ関東は一九七〇（昭和四十五）年当時には「西の山陽《さんよう》（放送）、東のラジ関」といわれるほど先鋭化した労働組合が会社を支配していました。年間二百八十回ストライキが行われるという異常な職場でした。そんな環境で仕事をしていた体験から、筆者は「労使が先鋭的に対立する職場で仕事をしても、誰も得をする者はいない」という結論に達していました。既存局と同様の「視聴率万能主義」の世界に巻き込まれたら、この「新局」も同じ運命をたどることになるのは明らかでした。なんとかそれを回避する方法はないのだろうか――というのが、ひとつ目の難題でした。

もうひとつの難題は放送経営者の経営姿勢の問題でした。

放送経営者のことを経済界では経営権のない銀座の雇われマダムをもじって「チーママ経営者」と呼んで嘲笑しています。経営者の最も基本である売上を大手広告代理店に頼り、一方、自社の商品である番組制作を下請けに丸投げしている放送局の実態を蔑んだものでしょう。

事実、放送界の役員は大手広告代理店の局担当課長クラスと対等です。「第四権力」といわれるマスコミ経営の一角を占める放送会社の役員たちが広告代理店に頭が上がらないのです。売上という企業経営の基本部分を大手広告代理店が握り、それを背景に影響力を行使しているのが実態だからです。「チーママ経営者」と嘲笑されてもしかたがありません。MXテレビ開局時の役員たちも例外なく放送には素人の集まりでした。

問題なのは放送局の「売上」という実質的な経営権を握る大手広告代理店に「社会の木鐸」や「番組の質」や「ジャーナリズム性」を求めても通じないという現実です。その結果、放送界を視聴率万能主義が支配し、視聴率を稼ぐ低俗番組が跋扈することになったのです。

かつて評論家の大宅壮一《おおやそういち》は、放送界の将来を憂いて、「一億総白痴時代」が来ると予言しましたが、今日、まさにそのような時代になってしまった現実に慄然とします。最近は若年層のテレビ離れが進んでいると耳にしますが、いまだテレビの影響は大きいといわざるをえず、残念ながら「白痴時代」は当面続くものと思われます。

サポートスポンサー構築への挑戦

話を戻します。

新局のデジタルデザインを指揮した村木ゼネラルプロデューサーは、元TBSのディレクターで、番組制作のベテランであり、デジタル時代を見据えたシステムには優れた先見性を持っていました。しかし、営業についてはまったく素人でした。

MXテレビ開局に際して村木が発表した「二十四時間ニュースチャンネル」構想は、それをどのようにセールスし、どのように売上を確保するかについてはまったく検討されないまま唐突に発表されました。発表については、それなりに世間受けしましたが、売上構想はまったく想定できませんでした。

そのうえ、その後も営業について検討されることなく、執拗なまでに繰り返された妨害工作がたたり、村木は入院してしまいました。

そのため、筆者ら営業部は、村木の新局発表でスローガンに掲げた「アナザウェイ」に便乗して、開局前に営業版の「アナザウェイ」を断行することにしたのです。

電波を出してから営業活動をしたのでは否応なしに「視聴率競争」に参加せざるをえなくなります。だから、電波を出す前に売上の土台となる大口スポンサーを決めてしまおうとの腹を固めました。広告主の多くが既存局の番組内容の質に大きな不満を持っている状況を踏まえて、既存局の質を変える起爆剤としての「アナザウェイ」放送局が誕生すると訴え、その局を支える「サポータースポンサー」を募るという趣旨のもとに営業戦略を展開したのです。既存放送界への明らかな挑戦でした。

「サポータースポンサー」は年間一口一億円で、広告代理店を介さない直契約とし、一分CMを三百六十五日放送と設定して、開局までに八十億円を目標にしました。その根拠は、社員の年収を一千万円と仮定し、その人件費を確保することでした。少数精鋭の八十人程度が妥当と考えていました。それなら、新局でも人件費問題で労働争議騒動に発展することはないと判断しました。

まず、東京都と交渉し、年間四十口、四十億円の契約に成功しました。MXテレビをサポートしてほしいと懇願したのです。

次いでセールスに出向いたのが九段《くだん》にある二十三区長会でした。二十三区長会はナイター競馬で知られる「大井《おおい》競馬場」の主催者、つまり胴元です。そのため、新局ができたら競馬中継をしたいという働きかけがさかんにありました。筆者は、現時点で「競馬中継」の約束はできないが、「サポータースポンサー」として協力いただきたいと説得し、二十口の契約に成功。年間二十億円の売上を確保しました。

都庁詰め記者時代からの人脈もあり、東京都や区役所、外郭団体との交渉はきわめてスムーズに行うことができました。

記者経験が生きた営業活動

その一方で、民間企業へのセールスも行わなければなりません。しかし、民間企業セールスをするにしても、企業広告関係者とはほとんど面識はありません。ところが、偶然、ここでも記者時代の人脈が生きたのです。

既存局には視聴率があるので、当然、企業の宣伝部を窓口に営業セールスを展開します。しかし、MXテレビのように、まだ電波を出していない「開局前」の放送局には視聴率のデータはないので、宣伝部に窓口はありません。したがって、一般的に会社の渉外をつかさどる「総務部」が窓口となります。

筆者は、記者時代から「治安問題」をライフワークに執筆活動をしてきた経緯があり、講演する機会もたびたびありました。内容の特殊性もあり、聴講参加者には大手企業の総務関係者が多く、講演を通じて交流も広く行っていました。総務という職業柄、マスコミにはきわめて敏感な人たちが多く、既存局の質の悪さには、ほとほとあきれているというのが関係者大多数の偽らざる心情でした。そうした背景もあって、民間企業に対するセールストークは、「番組の質の向上を目指します。力を貸してください」でしたが、それが予想以上に企業サイドに歓迎され、売上の成果を上げることに結びつきました。

民間企業へのセールス展開では、まず東京電力本社に出向きました。面識のある総務部長を訪ね、

「MXテレビの営業部長になりましたので、ご挨拶に来ました」と頭を下げたところ、「山本《やまもと》（勝《まさる》）副社長（当時）がお待ちしていますので、ご案内します」という意外な返事が返ってきました。山本副社長は会うなり、「あなたには、ずいぶんわが社が困ったときに助けてもらいました。営業部長就任のご祝儀に、ひと口つきあいます」といってくれたのです。予想だにしなかった対応でした。

当時、東電は地方UHF局に対する宣伝費は年間五百万円と決まっていました。東京都との関係も深い電力会社とはいえ、破格の年間一億円で契約してくれたのです。この実績が民間企業の呼び水になったことはいうまでもありません。

続いて東京ガスに挨拶に行くと、東京ガスでも半口の年間五千万円で契約してくれました。デジタル放送局の構想に賛同し、東京ガスのメーター検針員に映像カメラを持たせて東京の街角情報をリアルタイムで放送できるように協力するとして、東京ガス社内にそのためのスタジオをつくる担当スタッフまで決めてくれました。

こうして、民間企業三十社、二十一億円の契約を決め、年間売上総額八十一億円の目途をつけたのです。

これらの売上の約八割はMXの直契約です。他局と同じように広告代理店に手数料三〇％を支払った売上に換算すると約二十億円がかさ上げされ、百一億円相当の売上となります。余談ですが、某大手広告代理店は、「視聴率のない新局の面倒を見るのだから」といってMXテレビに対し、代理店手数料四〇％という取引条件を要求してきました。新しい局を育てようという意向はみじんもありませんでした。

堂々と「裏株」がまかり通る異常な業界

整理しておきます。

①予想される人件費抑制による労働争議を未然に防ぎ、脆弱な経営基盤から脱却する、②そのために視聴率競争に参加せず、サポートスポンサーの開拓をする、③しかも、圧力をかけてくる大手広告代理店の経営支配を排し、当分のあいだ、スポンサーとの直契約とする――筆者らは以上の決心をして年間八十一億円の売上を達成しました。営業売上を妨害し、それを理由に開局を遅らせて藤森体制経営陣の総退陣を狙った東商、東京新聞連合軍のもくろみは、これによって失敗に終わりました。

一方、そのころ、東京新聞で異変が起こっていました。親会社の中日新聞の実力者で東京進出を推し進めていた加藤巳一郎《かとうみいちろう》会長が一九九五（平成七）年六月に突然、死去したのです。これによって、「東京進出消極派」であった大島宏彦《おおしまひろひこ》社長が実権を握ることになりました。

同十一月のMX開局を見届けたあと、大島社長はさっそく「東京新聞名義の所有株二・四％は別として、MXをコントロールするために取得した裏株七・六％を処理して資金を回収するよう」本田電波担当役員に指示します（筆者取材による中日新聞記者の証言）。

ここで、商法上は違反でありながら、放送界でまかり通っている「裏株」について説明します。

前述のとおり、放送局の開局にあたっては、郵政省指導のもとに免許申請者に対し、株の割り当ての調整が行われます。このとき、割り当てを有利に進めたい企業や団体が、あらかじめダミーの申請者を用意し、そのダミーの申請者名義で株の割り当てをさせます。そして、開局したあとに、株式の名義をそのままにしてプレミアムつきで買い取るのです。こうした約束が交わされている株式を「裏株」といいます。

東京新聞の場合、原価に対して五割増しの裏株資金が投入されたといわれています。有名人が多数名義を貸していました。名義人の脱税、商法違反の可能性がきわめて高いのですが、放送界では、なぜかこのようなことが現在もまかり通っているのが実態です。

傀儡勢力として労組を結成

大島新社長の「裏株」処理の指示に困惑した本田は、電通の桂田光喜《かつらだてるよし》専務（当時）に相談し、電通にこの裏株の肩代わりを提案しました。その見返りとして本田が提案したのが、「東京都および大井競馬の直扱い分をMXテレビの経営責任で電通扱いに回す」というバーターでした。

東京都および大井競馬の売上約六十億円の代理店手数料は、電通が要求しているとおりの四〇％とすれば、ざっと二十四億円となります。東京新聞の裏株は七・四％で、株式の額面は十一億一千万円です。プレミアム分五割を加算すると、総額は十六億六千五百万円となります。つまり、電通にとっては、初年度こそ七億五千万円の利益にとどまりますが、二年目からは丸儲けというシナリオでした。売上の横取り計画です。

しかし、これを実現するためには、藤森社長、丸山常務（東京都）体制の退陣が必要で、それを支える営業部長（筆者）は当然、〝邪魔者〟です。なんとしても追い出さなければなりません。

こうして、MXテレビ経営陣に対するイメージダウン報道と営業部長（筆者）への〝個人攻撃〟がしかけられました。それらは週刊誌を中心に熾烈をきわめることになります。元TBSの絹村和夫《きぬむらかずお》を副社長に据えてのクーデター計画も実行されました。

陰湿に繰り返される執拗な東京新聞のやり方に、さすがに藤森社長も音を上げ、開局から一年半後の一九九七（平成九）年五月、みずから「ここでひと区切りをつける」と語り、退陣を表明しました。

これに追い打ちをかけるように、東京新聞の本田は、編成、制作を取り仕切っていた堀口政治《ほりぐちせいじ》局長に命じ、東京新聞があらかじめ送り込んだ社員を中心に労働組合を結成させます。同労組はただちに日本共産党色の強い前出「民放労連」に加盟しました。郵政省や東京都の動きを労働組合によって封じようと画策したものでした。そもそも、この時点でMXテレビ内における労使間の紛争事件はありません。

同年六月五日に結成された同労組は利権をあさろうとする東京新聞の傀儡勢力として結成されたものであることを明記しておきます。

善意や努力が報われない複雑な会社

開局にともなって争議の繰り返しとなったほかのUHF局と同じ〝轍《てつ》〟を踏まないように、開局前に八十一億円という売上を確保し、恒常的な赤字構造を乗り越えようとしたMXテレビの「アナザウェイ計画」は、こうして見事に失敗に終わりました。

藤森社長は開局準備期間から開局までの最も大変な時期に社長を務めました。後日、みずからの人生を振り返った『私の回顧録』を二〇〇四（平成十六）年十一月二十五日に自費出版していますが、MX社長時代について次のように記しています。

役者が揃《そろ》ったのに開局に向けての仕事が全く進まない。（略）私の疑念はだんだん深くなった。（略）私の五十年近い銀行経験から考えると、新会社は、はじめは大変だが、四～五年経てば必ず立て直す自信はあるのに……。（略）

今思えば、テレビ局在任中は、私の銀行生活五十年以上の一番辛《つら》い時代だった。善意を以て精一杯やっていても報いられないような複雑な会社。そのような会社があってよいものか。（略）「私が辞めることで普通の会社になれるのであれば」、の再建策で何とか成功したとすれば、幸いに思う。

政界、財界から「中立な立場の人物」として社長就任を要請された藤森でしたが、東商幹部たちから「中曽根の闇献金」の事実も、「塩漬けになっている闇献金を回収する目的でアナログ放送局に固執していること」も、知らされることはありませんでした。

石川六郎を中心とした東商幹部たちは、闇献金回収という目的を達成するために、MXテレビ社内にアナログ放送局構築用のシフトを敷き、それぞれ役員を配置して固めました。そのような状況下で、藤森社長が郵政省の意向に沿って「デジタル放送局」の旗を振っても、いわば社内が二重構造になっていたのですから、作業が進むわけがありません。当時の藤森社長の苦労と心情を思うと、同情を禁じえません。闇献金回収が目的となっている状況下で、経営方針として放送の質が論議されることはいっさいありませんでした。

新社長・後藤亘の役割は隠蔽工作

藤森社長の退陣が決まると、石川ら東商幹部は「闇献金の回収工作」を本格化させ、仕上げにかかります。そして、経理処理上の作業を終えると、〝実行部隊〟として送り込まれていた役員全員が一九九八（平成十）年の株主総会で退任しました。

会計処理上の作業の完了報告を受けた中曽根は、今度は「闇献金」が表面化しないよう隠蔽工作にとりかかります。中曽根が隠蔽工作で頼ったのが、お互いに秘密を共有していた「ソビエト人脈」でした。

中曽根のソビエト人脈については後述することにして、MXテレビの話を続けます。

中曽根の意を受けた東京タイムズ社長・徳間《とくま》康快《やすよし》は、藤森の後任社長としてFM東京社長・後藤《ごとう》亘《わたる》を担ぎ出し、東商会頭の石川の同意を得ます。「マスコミ界のフィクサー」といわれていた徳間は、みずからも東商の役員をしており、東商が中曽根に「闇献金」を実行した一九八五（昭和六十）年当時、民間企業サイドで東京UHF局の免許認可に旗振り役として動いていた当事者のひとりでもありました。したがって、東商と中曽根との〝裏事情〟については熟知しており、藤森社長の退陣が「隠蔽工作体制」をつくる格好のタイミングととらえていました。

後藤亘

徳間は東商幹部のひとりとして、闇献金回収という特殊な事情に便乗して新局の支配を画策する東京新聞の姑息なやり方に批判的ではありましたが、『東京タイムズ』の印刷工場で『東京新聞』の印刷を受託しているという弱みもあって、なりゆきを見守っていました。その東京新聞が加藤会長の死去によって東京進出にブレーキがかかったことも、徳間の根回し行動に幸いしたといえます。

FM東京は松前重義《まつまえしげよし》時代から徳間が裏対策を務める企業のひとつであり、徳間は全日本愛国者団体会議議長だった右翼の大物・志賀敏行とは兄弟分の関係にありました。松前がソビエトと深い関係にあることは後述しますが、徳間は右翼の攻撃から松前を守るガードマン役を果たしていたということです。そのような関係から、松前の秘書をしていた後藤は徳間にとって裏処理に通じた便利に動かせる「手駒」のひとりでもありました。

徳間の周到な根回しによって、一九九七（平成九）年六月十九日、MXテレビの株主総会で後藤は藤森の後任として社長に就任しました。

ところで、筆者が一九九四（平成六）年三月に社員第一号として入社したことは前述したとおりです。そのとき、郵政省の江川放送行政局長（当時）と約束したのは「十年間はご奉公する」ことでした。二〇〇四（平成十六）年四月、筆者はその期限を務めあげたので、「退職届」を提出してMXテレビから身を引きました。その後、筆者の退職を待っていたかのように、後藤は動き出しました。後藤にとって筆者の存在自体が煙たかったことでしょう。

二〇〇五（平成十七）年一月、後藤は「資本減少」の臨時株主総会を開催し、東商関係株主主導のもとに承認可決されました。その内容は、資本金百五十億円を百六億六千四百三十七万七百九十一円減少し、四十三億三千五百六十二万九千二百九円とし、資本減少額全額を資本の欠損補塡にあてるというものでした。これが塩漬けになっていた「十億円の闇献金」を捻出して回収したのちの処理工作だったことはいうまでもありません。すなわち、計画当初の東芝の設計にもとづいたアナログ放送システムを二重に構築し、放送機材や製作費を水増しして作為的につくりあげた約百億円の累積損失を「資本減少」の名目で後藤が処理したというわけです。ちなみに、同年三月三十一日時点におけるMXテレビの固定資産は二十六億円しかありません。累計損失が放送設備の投資によるものでないことが明確にわかります。

大株主「FM東京」に金が流れた本社屋移転

続いて後藤が実行したのは、同年発表した「本社屋」の移転計画でした。前述の「作為的につくられた累計損失」の痕跡を消すための行動です。

MXテレビは、開局当初から東京都の外郭施設で、お台場に建設された「テレポートセンター」に本社を置いていました。後藤は、減資を実行したあと、東京都の影響を極力排除すべく、みずから会長職を兼務していたFM東京が所有する賃貸ビル「東條《とうじょう》インペリアルパレス」（現・半蔵門《はんぞうもん》メディアセンター）に本社を移転するという計画を立てたのでした。

当時、東條会館は不良債権を抱え、韓国籍企業に売却されることが決まっていました。しかし、該当物件が皇居に面していることから、警視庁が「警備上、問題がある」と難色を示します。そのため、管轄の麴町警察署が近隣にあるFM東京に相談に行ったところ、不動産を扱うのが大好きな後藤がそれに飛びつき、物件の取得とMXテレビへの賃貸入居を思いついたというわけです。

こうして、MXテレビの本社屋移転が翌二〇〇六（平成十八）年七月に実行されました。東條インペリアルパレスは東條会館新館として結婚式場や宴会場として使われていましたが、安普請の建

MXテレビの本社がある
半蔵門メディアセンター

物で、放送局の本社施設としてはきわめて疑問のある建造物です。移転に際しては、放送局らしくするために設備費として合計八億円が計上されています。本来、これらの改修費は「家主」であるＦＭ東京が支払って整備するものですが、なぜか、このときの建設費二億七千万円と設備費一億八千万円の合計四億五千万円はＭＸテレビから工事を受注した鹿島建設に全額支払われています。建物所有者であるＦＭ東京はいっさい支払っていません。また、筆者が入手した二〇〇五（平成十七）年十月一日付で結ばれた「賃貸借契約書」によると、賃料月額千五百六十二万円余、共益費月額四百二万円余で、合計約二千万円がＭＸテレビからＦＭ東京に支払われていました。

本社屋移転から十年後の二〇一五（平成二十七）年四月、ＭＸテレビは「四月十五日付で、同社社屋を所有するＦＭ東京株式会社から買収した」と発表します。

この発表に先立つ三カ月前、同年一月二十八日に開かれたＭＸテレビの第百五十回取締役会で社屋の買収交渉について説明したあと、東映の岡田《おかだ》剛《つよし》取締役の質問に答えた後藤ＭＸテレビ会長は、「この建物を株式会社エフエム東京が東條會館株式会社から51億5，000万円で取得した」（第150回取締役会議事録）と言明しました。

ＭＸテレビとＦＭ東京が結んだ「不動産売買契約書」による売買代金の総額は五十億七百七十六万円（税込み）で、その内訳は、土地代金四十二億二千八百万円、建物代金七億二千二百万円、と記載されています。ちなみに、税抜きの総額は四十九億五千万円です。前期取締役会で、後藤会長は、ＦＭ東京が取得した価格より、税抜きで二億円ほど安く買収したと説明しているのです。

ところが、意外なことから、この後藤発言が明らかな「虚偽」だったことが発覚します。

筆者のもとに届いた文書に、二〇一五（平成二十七）年十一月二十六日付の業界誌『日刊合同通信』が、次のような記事を掲載したと書かれていたのです。

　ＦＭ東京の中間決算は、連結、単体ともに増収増益となった。（略）営業利益五億二九七三万円、（略）特別利益七億一八九五万円。特別利益はメディアセンター所有権のＭＸテレビへの売却益である。

この文書によって、ＦＭ東京が発表した二〇一五（平成二十七）年度上半期決算で「特別利益七億一八九五万円」が計上され、所有物件の売却益が発生していたことが判明したのです。

これらの事実から、ＦＭ東京が東條会館から購入した同建物の価格は四十二億円であったこと、それをＭＸテレビはＦＭ東京から七億円あまりも高い価格で購入したことが明らかとなり、大株主「ＦＭ東京」に対する「利益供与」の疑いが強まったのです。

本社屋移転には〝裏〟の目的があったのか

さらに、新たな〝疑惑〟も判明します。

第百五十二回取締役会では、「売買価格について、鑑定結果では〝建物の価格は変わらず〟と考えるのが適当との見解を得て、建物価格を七億二千二百万円とした」と報告されています。

建物の評価額が年々低下するのは業界の常識です。築二十八年を経過した物件に「建物の価格は変わらず」という鑑定結果が出るとは考えられません。

仮に「放送局としての特殊な部分の評価は変わらない」という主張であったとしても、主要部分の改修費は十年前、全額MXテレビが支払っています。とすれば、売買に際しては、逆に建物評価額から差し引くべきものとなります。したがって、所有権者だったFM東京に支払うべき妥当な価格は一億~二億円程度でしょう。前出の四十二億円から、さらに建物の評価で五億円を差し引く必要があります。

結果として、株主であり所有権者であるFM東京に対し、MXテレビが不当に高く支払った金額は総額十二億円になります。最大株主に対する立派な「利益供与」といえるでしょう。MXテレビに与えた損害額としてとらえれば、明らかな後藤社長の背任行為であり、役員の善管注意義務違反（業務を委託された者が当人の職業的な能力、専門性、社会的地位から考えて常識的に期待される注意義務を怠ること）が成立すると思われます。

お台場にあった本社が現住所に移転してからすでに十年になります。この間、MXテレビは所有者であるFM東京に対して年間二億四千万円の賃貸料を支払っています。十年間でざっと二十四億円です。FM東京が東條会館を買収した代金の分割支払いは、そのほとんどをMXテレビの家賃収入で賄ってきたといっても過言ではありません。当時の本社移転の目的が「経営の効率化や番組内容の向上」を目指したものでなく、「不動産取得を目的とした支払いの肩代わり」だったのではという疑念も湧いてきます。つまり、同一経営者による別法人からの〝利益のすげ替え〟です。悪徳不動産業者顔負けの発想です。

国の未来を担う子どもたちへの悪影響を考えない番組づくり

二〇二〇（令和二）年、MXテレビの最大株主である「FM東京」で多額の粉飾決算が発覚し、取締役はほぼ全員が退陣しました。事件にくわしい調査報道チーム「ストイカ」は、同年十二月二十五日付で総務大臣宛に質問状を出しています。そのなかで、次のように指摘しています。

TFMはMXの筆頭株主です。同時にTFMはMXを持ち分適用会社としています。放送法に反する「不実の公表」を行い、刑事責任を問われる可能性もある基幹放送事業者が、放送対象地域が重なる他の基幹放送事業者を「支配」している現状をどのように考えますか。放送法の理念に照らし是正指導が必要と考えますが、監督官庁としての見解をお聞かせください。

MXテレビおよびFM東京という複数メディアを舞台に後藤が繰り返している不正行為は、明らかに「特別背任」の疑いが濃厚です。放送局を監督し、指導する立場にある総務省が、これ以上傍観し、放置することは許されません。

MXテレビは、前述したように「東京都の地域放送局」という目的のもとに党派を超えた都議会の満場一致決議によって免許申請を働きかけ、開局が実現した放送局です。しかも、開局に際しては都民の百数十億円という血税を投じて支えてきた経緯もあります。また、二〇二二（令和四）年三月現在、東京都は一万二千三百株、三・五一％を占める株主でもあります。したがって、東京都にも監督責任があると思います。

ここまで筆者がMXテレビについて縷々《るる》体験談を述べてきたのは、日本の放送局の実態を具体的な事例をもとに知ってもらいたいと考えたからです。

MXテレビの問題は現下の放送界に共通した問題の指摘でもあります。それは免許事業に安住し、公共の電波を預かっているという自覚もないことです。視聴者に与える影響について大所高所から検討する努力をしたという形跡もありませんし、インテリジェンスの感覚にいたっては、まったくといっていいほど持ち合わせていません。ただただ利益の追求だけに血眼になっているというのが、放送経営者たちの現実の姿だということです。

マスメディアのなかでも、新聞は自分の嗜好《しこう》に合った商品を個人が購読するという「選択の意思」が働いていますが、放送電波は一方的にお茶の間に入り込みます。老人から子どもまで視聴者は〝受け身〟の立場です。したがって、放送は乳幼児の発育から青少年の精神衛生上の問題まで大きな影響を与えています。ところが、日本の放送局を監督、管理している総務省は、資本や経営の視点からの許認可しか対応していません。それも一度認可してしまえば、あとは放任しているのが実情です。

翻って、欧米の放送局に対する対応は、きわめて厳しいのが実態です。

乳幼児および青少年に与える影響を重視し、公衆衛生をつかさどる官庁が、精神衛生上の視点から監督、管理し、放送局を指導しています。

三十年ほど前になりますが、在日の外国人に「日本について不思議に思うこと」を質問したところ、日本のテレビ局に対する疑問に集中しました。国の将来を担う乳幼児および青少年に与える影響より視聴率が重視された娯楽番組、国の政策より第四の権力として政権批判を繰り返すニュース番組。あまりに放任的な日本の放送を見て、さぞかし驚いたことでしょう。

それは、「世界の非常識」に映ったことと思います。

筆者は長らく放送界に従事したひとりとして、放送関係者は、みずからの公共性と影響力を自覚し、「国家百年の計」を見据えた「健全なる国家」を目指すための一翼を担ってほしいと願っています。そのために、放送局経営者の条件として、教育学または精神衛生上の学位相当を義務づけるべきでしょう。当然、監督官庁の発想も変えなければなりません。許認可の取り消しはもちろん、経営者に対する思想的「身体検査」も実行されなければなりません。MXテレビ経営者のように、ソビエトの工作組織の幹部のひとりとして治安機関にリストアップされている人物がノーチェックで堂々とマスコミのトップに座ることは避けるべきでしょう。

中曽根康弘はソビエトのS（協力者）だったのか

最後に、中曽根康弘元総理と、彼が闇献金の隠蔽を依頼したMXテレビ会長・後藤亘とを結ぶ「ソビエト人脈」について触れておきます。

中曽根は、一九五四（昭和二十九）年八月、自民党の衆議院議員・園田直《そのだすなお》とともに政治情勢の視察のためにソビエトを訪問しています。中曽根が「河野一郎《こうのいちろう》派」に所属する衆議院議員として活躍

中曽根康弘（上。首相官邸サイトより）と松前重義（下）

し、「青年将校」と呼ばれていたころです。当時は鳩山一郎《はとやまいちろう》政権下で「日ソ交渉」が行われていましたが、病弱だった鳩山総理に代わって河野が交渉を主導していました。

　ソビエトを訪問していた中曽根は滞在先のモスクワで突然〝行方不明〟になりました。いわずもがな、ソビエトは共産主義の独裁国家です。中曽根が同国の諜報機関KGB（国家保安委員会）に監禁されたであろうことは容易に推察できました。しかし、外務省を中心に外交ルートを使っていくら探っても、中曽根の所在はいっさいつかめませんでした。「殺されたのでは」との噂も広がりました。

　絶望感が支配するなかで、ひと筋の望みを託されたのが園田と同郷の社会党議員だった「松前重義」でした。

　松前は戦前、東北大工学部卒業後に技術者として逓信省に入り、「無装荷搬送ケーブル」を発明した人物です。同ケーブルは今でいう海底ケーブルのもとになったもので、これにより、長距離通話が可能になりました。

　松前は、「発明は世界の人々の利便のために使われるべきもの」という固い信念があったため、自身の発明を国際的にオープンにして、世界中の国々から高い評価を受けました。ところが、時の総理大臣・東条英機は日本がこの発明を独占すべきものと願っていたため、松前と対立。松前は東条によって二等兵として懲罰召集され、フィリピン戦線に送られてしまいます。東条は松前を合法的に殺そうとしたのです。

松前は戦時中から反東条を鮮明にしていたこともあって、戦後、社会党代議士として出身地の熊本一区から出馬して当選。衆議院議員を六期務めています。

松前の「無装荷搬送ケーブル」の発明と、それを世界に公開した行為に対して、ソビエト政府も高い評価をしており、人物的にも松前を信頼していたようです。そのこともあって、ソビエトと松前は深い関係がありました。

その松前の尽力によって、中曽根は〝九死に一生を得て〟日本に帰国できました。

中曽根は「自民党保守本流のタカ派政治家」として売り出してきたため、今でもマスコミ界ではそのイメージが支配的です。しかし、ソビエトからの救出、帰国に際し、身柄を拘束していたソビエトの諜報機関・KGBが無条件で中曽根を解放したとは思えません。中曽根がなんらかの〝裏取引〟を約束させられ、署名させられたうえでの解放だったことは十分に考えられます。

つまり、中曽根がKGBの「S」（協力者）になった疑いがあるということです。

マスコミではいっさい報じられていませんが、このような過去があったために、アメリカは中曽根に対して強い警戒感を持ち続けていました。松前は長いあいだ沈黙を守っていましたが、昭和四十年代に東海《とうかい》大学の総長講話のなかで、一度だけ救出劇の事実を話したことがあったと卒業生が語っています。

ソビエトに近しい中曽根コネクション

中曽根の古くからのスポンサー企業のひとつに地元の群馬県に本社を置く「前川《まえかわ》産業」という会社があります。関連企業に「前川商事」などがあり、地元の資産家・前川昭一がオーナーです。「前川商事」はソビエト貿易で業績を伸ばした会社ですが、同じくソビエト貿易に強い川鉄《かわてつ》商事と合併して「前川川商」となり、ソビエトとのかかわりをさらに強めました。ところが、二〇〇三（平成十五）年三月に、なぜか突然、会社を解散しています。

前川昭一の長女・真理子は中曽根の長男で現参議院議員の弘文《ひろふみ》に嫁いでいます。一種の政略結婚です。中曽根と前川昭一との関係の深さは、前川を介したソビエトとの貿易の拡大ぶりが端的に物語っています。ちなみに、文部科学省の元事務次官でマスコミをにぎわせた「前川喜平《きへい》」は前川昭一の長男です。

中曽根とソビエトとのつながりはほかにもあります。

一九六五（昭和四十）年、中曽根は東京・港《みなと》区六本木《ろっぽんぎ》の旧防衛庁近くで交通事故を起こしたことがあります。このとき、慌てた中曽根は助手席に同乗していた女性を急遽、運転席に座らせ、自分はスタコラと現場から逃げ去ってしまいました。しかし、運悪く、この一部始終を読売新聞の剛腕社会部記者だった三田和夫に目撃されていたのです。三田は中曽根の車に同乗し、交通事故の当事者となった女性のことを調べ上げ、彼女が中曽根の当時の恋人で、赤坂の高級クラブで働いていた女性であることを突き止めます。

十年後、三田はマスコミ報道で、この女性の活躍ぶりを知ることになりました。

銀座の画廊「月光荘《げっこうそう》」は、一九七五（昭和五十）年ごろから急激に政界筋に顧客を広げ、政財界の重鎮たちが集まる「月光荘サロン」を併設しました。当時、この「月光荘」の女社長としてマスコミをにぎわせたのが、前出の中曽根の恋人「中村曜子《なかむらようこ》」だったのです。

月光荘は三越のブランドで絵画販売をするまでに成長し、そこに中曽根応援団のひとりである小山五郎（三井銀行の社長、会長。東商の役員。群馬県出身で絵画を趣味としていた）らも加わって盛況をきわめ、ほかの画廊商たちの嫉妬の的となっていました。

治安当局は、政財界人に影響力を持ち始めた月光荘の取り扱っている絵画がおもに「ソビエト絵画」であることから、東京・港区麻布狸穴町《あざぶまみあなちょう》にあるソビエト大使館との関係を疑いました。案の定、月光荘がソビエト大使館と密接にからんでいることを突き止め、ソビエト絵画がソビエト大使館の日本国内における諜報活動の財源になっている疑いを強めます。

ソビエト絵画の独占的な販売権、ソビエト大使館との密接な関係、大物政財界人たちとのコネクションとその顧客化、三越との本格的な業務提携――一連の動きの裏に「中曽根康弘」の影があったのです。

「中曽根康弘は〝アカザ〟だ」

マスコミでは報じられなかった中曽根とソビエト人脈について述べましたが、MXテレビ会長の後藤は中曽根をソビエトから〝救出〟した松前の秘書をしていました。ちなみに、松前は東海大学の創立者でもあります。じつは、FM東京の前身はFM東海であり、松前が東海大学の通信教育で学ぶ生徒のためにつくった超短波放送がもとになっているのです。

後藤はFM東海の時代に採用され、一九七〇（昭和四十五）年にFM東海から民間の放送局FM

東京に衣替えしたあとの一九八九（平成元）年に社長に就任しました。以降、「FM東京」グループの首領の座に今日まで君臨しています。

一九九二（平成四）年八月、松前は死去しましたが、長年秘書を務めていた後藤が松前から中曽根の秘密を聞いていたことは十分に考えられます。

後藤は松前が主導したソビエトの対日工作団体のひとつである「日本対外文化協会」のあとを継いで副会長に就任しています。ソビエトのCIS（独立国家共同体）の対日工作組織には、この「日本対外文化協会」のほか、「日ソ交流協会」「日ロ協会」、そして日本共産党の外郭組織「日本ユーラシア協会」（旧日ソ協会）があります。

公式サイトによると、「日本対外文化協会」の活動の歴史説明には、次のように書かれています（https://taibunkyo.jp/staticpages/index.php/org-history）。

1964年、当時の成田社会党書記長を団長とした日本社会党ミッションが訪ソ、フルシチョフ党第1書記・首相や党幹部会員のミコヤン（アナスタス・ミコヤン＝引用者注）副首相等と会談した。その際、ソ連側から「日ソ間で広範囲な学術・文化交流を推進するのはどうだろうか。日ソ関係を発展させるためには国民間の相互理解が大切であり、その鍵を握っているのが文化交流である。ソ連には『ソ連対外友好文化交流団体連合』（略称・ソ連対文連）という世界各国と民間交流を行なう、社会団体があるので、日本側が賛成ならばこの団体を紹介したい。日本でも同様な組織をつくりぜひ交流をしたい」という提案が行なわれました。

訪ソ代表団は帰国後、当時の河上丈太郎《かわかみじょうたろう》委員長に報告すると共に、中央執行委員会でも取り上げられました。委員長も賛成で「このような意義のある社会性の強い仕事は、枠を広げて国民全体が参加出来るようにするのが望ましい。ついては、この組織の代表は松前重義氏にお願いするのが良い」との意向が示されました。この件は訪ソメンバーの一員であった松本七郎《まつもとしちろう》教育宣伝局長から松前重義氏に伝えられました。

戦前のヨーロッパに留学した経験を持つ松前重義氏はかねてからソ連、東欧の社会主義諸国と日本がより深く交流すべきであるとの意見をもち、特に日ソ間の安定した国家関係の樹立こそ、将来の経済的発展にも、また日本の総合的な安全保障にとっても不可欠な課題であると考えていました。ほどなくして河上委員長から正式な話があり、松前重義氏はこれを快諾して「日本対外文化協会」が発足への準備が進められました。

このような事情があり、一九六六（昭和四十一）年一月十日、東京・港区のホテルオークラで同協会の設立総会が開かれ、松前が会長に選出。理事長には松本が就任して活動を開始しました。設立総会から数えて今年（二〇二二〈令和四〉年）は五十六年になります。

松前のあとを受けて後藤が君臨してきたＦＭ東京の本社は東京都千代田区麹町一丁目七番地にあります。立派な自社ビルです。

松前と中曽根との交流は〝救出〟後も内密裏に続いていました。

ＦＭ東京の本社ビル十一階に「ジェットストリーム」という会員制のレストランがありました（二〇二〇〈令和二〉年閉鎖）。中曽根も会員のひとりでした。松前と中曽根の密会はこのレストランで行われていました。

後藤もそれを引き継いで中曽根とジェットストリームで密会していました。レストランの運営は小《お》田《だ》急《きゅう》電鉄の子会社に委託されていましたが、レストランの従業員も後藤が中曽根と密会している姿を目撃したと語っています。

後藤は東京タイムズの徳間康快の引き回しによってＭＸテレビ社長候補として突然登場していますが、中曽根と後藤のつきあいは以前からあり、中曽根と事前調整を行ったうえで東商への引き回しが行われたようです。ちなみに、徳間も中曽根とは親しい関係にあり、同じソビエト人脈の仲間でもあります。さらに、徳間は前述のとおり、松前やＦＭ東京の〝裏処理〟をしていたガードマンでもありました。

中曽根康弘の〝裏〟活動の拠点だったＦＭ東京ビル

中曽根がソビエト人脈という〝裏〟の活動で拠点のひとつにしていたのが半蔵門にある現ＦＭ東京ビル（一九八五〈昭和六十〉年移転）でした。同社との関係の深さを物語る象徴的なこととして関係者が指摘しているのが、「なぜかピアニストの中村紘《ひろ》子《こ》が使ったといわれる立派なグランドピアノが置いてあった」ことです。かなり高額で購入したものと思われます。ソビエト留学で腕を上げ、プロピアニストとして活躍した中村は、前出の中曽根の恋人「中村曜子」の娘です。

中曽根の秘密が社内に点在しているＦＭ東京との関係を踏まえれば、中曽根がＭＸテレビ開局免許にからむ闇献金の処理とスキャンダル隠蔽の役割を以前から交流のあった後藤に託したことは容易に想像ができます。一方の後藤も、当時は新事業の失敗で、松前が残した資産を食いつぶして困っていた時期でしたから、〝渡りに船〟だったことでしょう。

松前の個人的な交際の処理は、ほとんどＦＭ東京が行っていました。老後に備えてＦＭ東京に三百億円の資産を残したといわれていますが、今では逆に二百億円の債務があります。松前が残した三百億円という資産が事業の失敗で後藤に食いつぶされたことはたしかで、ＦＭ東京の経営状況悪化最大の原因になっています。

こうした裏事情が今日の後藤によるＭＸテレビおよびＦＭ東京の私物化につながっているのです。やはり元凶は中曽根ということになります。

明らかにソビエト人脈に属している人物が日本のマスコミのトップに君臨しているという事実も、日本という国家のインテリジェンス感覚の欠如を証明しています。

中曽根の政治の師匠である河野一郎は、「中曽根は〝アカザ〟だ」と称しています。アカザは畑地に自生する一年草です。どこにでも自生しているたくましい雑草ですが、周囲を枯らしてしまうともいわれています。中曽根という人物を知りつくしている人の言葉らしく、いいえて妙だと思います。

中曽根は政界をはじめ、財界、官界で中曽根を慕って集まった有能な人材を枯らしながらみずからの地位を築きました。死屍累々《ししるいるい》です。翻って、日本社会に目を転じると、放送界に代表されるマスコミは、まさに「アカザ」です。世論形成に多大な影響力を持つ放送界の影響によって、国家は枯れて滅亡の危機にあります。

ＭＸテレビの開局は左翼勢力が跋扈する既存の放送界「マスコミ」に変革の一撃を与える最後のチャンスでした。ところが、そのチャンスを「中曽根康弘」によって摘みとられてしまいました。

中曽根は新局の認可にみずからかかわりながら、マスコミの改革に活用しようとせず、たんなる

〝利権〟にしてしまったのです。これでは保守党の責任ある政治家とはいえません。戦後の平和ボケした政治家のひとりにすぎなかったのです。

こうした保守政党政治家の知的怠惰によるインテリジェンスの欠如と、選挙民の信頼に報いようと努力してこなかった怠慢さが、放送界においてこれほどまでに左翼勢力をのさばらせてきた大きな原因のひとつといえるでしょう。

保守政党が平和ボケから脱却し、はやり病のような世論におもねるのではなく、日本国民と向き合ったうえでの国家観とインテリジェンスを武器に毅然と闘う姿勢こそが求められています。

第八章　「赤い霧」と闘う四つの組織

内閣情報調査室

内調は「寄せ集め部隊」か

通称「内閣調査室」は、一九五二（昭和二十七）年四月九日、「内閣総理大臣官房調査室」として誕生しました。時の総理大臣・吉田茂《よしだしげる》が国家地方警察本部（現・警察庁）警備課長だった村井順《むらいじゅん》に命じて創設したものです。

筆者は、現役記者時代、「巨大労組」の横暴にたびたび直面し、「巨大労組こそ〝権力そのもの〟」との結論に達しました。そして、そのタブーに挑戦すべく、記者仕事の傍ら、月刊誌『全貌』に無署名記事を書いていました。『全貌』を発行していた全貌社（日本共産党や共産主義、社会主義を批判する雑誌、書籍を多数刊行してきた出版社）には治安機関に携わる人たちが多数出入りしていて、さながら「梁山泊《りょうざんぱく》」の様相を呈していました。警察官はもちろんのこと、自衛隊の調査隊、公安調査庁、治安関係の記事を書くライター、評論家、そして内閣調査室の人たちもいました。夕方、編集部に立ち寄ると、編集長が立ち寄った人たちをそれぞれ紹介してくれ、お互いに誘い合って〝夜の部〟に流れるという交流も活発に行われました。

今も各機関の関係者との交流は続いていますが、すべてこの時代から始まっています。全貌社への出入りが始まったのが二十五～六歳ごろでしたから、各機関とのつきあいも、かれこれ五十年近くなります。

なかでも、特別に目をかけていただいたのが「内調」プロパーの花田惟孝でした。

現在は「内調」といっても、警察や公安調査庁等からの出向者がほとんどです。人数は多いのですが、「寄せ集め部隊」という欠点があり、その任を十分に果たせていないのが正直なところでしょう。

当時は「内調プロパー」という〝核〟になる人たちがいて、そこに警察や公安調査庁という組織からの出向者が参画し、それぞれの組織にはない手法と幅広い視点を学び、再び出向元に戻るという機能が好循環していたように思います。「絶対的縦社会」からやってきた出向者は、自由闊達《かったつ》に動く野武士的集団だった「内調プロパー」の組織にはすぐにはなじめなかったのかもしれません。逆になじみすぎて、もとの組織に帰ってから苦労したという話も聞いています。

警察官僚とも異なる内調プロパーの独自人脈

花田は広島県呉《くれ》市出身で宮司の家に生まれ、一九九二（平成四）年八月四日に亡くなりました。筆者が三十歳当時のエピソードがあります。

ある日、花田から「一杯やろう」と誘いがありました。赤坂のTBS前で待ち合わせ、ついていくと、溜池《ためいけ》の日商岩井本社裏にあった「松亭《まつてい》」というすき焼き店に案内してくれました。その際、女将が出迎えてくれたのですが、驚いたことに、近衛文麿《このえふみまろ》の生き写しでした。あとで花田さんに聞いたところ、近衛公のお妾《めかけ》さんの子どもだということでしたから、そっくりなはずです。

部屋に通されて座ると、ビールが運ばれてきました。花田は「ビールを飲んで少し待っていてくれ」といって部屋を出ていきました。少し待っていると、FAXの束を抱えて戻ってきました。そして部屋に戻るなり、そのFAXを一枚一枚めくり、チェックし始めます。読み終えて、ようやくテーブルに座り直し、「明日の朝刊は大きな問題がなさそうなので、ゆっくり飲もう」といって、会食がスタートしました。

内調プロパーの人たちは警察官僚と違った独特の人脈とアンテナを持っていましたが、大手新聞社にもアンテナは張りめぐらせていたようです。この日、会食の前に、花田は主要全国紙のゲラ刷りに目を通していたのですが、会食する「松亭」に主要各紙のゲラを送信させるほどの人脈を築いていたことになります。

花田惟孝（筆者提供）

家族が〝弱み〟になる仕事

花田は、「国内主幹」として活躍されたあと、退官されましたが、生涯独身を貫きました。退官間近になってから、花田の口からようやく生涯独身を通した理由について聞くことができました。その理由そのものが「内調」設立の目的と表裏一体のもので、知られざる内調の活動の本質を物語っています。

内調誕生当時の日本の世情を振り返ってみましょう。

◎一九四五（昭和二十）年八月十五日、終戦

◎一九四七（昭和二十二）年、日本共産党主導で革命実現のための二・一ゼネスト計画

◎同、ＧＨＱがゼネスト中止命令
◎五月三日、日本国憲法が施行
◎一九四八（昭和二十三）年十二月二十日、国営企業の争議権を禁止した公労法公布
◎一九四九（昭和二十四）年七月、ダグラス・マッカーサーが「日本は共産主義阻止の防壁」と演説
◎十月、中華人民共和国成立を宣言
◎同、毛沢東が国家主席に就任
◎一九五〇（昭和二十五）年六月二日、朝鮮戦争勃発（突然、中共軍も参戦。一九五三〈昭和二十八〉年七月二十七日、板門店《パンムンジョム》で休戦協定が締結されるまで三年間続いた）
◎一九五一（昭和二十六）年九月、日米安保条約締結
◎十月、日本共産党が五全協で「武装闘争」開始

このような国際情勢のなか、一九五二（昭和二十七）年四月九日に内閣総理大臣官房調査室として内調が誕生しました。

当時、日米にとって最大の課題が「日本の赤化工作の防止」であったことは周知の事実です。なかでも、アメリカが最も懸念し、日本政府に期待していたのが、ソビエトおよび中国から帰還した工作員の監視でした。

終戦直後のＧＨＱは「民主化」の美名のもとに「日本弱体化政策」を推進していました。その一環として日本共産党員を利用し、マスコミをはじめ、政、財、官の各界にフラクションをつくらせ、

そこにソビエト、中国からの帰還兵工作員を合流させて民主化の手先として使うという方針があり、ノーチェックで帰還兵を受け入れていたのです。

ところが、朝鮮戦争が始まると、それに呼応して、日本共産党が武装闘争方針を掲げて走り出します。

日本の共産化防止に直面したアメリカは、ここで初めてソビエト、中国から大量に帰還する「工作員」の存在に脅威を感じます。しかし、とても占領軍の手に負える状況ではなく、日本に頼るしかありません。

こうして、「帰還兵工作員のあぶり出しと監視」という特殊な任務を背負って誕生したのが「内調」の始まりです。簡単にいえば、その仕事内容は、引き揚げ者に交じって帰国したスパイ、工作員のチェックと監視でした。

とはいえ、引き揚げ者そのものが「戦争の犠牲者」です。国の命令で戦争に駆り出され、戦い、敗れて捕虜となり、辛酸をなめてきた人たちです。好むと好まざるとにかかわらず、洗脳され、スパイを強要され、生き残るためにそれを受け入れて帰国したであろうことは容易に推察できます。

そういう人たちをチェックし、監視するのですから「内調」メンバーに課せられた任務は、過酷をきわめたものだったのです。花田自身も「同じ日本人としてつらかった」と露呈したものでした。「任務をどのように果たしても〝恨み〟を買うことになる」「スパイを監視する私らが家族を持ったら、自分で弱みを抱えたことになり、本来の仕事はできなくなる」「内調で働くことを決意したときから〝妻を持ち〟〝子どもをつくる〟ことは断念して、この仕事に携わっている」と淡々と話してくれた姿を思い出します。

花田が身罷《みまか》ってから一年半後に届いた妹さんからの手紙にはこう書いてありました。

兄がみずからの人生を燃焼し続けた仕事はなんであったのか。その根本になっていった信念はなんであったのか。どんな方々とおつきあいのなかで、どんな人生を過ごしていったのかを知りたい。

家族にさえいっさいを語らず、最悪の事態に備え、任務に従事した花田さんの〝生きざま〟の足跡が、そこにはありました。

こうした「内調プロパー」の人たちの果たした苦労と尽力があったからこそ、戦後の治安は守られ、経済発展の基礎も築けたのだとつくづく思います。

官庁や企業に大量に潜り込んでいた「帰還兵」という名のスパイ

第二次世界大戦が終わったとき、日本軍が武装解除したのちに参戦してきたソビエトによって八十五万人の日本人が「ソビエト」に連行され、シベリアに抑留されました。そして十二万人が捕虜として死亡しました。これは日本の歴史のなかでも一大惨劇です。

ソビエト当局は、過酷な強制労働と思想謀略によって日本人の団結を破壊するために、次のような方法をとりました。

第一に、食べ物の量を最小限に制限しました。そのうえで、ノルマによって差別支給制を実施し、生きるためには強制労働に服さなければならないように仕向けました。

第二は、思想謀略です。日本人が団結できないよう、共産主義に賛成する日本人を「民主主義者」と称して特別の保護奨励を与える一方、共産主義に賛成しない日本人を「反動」と呼んで迫害、脅迫し、日本人を二つに分裂させて相争わせる方針をとりました。ソビエトに煽動された「民主主義者」の日本人は、「反動」の日本人を迫害、脅迫して、日本人が日本人を殺すという同胞相食《あいは》む悲劇を多く生んだのです。「民主主義者」の彼らはソビエトを「労働者階級の祖国であり、指導者」と賛美してスターリンに感謝文をささげました。また、彼らはほかの日本人の前歴や言動を暴いてソビエト当局に密告し、監獄に送る運動をしたり、「反動」日本人を帰国させないよう当局に請願したりしていました。

このようにして、ソビエトは、シベリアに送られた抑留者を思想工作したのち、スパイとして養成し、「帰還兵」として日本に大量に送り込みました。

多くの帰還工作員が企業や公務員として潜り込みました。なかでも多く潜り込んだのが、帰還兵の救済策として雇用を受け入れた「国鉄」でした。

第一章で述べた革同の総帥・細井宗一も内調の調査対象者のひとりでした。伊藤忠商事の会長に上りつめ、中曽根康弘のブレーンも務めた「瀬島龍三」も調査対象者のひとりでした。いずれもシベリア抑留を経験した旧軍人です。シベリア抑留者のなかで最も思想工作に弱く、共産主義への寝返りが早かったのが旧軍人たちだったと当時の抑留関係者は証言しています。

ちなみに、当時、日本人捕虜の洗脳工作を行い、ソビエトの対日工作をした総元締めはイワン・コワレンコという人物です。ソ連共産党国際部日本課長だった彼は多くの対日工作員を養成しました。そのおもな対象は、元政治家、実業家、官僚やジャーナリスト、学者などでした。一九五〇

（昭和二十五）年には五百人の日本人スパイが養成され、当時のスパイ機関ＭＶＤ（内務省）によってつくりあげられた通報者（潜在スパイ）は約八千人といわれています。合わせて八千五百人の日本人スパイがコワレンコによって編成され、一九四八（昭和二十三）年ごろから次々に帰還したのです。

ＧＨＱもお手本にした中国共産党の「洗脳工作」

一方、中国では戦時中から中国共産党が日本兵捕虜に対する思想工作を活発に行っていました。

毛沢東は、八路軍《はちろぐん》（中国共産党軍）に対して、日本兵捕虜を軍国主義者と区別し、「兄弟」として待遇するよう命じています。捕虜を洗脳して「親中派」に転換させ、「尖兵として日本に送り込まなければ日本軍には勝てない」と考えたからです。政治活動の中心地だった延安には日本兵捕虜によって組織された「日本人民解放連盟」や「日本労農学校」がありました。そこには捕虜が収容されていましたが、監禁するための鉄条網も監視塔も警備兵も不在で、行動の自由も保証されていたようですから、中国共産党が日本兵捕虜の洗脳再教育に成功していたことになります。

1956年にシベリア抑留から帰還した瀬島龍三。ひとりだけ服装が違う（右。筆者提供）

中国でこの「洗脳工作」の任務にあたっていたのが日本共産党幹部だった野坂参三《のさかさんぞう》（別名「岡野進《おかのすすむ》」。のちの日本共産党議長）

です。

じつは、GHQも中国共産党の「洗脳工作」の成功例をモデルにして日本の占領政策を実行していました。それを導入した戦時情報局（OWI）の報告書にも、「野坂らは天皇批判を軍国主義者批判に置き換え、軍国主義者と国民を分離し、軍国主義者への批判と国民への同情を呼びかける心理工作を繰り返し、贖罪《しょくざい》意識を植えつけさせた日本兵捕虜を反戦兵士に転向させるまで洗脳した」と書かれています。

この毛沢東の方針に従って洗脳教育を受けた日本兵捕虜が、反日プロパガンダの宣伝を行うために、組織的に戦後の日本に送り込まれました。

中国共産党は現在も政治家の靖國《やすくに》神社参拝を批判していますが、これは日本人を「悪い軍国主義者」と「悪くない国民」という設定で分断し、対立させることに狙いがあります。かつて日本兵捕虜を洗脳したやり方と同じです。無知なマスコミがそれに踊らされ、利用されているのです。

戦後も中国共産党と日本共産党は、北京郊外にマルクス・レーニン主義学院を一九五三（昭和二十八）年に設立し、日本革命のための中核的指導者を養成し始めました。ここで教育された日本共産党員は二千五百人前後で、日本共産党の山村工作隊として「武装闘争」を繰り広げたのです。先述のように、新党さきがけの代表だった武村正義も山村工作隊のメンバーでした。

ソビエト（ロシア）の対日工作の基本も同じであり、アメリカ占領軍の対日心理工作の源流も分断工作という目的では同根です。日本共産党がいまだに革命政党から脱皮できないのは、戦後の一時期にせよ、日本共産党の「思想工作」手法が占領軍に活用され、その尖兵として活動できた〝甘い夢〟の味が忘れられないからでしょう。

それにしても、占領軍が「日本人から誇りと自信を奪う」目的で設定したWGIP（ウォー・ギルト・インフォメーション・プログラム）システムが七十年を過ぎた今日も修正、是正されることなく日本の教育機関やメディアのなかで繰り返され、無批判に継続されている現実を直視するとき、あきれるばかりか、日本の政治の貧困を感じざるをえません。

情報機関は「プロパー」主体であるべし

本題に戻ります。

政界、財界、官界で名を残し、大物になった人たちからすれば、〝過去を知る〟内調は煙たい存在だったことでしょう。「行政改革」の名のもとに内調の本来の活動も縮小され、プロパーの解体作業も進められました。大物たちの名誉を守るために、インテリジェンス機関は〝生贄《いけにえ》〟にされたのです。

現在、警察、公安調査庁等からの出向者による血の入れ替えによって「内調プロパー」の初期の〝志〟を知る人はほとんどいません。しかし、情報機関にとっては本来「プロパー」が理想です。なぜなら、二～三年で出向を繰り返す「腰かけ」では信頼関係を基本とする専門の人脈も知識も築けないからです。本省に戻りたいという気持ちでは保身に走り、本気の仕事ができません。腰かけ意識幹部の弊害を物語る典型的な二つの事例を指摘します。

事例①　警視総監から国会議員にまでなった下稲葉耕吉

下稲葉耕吉は安倍晋三元総理の父・晋太郎《しんたろう》と東大の同期です。福田赳夫内閣下で番頭役を務めた

下稲葉耕吉

安倍晋太郎は政局安定の目的で学生時代から信頼していた下稲葉を内調室長に働きかけて登用しました。しかし、警察官僚としてトップを目指していた下稲葉はそれが迷惑だったようです。警察官僚にとって内調室長のポストは出世ラインから外れてしまうからです。

下稲葉は、安倍の心意気に感ずることなく、逆に本来のラインに戻るための工作をします。福田の政敵である田中派に助けを求め、警察官僚だった後藤田正晴に泣きつきました。福田は現職総理でありながら「内調室長」の裏切りもあり、総裁選で負けます。

下稲葉は警察官僚の出世ラインに戻り、のちに警視総監となり、国会議員まで上りつめました。自己保身はあっても、国家観なしの人でした。これでは国家の安全を託す内調のトップには不適格です。

事例② インテリジェンスの専門家として著書まである大森義夫

手柄を上げることばかりに執着する大森義夫《おおもりよしお》が室長だったときに、内調の内部資料がマスコミに流出しました。のちに犯人は大森自身とわかりましたが、まったく危機管理に欠ける室長でした。

橋本龍太郎内閣での話です。厚生族のドンだった橋本は、対中国ODAの医療衛生分野で深くかかわり、たびたび中国を訪問しています。一九八八（昭和六十三）年当時、中国諜報機関は、将来性のある橋本を確実に取り込むため、常套手段として美人諜報工作員を衛生部に配属して橋本の通訳を命じました。この女性通訳が橋本を籠絡し、通称ハニートラップとして肉体関係を結ぶのに時間はかかりませんでした。

この女性工作員カードは十年後に中国諜報機関によって突然使われました。マスコミにリークされ、〝時の総理の下半身スキャンダル〟として内閣を襲ったのです。「中国の傀儡政権」とまでいわれた「自社さ」連立による村山富市《むらやまとみいち》政権のあとを受けて誕生した橋本内閣に対し、中国は強い警戒感を抱いていたのです。

橋本総理の〝下半身スキャンダル〟が大々的に報道される一年前、その伏線がありました。『週刊文春』に〝橋本総理と中国女性工作員との関係〟という情報が持ち込まれていたのです。中国の諜報機関が公安ものの小説を得意とする小説家Aを通じて文春側に意図的にリークした情報でした。「十年前から、あなたとつきあいのある女性通訳は諜報工作員なんですよ。知られてもいいのですか」という橋本に対するメッセージが込められていました。この時点ではリークによって橋本総理サイドにブラフ（脅し）をかけるだけでいいと中国側は考えていたようです。

大森義夫

中国側の狙いどおり、「総理の下半身スキャンダル」情報は文春側から内調に伝えられました。情報を得た大森室長は文春側に懇願して記事を止めることに成功します。ところが、大森室長は、それが文春側から得た情報であることを隠し、自分が独自に入手したかのように偽って橋本に報告し、自分の手柄にしてしまいました。橋本が大森を高く評価し、信頼したことはいうまでもありません。

しかし、ブラフの効果がないと判断した中国諜報機関は一年後、再び『週刊文春』にリークします。その結果、「工作員女性の元夫の証言」というコメントつきで「時の総理の下半身スキャンダル」として大々的に報道されることとなったのです。

橋本は大森しか知らないはずの情報が週刊誌に報道されたことで、とっさに大森のリークだと判断しました。怒り心頭に発した橋本は大森を叱責しました。大森は一夜で信用を失墜しました。

情報提供者や協力者を大切にしない情報官僚では協力者と信頼関係を築くのは無理です。「内調室長」としては完全に〝失格〟です。大森は警察官僚としての信用も大きく損ないました。大森はそれでも懲りることなく大物情報官僚を自認して数冊の著書を出版しています。

公安調査庁

情報機関はひとつで十分か

民主的独立国家において、情報に携わる組織は複数存在し、並存することが望ましいというのが筆者の主張です。

一九九〇（平成二）年ごろ、亀井静香《かめいしずか》衆議院議員が旗振り役になって、政界でさかんに「公安調査庁不要論」が飛び交いました。「公調などつぶしてしまえ」というわけです。

警察出身の亀井にしてみれば、「警察に顔が利く政治家」というのは〝売り〟です。その筋の情報を独占したり、コントロールしたりすることは政界、官界に影響力を持つには便利な手法だからです。逆に、自分の影響力がおよばない公安調査庁のような情報組織は亀井議員にとっては都合が悪かったのでしょう。

しかし、情報組織がひとつしかなく、独占状態になってしまうと、戦前の軍部のように「組織が暴走する」事態になりかねません。また、何より「誤った情報で動いてしまった場合」に修正する手段がありません。それでは、国の安全を判断する事態においては〝破滅の道〟を進むことになります。情報に誤りがあれば素早く修正できる体制を整えておかなければなりません。そのためにも、「情報に携わる組織は複数あるべきだ」と筆者は一貫して主張し続けてきました。

元上司にすら頭が上がらない〝異常な縦社会〟の弊害

複数の情報組織が存在していたおかげで難題をなんとか切り抜けられた事例を二つ紹介します。

第一の事例は、ＪＲの支配を狙った「革マル派問題」です。

第二章で述べたとおり、国鉄分割民営化とＪＲ発足に際し、革マル派が支配する動労は、それまで国鉄民営化反対の立場から「偽装転向」を行い、民営化に積極的に協力するようになりました。革マル派の狙いは、民営化に乗じて労組によるＪＲの支配体制を確立し、全国を網羅する交通機関を〝乗っ取る〟ことでした。また、その「偽装転向」を正当化したのが、警察庁警備局長経験者であり、〝公安のエース〟として知られた柴田善憲だったこともすでに第三章で述べました。

警察組織は徹底した〝縦社会〟です。かつての上司が「転向は本物だ」と太鼓判を押せば、部下だった現役の主要幹部たちでも反論はできません。彼らがいっせいに柴田発言に迎合したことで、警察の組織としての思考は停止してしまいました。その結果、警視庁公安部の革マル派担当部署は人員を縮小され、〝解体寸前〟にまで追い込まれたのです。こうなると、縦社会組織の欠陥で、警察自体で組織を立て直すきっかけとなる〝何か〟を待つしかありません。

ＪＲ革マル派問題を追い続けた公安調査庁

柴田の革マル派擁護の言動が革マル派に〝弱み〟を握られてのものだったことが判明するまでに、じつに十年もの歳月がかかりました。いわゆる「空白の十年」です。この間、革マル派は〝非公然部隊〟を操り、会社の経営陣を恫喝しながら、自由自在に暗躍。ＪＲを完全支配したうえでの政治体制転覆を目指しました。

この「空白の十年」の期間、一貫して革マル派の動向を監視し続けていたのは公安調査庁でした。警察と異なり、彼らに「逮捕権」はありませんが、幅広く企業関係者や労組員などに接触して、地道に情報を集めていたのです。

公安調査庁の特異性は、幅広い情報収集の手法と、一元的な情報分析手法にあります。同庁職員たちは、JR各社の労組を革マル派が支配していった工程を細かく分析し、組織全体の動向を掌握していました。JR革マル派問題では警察の空白期間を完璧に補完し、警視庁公安部の劇的な〝ガサ入れ〟（一九九六〈平成八〉年から一九九八〈平成十〉年にかけての革マル派アジトの連続摘発。第三章参照）実現にまでフォローできたといえます。

公安調査庁のフォローがなければ、革マル派のJR乗っ取り工作は完全に成功していたことでしょう。今ごろは首都圏の通勤電車や新幹線が当たり前のようにストライキで停止するなど「交通麻痺が頻発する」事態になっていたかもしれません。

当時、警察組織を補完し、JR革マル派問題を「重要案件」として官邸に報告できたのは公安調査庁だけでした。

統一教会の「無給秘書」を喜んで受け入れた愚かな政治家たち

第二の事例は「統一教会、勝共連合」です。

第三章でも少し触れましたが、勝共連合は韓国を中心に日本、台湾、アメリカ等で反共産党の運動を展開した組織です。日本では各大学でサークル活動を行ったほか、全国各地の自民党支持者を中心に反共運動を実行し、スパイ防止法の成立を目指す運動なども活発に行っていました。

勝共連合は、こうした運動の一端として、青嵐会などの右派系議員を中心に、勝共連合メンバーを政治家の事務所に「無給の秘書」として大量に送り込んでいました。無給で働く秘書の提供を政治家たちは喜んで受け入れました。当然、秘書という立場上、議員たちの内密の行動や文書等に通じ、各議員の内部事情にもくわしくなります。

勝共連合は韓国の宗教団体「統一教会」の別動隊でもあります。反共組織ではありますが、母体は宗教団体ですから、メンバーは当然、〝二面性〟を持っていることになります。

統一教会の教祖は文鮮明です。同会はかつて「血分けの儀式」や「霊感商法」などでマスコミをにぎわせました。

文鮮明の教義は「共産主義はサタン（悪魔）だ」というものです。熱狂的な信者たちは「勝共連合」の活動に邁進し、身をささげてきました。ところが、本拠地をアメリカに移して間もなく教祖・文鮮明に脱税事件が発覚。国外追放となりました。これを機に、文鮮明は北朝鮮との距離を縮めていきます。

それまで、文鮮明は「反共」を掲げ、ＫＣＩＡとの関係をバックに活動を続けてきました。しかし、もともとは北朝鮮の出生で、かつては金日成一族と同じ教会に通っていたと伝えられています。一九九一（平成三）年十一月三十日、文鮮明が北朝鮮を電撃訪問し、金日成と会談したことをきっかけに、統一教会は北朝鮮との関係を深めていきました。

統一教会、勝共連合に関するデータがすべて消える異常事態

文鮮明が「サタン」と手を結ぶのに時間はかかりませんでした。「反共」組織が突然、北朝鮮を

支持する「容共」組織に早変わりしてしまったのです。

勝共連合は根っこが宗教組織ですから、教祖の指令は絶対です。現在は北朝鮮サイドに立った南北統一行動という運動を日本および韓国国内で活発に展開しています。

当時、勝共連合の「無給秘書」が派遣された自民党右派系国会議員のデータは当然、北朝鮮サイドに渡ったと見るべきでしょう。それは同時に中国の諜報機関にも流れたものと推察されます。

反共組織だった勝共連合が突然「北朝鮮の別動隊」になったのですから、治安関係者にとっては重大事件です。

統一教会の〝大転換〟が発覚する直前、警視庁でも大きな問題が発生していました。統一教会を専門に担当していたKという人物が、通信部門に出向となり、担当を離れたのですが、一年半後、もとの部署に戻ると、統一教会、勝共連合のデータファイルが跡形もなく忽然《こつぜん》と消えてしまっていたのです。後任を託した担当警察官も退職して行方がわかりませんでした。この一件は警視庁のなかに統一教会のメンバーが潜り込んでいた事実を物語っています。

これにより、警視庁の担当部署には統一教会、勝共連合に関する資料がいっさいないという異常な時期が続いたのです。一方、その間も公安調査庁は、日本国内はもちろん韓国国内における統一教会、勝共連合の動向も含めて、こと細かに情報収集し続け、情報組織としての存在感を示しています。

この二つの事例だけでも、「〝最悪の事態〟に備え、情報組織は複数であるべき」というリスクヘッジ的な考え方がインテリジェンスの分野において妥当であることがおわかりいただけるかと思います。

自衛隊情報保全隊

自衛意識の低い国を世界は助けてくれない

二〇二二（令和四）年二月二十四日、あるニュースが世界に衝撃を与えました。

いうまでもなく、ロシアによるウクライナ侵攻です。

国力の差からして、ウクライナはあっという間にロシアに敗北してしまうだろうと多くの人が予想していました。しかし、ウクライナ側の激しい抵抗と西側諸国の支援もあって、ロシアは苦戦しています。

ロシア側が苦戦を強いられた原因のひとつは、「制空権」を奪えなかったからです。独立国家として存続するために最も重要なのが「制空権」の確保だといっても過言ではありません。日本において、その「制空権」は「制海権」とともに自衛隊が守っています。

『広辞苑』（第七版）の「制空権」には、「領土・国家の権益を保護するため一定範囲の空中を支配する権力」と明記されています。「制空権」が自衛隊の守備によって守られているからこそ、外国勢力から日本の主権および国民の生命、財産が守られ、警察機構が国内の治安維持に専念することができるのです。平和憲法があるからではありません。

こういう独立国家として当たり前の重要なことが教育機関で教えられていません。マスコミでもいっさい俎上には載りません。「自分の国は自分で守る」という意識が欠如しているからです。

世界の現実を無視して、あたかも世界中が国家の垣根がなくなり、グローバル化しているかのような〝虚構〟を振りまいているマスコミも、「ロシアのウクライナ侵攻」という〝現実〟に直面して、少しは日本の国家としての未熟さと脆弱性に気づいたのでしょうか。

ウクライナは、「小なりといえども自分の国は自分で守る」という気概が見てとれます。だから世界の人々が感動し、支援の輪が広がっているのです。翻って、日本の現状を見ると、現実に国を守っている自衛隊の存在さえ憲法に明記されていないありさまです。自分の国を自分たちで守る気概のない国に、世界の人々は手を差し伸べてくれません。

防諜のスペシャリスト「自衛隊情報保全隊」

自衛隊が任務を果たすための防衛施設の安全を守り、防衛上の機密情報漏洩《ろうえい》を防護する役割を担っているのが、自衛隊の「情報保全隊」です。

かつては、陸、海、空にそれぞれ独立した「調査隊」が組織されていました。それが統合幕僚庁発足によって二〇〇三（平成十五）年に行われた組織改革で廃止され、今日では「情報保全隊」として一本化されています。

日本の防衛力の分断を狙う中国やロシア等の外国勢力がしかけたプロパガンダによって、日本共産党など左翼勢力が「情報保全隊」を海外で〝スパイ活動〟をしているかのように宣伝していますが、自衛隊の「情報保全隊」の主任務は名称のとおり、あくまで「防諜《ぼうちょう》」であり、国際的には「カウンター・インテリジェンス」といわれるものです。

近年、中国資本が自衛隊施設や米軍基地の周辺を買いあさって占有しています。しかし、日本側は、それが防衛上問題だとわかっていても、取り締まるための法律がありませんでした（二〇二一〈令和三〉年六月、国家安全保障上重要な土地の利用等を規制する重要土地利用規制法が成立）。そのような悪条件のなかでも、コツコツと情報を集め、事態悪化に備えてきたのが過去の「調査隊」です。

自衛隊ＯＢを取り込んで日本の防衛戦略の〝分断〟を図る中国

自衛隊を除隊したＯＢの監視も調査隊の重要な仕事でした。これもまた、法的に整備されていなかったため、漏洩防止の任務を果たすことは容易ではありません。そのような環境のなか、中国による自衛隊工作に対する「防諜」活動は一貫しており、調査隊ならではの成果を上げています。その記録の一部を紹介します。

一九七六（昭和五十一）年一月、当時、日中貿易を行っていた「日中友好元軍人の会」会長・後藤節郎（陸士六十期）は、北京において、日中友好協会の秘書長・孫平化から「〝日中友好活動〟の一環として、自衛隊を退職した高級将官四～五人を毎年中国に招待したいので組織化してもらいたい」との指示を受けました。そのため、帰国後に陸士出身の知人など自衛隊を退職した高級将官に働きかけ、数人の賛同者を得て「訪中団」を結成します。これが「招待」による自衛官取り込み工作の始まりです。第六章で見たとおり、孫平化は創価学会工作を通じて田中角栄の訪中を実現させた「対日工作四人組」のひとりです。

後藤が会長をしていた「日中友好元軍人の会」は、終戦時に中共軍の捕虜となった日本軍人を洗脳し、中国共産党の協力者に仕立て上げた者（工作員）によって組織された中国共産党の「対日工作」団体でした。

同年十月、後藤は「三岡《みつおか》訪中団」（三岡健次郎《けんじろう》元陸将ら五人）を編成して訪中しました。訪中団を迎えた中国側は、軍関係者のみならず、鄧小平との会議を設定するなど、最大級の〝歓待〟を行いました。感激した訪中団は、帰国後「中国政経懇談会」（中政懇）を発足させ、三岡が代表幹事、後藤が事務局長に就任。中国諜報機関のもくろみどおり、一年あまりで「自衛隊ＯＢ訪中団」の組織化に成功したのです。一九七七（昭和五十二）年に中政懇の第一回訪中団が派遣されて以来、一九九八（平成十）年を除き、毎年五～八人の自衛隊ＯＢによる訪中団が派遣されています。

中国の対日工作をサポートした「自衛隊ＯＢ訪中団」

また、同会は、日本国内の活動として駐日中国大使館関係者や来日した中国の軍関係団体等との懇談や研究会等の交流を行う等、中国の対日工作を積極的にサポートする活動も続けました。

一九八七（昭和六十二）年五月、米軍横田《よこた》基地からテクニカル・オーダー（技術指令書＝装備品等の運用、整備、安全対策などを適正かつ効率的に行うために必要な技術的な内容を記したもの）が流出したスパイ事件容疑者・伊達弘視からそれを買い取って中国に渡した疑いで、中政懇事務局長の後藤が逮捕されました。後藤はその見返りとして対中貿易を有利に運ぼうとしたと自供していますが、中国は一九七〇年代末から米軍の軍事技術情報収集に最大限の力を注ぐよう指示していますので、後藤に対しても中国からの指示があったものと見られます。事件後、中政懇は会の存続を含めて理事会で協議しましたが、後藤を〝除名〟にしたのみで、会の存続を決めました。中国側の意向が働いたのでしょう。

ちなみに、一九九九（平成十一）年五月、アメリカ下院特別委員会報告書「コックス報告書」が公表されましたが、そこでは中国が一九七〇年代後半から約二十年間にわたって、アメリカの核技術をはじめ、電算機や戦闘機、艦艇等の兵器および指揮、情報、通信分野にいたるまで幅広く情報収集活動を行っていたことが明らかにされています。日米安保条約を基調とするわが国の防衛の最高部署にいた三岡らは、自衛隊を退職しているとはいえ「アメリカとの信頼関係を重視する」か、「中国との交流を優先するか」は深刻、冷静に判断すべきだったと思いますが、後者を選択した三岡ら、および「中政懇」を調査隊が一貫して監視し続けたことはいうまでもありません。

中政懇は旧軍人で構成されていたため高齢化したうえ、調査隊の監視が続いていたため、一九九八（平成十）年「会の当初の目的は達成された」として、会を解散する方向で一致しました。慌てたのは中国です。中国代表団が急遽、「中政懇」との会談を求め、「会」の存続を強く要望しました。すでに訪中し、中国に〝弱み〟を握られていたメンバーたちは、「今後は防衛大出身者にバトンタッチする」と前言を撤回し、「中政懇」の存続を決めました。

自衛隊との交流に力を入れる中国共産党

こうした動きに積極的に手を貸したのが中国諜報機関の女性通訳との関係を暴露された橋本龍太郎元総理です。橋本は二〇〇〇（平成十二）年、みずから団長となって訪中団を組織。当時の江沢《こうたく》民《みん》国家主席と会談し、民間レベルの防衛交流として、中国人民解放軍の佐官将校を日本に招待することで合意します。

橋本元総理は帰国後、防衛庁内局幹部を呼びつけて、中国人民解放軍佐官級将校の来日に際し、その接待を講じるよう指示。部隊見学等をさせるよう要求しました。さらに、橋本はこの訪問団に対する答礼として防衛庁から佐官研修団を出すよう要求。二〇〇一（平成十三）年三月に自衛隊から第一回佐官研修団を派遣し、現在も続行されています。

　ちなみに、これらの交流では、橋本元総理が執拗なまでに介入し、自衛隊に対してもっと重要な部分を見せ、中国側を〝歓待〟するよう強い要望を出したため、「防諜」の現場は対応に苦慮したと聞いています。

　中国側が、なぜこれほどまでに自衛隊との交流に力を入れるのか、中国が狙っている自衛隊工作の目的と手法は、きわめて明白です。退職高級将官を取り込むことによって、それに連なる現職自衛官の人脈を拡大し、退官後は「中政懇」の会員として獲得を図る。そして、彼らを仲介者として、さらに若手現職自衛官へと人脈を拡大し、親中感情を徐々に醸成する。そのためには、折あるごとに「中政懇」を通じて中国の意図する情報を流布し、対中警戒心の払拭を図り、最終的には親中的な防衛論争を引き起こそうというものです。これは、究極的に現職自衛官のなかに中国に対する見方や対中防衛戦略をめぐって意見の対立を惹起《じゃっき》させ、自衛隊員の分断を図ろうとしていることにほかなりません。

　かつて米ソ対立時代、ソビエトの意向に沿って活動していた欧州の共産党は、国の安全保障や防衛体制にはじめから反対するのではなく、積極的に自国の安全保障や防衛問題に戦略論から介入し、米ソ戦略をめぐって自国内に戦略論争で対立を引き起こしました。そして、究極的にソビエトの対米戦略をバックアップすべきだとする論戦闘争へと誘導し、戦術転換を図りました。このときは、時すでに遅く、ソビエトは経済的に疲弊し、連邦崩壊への道をたどりましたが、この戦術は、自由主義国家ではきわめて有効で、大きな価値を持っています。中国共産党は、まさに自衛隊のなかにこの戦術を持ち込もうとしているのです。カウンター・インテリジェンスを実践する「情報保全隊」の役割は重大です。

中国共産党は以前から、ことあるごとに「日本軍国主義の復活」と批判してきましたが、その発言に反し、日本の実態を熟知しているのも中国共産党で、「日本はすでにわれわれの手中にある」というのが本音でしょう。自衛隊が完全に「シビリアン・コントロール」というより「シビリアン専制」の状況下にあり、かつ自衛隊が与党自民党国会議員や防衛庁のシビリアンによっていかようにも操作できる組織であることを中国は見抜いているからです。中国が執拗なまでに自衛隊員との交流にこだわるのも、「シビリアン専制」に対する現場の不満を増幅させることによって、中国側が狙いとする「組織の分断」が可能となるからです。

中国共産党の工作の最大の特徴のひとつは「招待工作」です。日本国内での工作では、取り締まり当局（警察）の摘発を受ける危険性があります。工作対象者を中国に招待し、中国国内であらゆる手段を駆使して工作を行い、招待を契機にして、対象者と日本国内で随時接触できる関係を構築する。同時に、中国招待期間に作為した弱点を使って協力させる切り札とすることができるというわけです。先の「自衛隊の交流」で、中国招待期間中、参加自衛官に対し、親中感情を醸成する働きかけが繰り返し行われるとともに、人物評価や訪中間の言動の把握をはじめとする各種工作が行われたのは当然です。

自衛隊員の不満を増幅させる狙い

「シビリアン専制」の事例を挙げます。二〇〇六（平成十八）年二月、航空自衛隊那覇《なは》基地司令が

「中国は脅威である」と発言したことに額賀福志郎《ぬかがふくしろう》防衛庁長官が激怒し、基地司令の発言の真意をただし、処罰を命じました。

当時は二〇〇四（平成十六）年十一月、中国原子力潜水艦による領海侵犯が発生、前年の二〇〇三（平成十五）年から中国空軍による日本の防衛識別圏内や排他的経済水域、領空近辺に異常接近する事態が急増し、スクランブル発進が頻発しました。一九九九（平成十一）年以来、毎年、国防予算が二桁の伸びを示し、海、空軍の異常な強化を図っている中国共産党政権に対し、スクランブル任務を有し、部下を出動させる現場指揮官として「中国に脅威」を感じるのは当然のことで、「脅威ではない」という防衛庁長官こそ異常です。

2003年3月24日、調査隊解散時の感謝状授与式。
前列右が筆者（筆者提供）

日本の防衛を預かる政治家がここまで中国に工作されているという証左であり、これが日本の防衛現場の実態なのです。このように、シビリアン専制のもとにあっては、日本の自衛隊がどんなに優秀であっても、与党政治家や防衛庁長官を抑えてさえいれば、いかようにも日本の安全保障に水を差すことは可能であり、中国はそのことを熟知しているのです。見抜いているうえで制服自衛官の中国招待に積極的なのは、シビリアン専制に対する自衛隊員現場の不満を増幅させる狙いがあるのです。

政府は二〇二二（令和四）年九月十六日、安全保障上重要な土地の利用を規制する「重要土地等調査規制法」の基本方針を閣議決定し、二十日全面施行されました。国防上、大きな前進といえますが、戦後七十七年間、防衛関係施設の機能を大きく阻害する土地、建物の規制について、シビリアン専制下で放置されてきたことを如実に物語っていることでもあります。政治家の怠慢以外の何ものでもありません。この間、法的に整備されないなか、自衛隊施設の機能が阻害されないよう、周辺環境の調査や情報を黙々と収集してきたのも情報保全隊の仕事でした。太陽光発電の名目やリゾート開発の名目で中国系資本が自衛隊施設などの周辺で土地買収にかかわったと見られる事例は約八十カ所以上になります。

自衛隊の調査隊時代から情報保全隊時代を通じて、大きな懸念を抱きながら黙々と積み上げてきた努力が、ようやく法的に整備され、実を結んだことになります。

なお、規制対象となる「阻害行為」とは、自衛隊機の離着陸やレーダー運用の妨げとなる工作物の放置やレーザー光の照射、妨害電波の発射など七項目で「阻害行為」が確認された場合、総理が中止の勧告や命令を出すことができるとしています。

米軍五〇〇情報部隊

北朝鮮の動向を二十四時間態勢で監視

アメリカ陸軍のなかに通称「五〇〇情報部隊」と呼ばれる諜報部隊があります。正式名称は「アメリカ陸軍情報保全司令部第五〇〇軍事情報旅団」。極東の軍事情報を統括している組織です。同部隊の在日組織に「東京渉外事務所」があり、日本の政、官界の窓口になっています。

筆者は同事務所所長と長年にわたって親しくつきあった時期があります。

初代所長はアメリカ生まれの日系二世の米軍人で、占領軍のひとりとして来日したハリー・フクハラ。戦後の警察組織をはじめ、治安機関や防衛省の基礎をつくった人として知られています。後藤田正晴の育ての親であり、後見人でもありました。山崎豊子の小説『二つの祖国』（新潮社、一九八三〈昭和五十八〉年）の主人公のモデルでもあります。

筆者は二〇〇五（平成十七）年十月にフクハラが来日したときにお目にかかりました。フクハラは後藤田との再会を楽しみに来日しましたが、来日する直前に後藤田が他界したため、再会はかないませんでした。大変残念がっていたことを思い出します。

前述のとおり、五〇〇情報部隊は極東地域の軍事情報を統括しているため、当然、北朝鮮もその対象国に含まれます。北朝鮮に関する軍事情報を収集するとともに、軍事衛星で北朝鮮船舶の動向もチェックしているのです。つまり、北朝鮮の動向は軍事衛星によって二十四時間態勢で監視されているということになります。

しかし、その軍事情報は日本側には提供されていません。日本のインテリジェンス体制が〝未熟〟でアメリカに信用されていないからです。独立国家として最低限の機密情報を共有できる体制さえ備わっていないということなのでしょう。

米軍が日本に情報提供を行った特殊事例とは

そうした状況のなか、例外的に米軍側から情報提供され、日本側がその対応に成功した特異なケースがありました。二〇〇一（平成十三）年に発生した北朝鮮工作船に対する海上保安庁の射撃撃沈事件です。

当時、米軍は軍事衛星で動向を追跡していた北朝鮮工作船が日本の海域に侵入したことを確認し、海上保安庁に情報を提供しました。

米軍が例外的に海上保安庁に情報提供した理由は二つありました。

一つ目は、無線の傍受によって工作船の侵入目的が「麻薬取引」だと確認できていたことです。つまり、政治活動が目的の工作船ではないので、泳がせて行動を監視する必要がなかったというわけです。

二つ目は、この工作船が携帯用の小型ロケットランチャーを装備していたことです。海上保安庁の巡視船が、工作船を無防備に取り締まり、ロケットランチャーで反撃されたら沈没しかねません。それを危惧した米軍が事前に通告してくれたというわけです。

通報を受けた海上保安庁は、米軍のアドバイスに従って慎重に取り締まりにあたり、最終的に工作船を射撃して撃沈することに成功します。

それでも米軍は最悪の事態に備えて推移を見守っていました。そして、撃沈した工作船周辺に散乱した携帯電話などの証拠品の数々を回収する作業も手伝っています。海上保安庁は回収した携帯電話と米軍の会話傍受の協力によって麻薬取引の買い手の暴力団を特定しました。こうして、海上保安庁に対する国民の信頼はかつてないほどに高まったのです。

事件のあと、海上保安庁の手によって鹿児島県沖で撃沈した工作船の回収作業が行われ、後日、その工作船が海上保安庁関係施設（海上保安資料館横浜館）に展示されたことでも話題となりました。

日本が「自分の国は自分で守る」ために欠けていること

この北朝鮮工作船事件の情報提供は前出の「東京渉外事務所」が行いました。

筆者は当時、所長の案内で同事務所を訪問したことがあります。そこで軍事衛星の映像を生で見せてもらう機会がありましたが、衛星の映像には北朝鮮の港から出港する船舶の様子がはっきり映し出されていました。現地の天候が少し悪い日でしたが、それでも船の動向がくっきり映し出されていたのが印象的でした。

「自分の国は自分で守る」という常識さえ教育されず、憲法に明記されない自衛隊の存在、国土防衛上の未整備な諸法規など多くの問題を放置しながら「見せかけの繁栄」を追い求めてきた日本は、その一方で国の安全を米軍の〝見守り〟に委ねてきました。

しかし、北朝鮮はもちろんのこと、中国やロシアの脅威が現実的なものとして日に日に大きくなっている今日、同盟国としてアメリカとの信頼関係がもっと強化されるよう、日本側の努力と法整

1965年ごろ、ハリー・フクハラ（左から2人目）と警察庁幹部。
右から2人目が後藤田正晴（フクハラから筆者に贈られたもの）

備が必要です。

アメリカが持つ軍事情報が当たり前のこととして日本に提供され、日本側からもアメリカに有益な軍事情報が提供できる。「日米同盟」の名に恥じない軍事情報の共有が両国間でできるようになる――そんな日が一日も早く実現できるよう、政治家たちの自覚と具体的行動を願ってやみません。

おわりに――日本が世界で生き残るためのインテリジェンス

戦後日本教育に欠如していること

国家の土台づくりをするのが教育であることは世間周知の事実です。戦後日本の教育のなかで決定的に欠如しているものが二つあります。

一つ目は、「歴史観の明示」です。

二つ目は、「民族の概念と定義」です。

この二つが欠如し、それを放置してきたことが、占領政策終了から七十五年も経過する今日、いまだに教育界やマスコミ界で占領政策のプロパガンダがはびこっている原因です。教育官庁の知的怠惰と政治家の怠慢です。

私たちが生存している今日の時代は世界史のなかでどのような位置づけにあるのか――筆者の私見ですが、歴史観を明示しておきます。

日本の歴史は、おおむね弱肉強食の戦国時代から徳川《とくがわ》幕府を経て、明治維新によって統一国家が成立するという三段階の社会進化を経て発展してきました。

この徳川幕府時代を「平和的国家対立時代」と定義し、明治維新以降は「統一国家時代」と定義します。

具体的に述べます。

一六〇〇年、徳川家康は関ケ原《せきがはら》の戦いに勝利して天下統一を果たしましたが、統一を可能にしたのは「鉄砲」と「火薬の製法」です。二百五十年続いた徳川時代は、軍事政権のもと、世界史上で最も完成した封建制度でした。

日本国民は地方分権の単位社会だった「藩」を重視し、自分の藩を「わが国」と称しました。三百からなる封建諸藩時代は、戦争がなく、国内では名産品などを中心に文化的競争で対立しながら、「平和的国家対立時代」が続きました。

一八五二年七月、マシュー・ペリーのアメリカ艦隊来航によって日本は統一国家建設の必要に迫られました。「武士」という職業軍人による専制政治を打破し、明治維新は四民平等（士農工商の身分制度を廃する）の根本原則を確立。廃藩置県を断行し、国民と国土を封建君主の私有から解放して近代国家を建設しました。

爾来《じらい》、「日本」は近代独立国家として存続し、今日にいたっています。

「平和的国家対立時代」を生き抜く三つの条件

この日本における歴史の進化段階に従って世界史の進化を推察します。

十六世紀以来、世界は西洋民族による世界征服が新領土獲得というかたちで展開され、西洋民族間で世界征服の主導権を争う「争覇戦」が行われました。第一次、第二次世界大戦の悲惨な戦禍やわが国の大陸侵攻は、このような時代、つまり「世界的戦国時代」に繰り広げられたものです。当時の価値観は「弱肉強食」で政治原則は「強い者が勝つ」でした。この「世界的戦国時代」によって武器は驚異的に進歩し、第二次世界大戦の終末期には原子爆弾やロケット砲が使われました。

日本の近代史において鉄砲の大規模使用が戦国時代を終わらせたように、世界の近代史においても、第二次世界大戦後の原子爆弾の発達、ロケットの発達による大陸間弾道弾の実用化、人工衛星の進歩、レーダーなど電子工学の発達は、地球そのものの破滅の可能性を示唆し、「世界的戦国時代」の終焉を告げ、世界史は現在、「平和的国家対立時代」に入っているものと推察されます。終戦からすでに七十七年が経過しており、「平和的国家対立時代」が今後何十年続くのかはわかりませんが、この「平和的国家対立時代」を経て、次の段階で地球規模の「世界統一時代」が到来するものと思われます。現在、理想としている事実上の「国連」時代です。

「平和的国家対立時代」は当分続くものと思われますが、この時代の生存原則は、次の三点です。

①経済の一体
②防衛の共同
③政治の独立

①は、すでに地球規模での経済一体化が実現しています。
②は、NATO（北大西洋条約機構）に代表されるように「軍事のブロック化」です。エスカレートする軍事費負担を軽減し、効率化することが狙いです。
③は、「平和的国家対立時代」においては独立国家それぞれの民族の独自性尊重が基本原則だということです。政治の独立の原則ルールは「民族主義の相互尊重」です。

「平和的国家対立時代」は、この三原則に従って共存しながら、軍事競争から文化競争へと徐々に変質するものと思われますが、一方で、ルールを破った者に対する経済的、軍事的な制裁が必要となります。したがって、国連が今のような「無力組織」から実効性のある組織に転換するためには超強力な軍事力が必要条件となります。この軍事力の基盤を整備することが次の段階の「世界統一時代」の土台になるものと思われます。

「日本民族」が生き残るために大切なこと

二つ目の「民族の概念と定義」について筆者が学生時代に学んだ「養生学」では、次のように定義しています。

宇宙のなかで地球が誕生したのは四十六億年前といわれています。その地球上に単細胞の生命体が初めて発生したのが三十八億年前といわれています。爾来、この単細胞時代から三十八億年のあいだ、脈々と命を継いできた生物の子孫だけが、この地球上に生存しています。命を継げることができなかった生物は滅んで、今は生きていません。

現在、地球上に生存する草や木を含め、すべての生物には「命を継ぐ」ための種族保存の本能があります。種族保存の本能は自分の身を守るための本能である個体保存の本能に優先するというのが生物学の原則です。

生物の命にはかぎりがあります。かぎりがある以上、次の代につなげたいというのが生物の本能ですが、個体保存の本能より種族保存の本能の強い生物だけが三十八億年のあいだ命を続けることができました。

地球上の生物が気の遠くなるような期間、命を継いできたなかで、人間もこの地球上で進化しながら、それぞれ「民族」というかたちで命を継いできました。日本民族もそのなかのひとつです。

私たちがこの世に誕生する前、母親の胎内で十月十日のあいだ胎児として過ごします。三十八億年前、地球上に初めて発生した単細胞の生命体は「精子」の姿です。男性が一回に放出する精子の数は約三億個です。このなかのたった一個が母体で受精します。私たちは誰もが三億倍の競争に勝ってこの世に生まれてきたことを示しています。そして、目に見えないほどの精子が受胎したあと、母親の胎内で三十八億年間の進化の過程を繰り返し、その後、人間の赤ちゃんとしてこの世に誕生します。

「個体（一人ひとり）は系統発生（進化の過程）を繰り返す」というのが生物学の根本原則です。「命を継ぐ」という生物学の原則であり最も大切なこと、つまりものごとを判断する不変の「ものさし」を教えるのが「教育の原点」です。

この「教育の原点」を見失い、教えないところに教育界の混乱があり、日本の混乱があると思います。

三十八億年のあいだ命を継いできたすべての生物に対する〝感動〟が「道徳」「芸術」「文芸」の礎です。命を継ぐ必要がないというのであれば、「教育」は必要ありません。結婚も、子育ても、創意工夫もいっさい不要という結論になります。

マスコミがあおる「グローバリズム」にだまされるな

「平和的国家対立時代」である現代は政治も軍事も国民の権利もグローバル化は進んでいません。日本人に例をとってみても、いまだに「日本」という国家単位でしか国民が自分の身を守る術《すべ》はありません。現実をしっかり認識すべきと思います。

近年、経済が世界規模で一体化していることもあって、政治も社会生活もすべてが地球規模で一体化しているかのようなグローバリズムが世界を席巻しています。

ところが、マスコミがあおるこのグローバリズムは、後進国を中心とする「弱者救済」という建前を優先するあまり、先進国の国民に負担を増大させ、先進国国民の生活を圧迫し始めています。

これでは不都合が起こります。

こうした虚構の現象に対して、先進国の各民族はついに反発し、急進的な民族主義が台頭してきているのです。民族主義の揺り戻し現象です。

中国の急激な台頭、アメリカのドナルド・トランプ大統領の誕生、イギリスのEU（欧州連合）脱退、そしてロシアのウクライナ侵攻とウクライナの反撃等は、このことを見事に物語っています。

共産主義者の変形ともいえる「グローバリズム」に毒されているマスコミ機関は、こうした揺り戻し現象をとらえ、「政治の右傾化現象」「極右政治勢力の伸長現象」「アドルフ・ヒトラーの再来」などと共産主義者勢力が使うプロパガンダ用語でごまかしています。

しかし、世界の潮流であるこの「民族主義の復活」現象を冷静にとらえ、見落としてはいけません。それは次の段階——世界統一時代に発展するための基盤づくりとして必要な要件であり、乗り越えなければならない必須条件なのです。

「内なる敵」を制止し、駆逐するためには、インテリジェンスを身につける必要があります。

インテリジェンスを身につけるには、明確な歴史観を持ち、日本民族としての自覚と誇りを取り戻さなければなりません。

誇りを守るためには、時として「圧力」に屈しない「軍事力」も必要であることは当然です。

日本民族は、世界という名の花園のなかで、どのような花を咲かせようとしているのでしょうか。
その志を世界に示さなければなりません。
それが今、政治に求められていることなのです。

（文中敬称略）

福田博幸

日本《にっぽん》の赤《あか》い霧《きり》
極《きょく》左《さ》労働組合《ろうどうくみあい》の日本《にっぽん》破《は》壊工作《かいこうさく》

2023年2月 7 日　第1刷発行
2023年3月13日　第3刷発行

著　者　福田《ふくだ》博幸《ひろゆき》

ブックデザイン　長久雅行
写真提供　共同通信社(特記以外)

発行人　畑 祐介
発行所　株式会社 清談社Publico
〒102-0073
東京都千代田区九段北1-2-2 グランドメゾン九段803
TEL:03-6265-6185　FAX:03-6265-6186

印刷所　中央精版印刷株式会社

ISBN 978-4-909979-41-4 C0036

清談社
Publico

http://seidansha.com/publico
Twitter @seidansha_p
Facebook http://www.facebook.com/seidansha.publico